Collection : BLACK ROSE

Titre original : UNDER SUSPICION

Traduction française de CHRISTINE BOYER

HARLEQUIN
83-85, boulevard Vincent-Auriol, 75646 PARIS CEDEX 13.
Service Lectrices — Tél. : 01 45 82 47 47
www.harlequin.fr
ISBN 978-2-2803-3072-5 — ISSN 1950-2753

Disparition en Louisiane

Jusqu'au bout de l'espoir

MALLORY KANE

Disparition en Louisiane

1

La pluie avait finalement cessé. Comme il arrivait aux abords de Bonne-Chance, en Louisiane, Zachary arrêta les essuie-glaces de sa voiture de location.

Avec le retour du soleil, des spirales de vapeur d'eau sortaient de l'asphalte chauffé à blanc, pareilles à des volutes de fumée. Elles se plaquaient au pare-brise comme la buée sur un miroir de salle de bains. Dans le sud de la Louisiane, la pluie était rarement un cadeau. Même en avril, alors que le reste du pays bénéficiait d'un temps printanier, il suffisait d'un orage sur les routes brûlantes pour provoquer ces échappées de vapeur d'eau. Et la moiteur ambiante était une constante, l'humidité omniprésente.

Zach n'était pas revenu depuis plus de dix ans à Bonne-Chance, sa ville natale, qui portait bien mal son nom. Elle n'avait jamais porté chance à qui que ce fût. Pour sa part, il n'avait jamais envisagé d'y retourner et encore moins pour la raison qui l'y poussait en ce moment même.

Il passa devant deux hypermarchés et un magasin spécialisé dans l'électroménager.

Si les grandes enseignes de la distribution se sont installées à Bonne-Chance, il faut croire que, malgré les apparences, la ville a du potentiel, songea Zach.

Comme il s'engageait sur la départementale 199, plus connue sous le nom de « Route du cimetière », son cœur se serra. Il avait espéré arriver à temps pour assister aux funérailles de Tristan DuChaud mais, à l'évidence, il serait en retard. Tous deux avaient fait connaissance en maternelle et, durant leur jeunesse, ils avaient fait les quatre cents coups ensemble. Malgré les incompréhensions, les malentendus et la distance, Zach l'avait toujours considéré comme son meilleur ami.

Au détour d'un virage apparut l'auvent vert foncé de la maison funéraire. Sur la toile était écrit en lettres blanches « Funérarium Carver », l'entreprise de pompes funèbres qui enterrait les morts de Bonne-Chance depuis plus de quarante ans.

Zach se gara en face du cimetière puis ouvrit sa portière. Un air à la fois brûlant et humide s'engouffra aussitôt dans l'habitacle.

Il était difficile d'expliquer ce mélange de chaleur et de moiteur à quelqu'un qui n'avait jamais mis les pieds en Louisiane. Comment décrire le climat subtropical qui régnait dans le sud des Etats-Unis ? Comment comprendre qu'il ne pleuve pas alors que l'air était saturé d'eau ? En général, Zach comparait cette atmosphère à celle d'un sauna ou d'un hammam. Mais en réalité, cela n'avait rien à voir. L'air était lourd, étouffant, suffocant. En quelques instants, vous vous mettiez à transpirer et une étrange brume imprégnait tout ce que vous touchiez, tout ce que vous portiez. Et, avec le soleil qui chauffait à blanc les routes, les surfaces métalliques ou les personnes, il devenait vite difficile de respirer.

Sortant de la voiture, Zach remua les épaules pour décoller sa chemise humide de sueur. En vain. Il se remettrait à exsuder dès qu'il avancerait sous ce soleil de plomb, il le savait d'expérience.

Il retira ses lunettes noires, embuées par la moiteur ambiante. Mais la lumière était tellement éblouissante qu'il était impossible de voir sans protection. La main en visière, il observa le petit groupe réuni devant la maison funéraire. Tous les gens étaient vêtus de noir. A cause de la canicule, les hommes avaient retiré leurs vestes et les avaient accrochées au dos des chaises alignées sous l'auvent.

Zach regretta de ne pouvoir laisser sa veste dans la voiture mais il n'en était évidemment pas question. Il était armé. En général, son statut d'agent d'investigation de la NSA — la National Security Agency, le service de renseignement américain spécialisé dans l'espionnage électronique — lui permettait de voyager dans les meilleures conditions. Mais une tempête avait frappé La Nouvelle-Orléans trente minutes avant l'heure prévue d'atterrissage de son avion. Et même s'il bénéficiait de multiples agréments et passe-droits, aucun ne l'avait aidé à calmer la nature en furie. L'autoroute avait été fermée plusieurs heures. Voilà pourquoi il n'avait pu arriver à temps à Bonne-Chance pour assister aux funérailles. Apparemment, l'enterrement était en cours et, s'il avait manqué le début de la cérémonie, au moins n'avait-il pas tout raté.

Il essuya ses lunettes noires puis les remit sur son nez.

Comme dans la plupart des cimetières de Louisiane, les tombes étaient érigées au-dessus du sol, rappelant le style traditionnel des cimetières français. En effet, Bonne-Chance se trouvait en dessous du niveau de la mer et la hauteur de la nappe phréatique interdisait aux habitants d'ensevelir leurs morts. Au lieu d'être enterrés selon le rituel funèbre pratiqué en général aux Etats-Unis, les cercueils étaient souvent placés dans de petites cryptes en pierre qui pouvaient accueillir des familles entières. Ces sépultures alignées ressemblaient à des maisons. D'où le surnom de Cités de la Mort donné aux cimetières de Louisiane.

Tout en s'approchant de la chapelle funéraire qui abritait au moins trois générations de DuChaud, Zach s'efforça d'identifier les personnes réunies : étaient-elles des membres de la famille, des voisins ou, comme lui, des amis du défunt ?

Il avançait lentement, respirant l'odeur du bayou, une odeur indéfinissable de poisson et d'eau croupie, une odeur qui avait imprégné toute son enfance et qui ne lui avait pas manqué un instant depuis qu'il avait quitté la Louisiane, treize ans plus tôt.

Il avait roulé le plus vite possible sur la voie express. Avec un peu de chance, les radars n'avaient pas changé de place en une décennie… Malgré cela, il avait raté la cérémonie à l'église et était arrivé en retard au cimetière.

Après tout, ce n'est pas plus mal, se consola-t-il.

Il redoutait les retrouvailles avec ses anciens camarades de classe. Comme Tristan, la plupart habitaient toujours Bonne-Chance, gagnant leur vie sur les plates-formes pétrolières ou sur leurs bateaux de pêche. Zach n'avait pas envie de répondre aux questions qu'ils ne manqueraient pas de lui poser sur *la vie dans une grande ville*.

Pour penser à autre chose, il admira la pierre taillée de la chapelle funéraire, ses murs épais et son clocher décoré. La structure absorbait la chaleur et la lumière du soleil, laissant l'intérieur de la dernière demeure de Tristan dans la fraîcheur et l'obscurité.

Zach retint un soupir. C'était étrange et triste de revenir à Bonne-Chance alors que Tristan n'était plus de ce monde. D'autant que la dernière fois que tous deux s'étaient parlé, cela avait tourné à la dispute. A propos de Sandy, bien sûr. Ils avaient alors quinze ans.

Malheureusement, deux jours après cette altercation, Zach et Zoe, sa sœur aînée, avaient quitté la ville avec leur mère pour emménager à Houston. Sandy était alors furieuse contre Tristan pour une raison quelconque et elle était passée chez Zach afin de lui en parler, comme elle le faisait toujours.

Tristan et Sandy étaient amoureux l'un de l'autre depuis

leur plus tendre enfance, depuis la maternelle, et tout le monde savait qu'ils se marieraient un jour. Ils ne formaient pas *un* couple mais *le* couple. Aux yeux de tous, il était évident qu'ils resteraient ensemble leur vie durant. Mais Tristan avait toujours eu un côté jaloux qui irritait Sandy. Parfois, pour l'énerver, elle s'amusait à flirter avec Zach même si — ou peut-être parce que — Zach et Tristan étaient amis, les meilleurs amis du monde.

Zach se rapprocha de la sépulture. Les silhouettes qui, de loin semblaient fondre sous la chaleur, commencèrent à prendre forme et à devenir reconnaissables. L'homme qui tenait la Bible était, bien sûr, Michael Duffy. Son épaisse tignasse ébouriffée contrastait avec sa soutane noire impeccable et son col blanc de prêtre. Zach avait appris par sa mère que Duff était entré dans les ordres après le terrible accident survenu le jour de la remise de diplôme de Zoe. Mais il avait toujours du mal à se représenter son vieux copain, le fêtard de la bande, prêtre.

D'un geste, Duff invita le groupe à s'asseoir sur les chaises installées devant la petite chapelle, sous l'auvent.

Enfin, Zach repéra Sandy, l'épouse de Tristan — ou plutôt, sa veuve. Elle semblait tenir le coup. Une femme l'accompagnait et l'aida à gagner sa place.

Zach observa l'inconnue. Du même âge que Sandy, elle lui ressemblait vaguement, bien qu'un peu plus mince et peut-être aussi un peu plus brune. Etait-elle une cousine éloignée de Sandy ? De Tristan ? Il ne l'avait jamais croisée, il s'en serait souvenu. Il émanait d'elle une intensité peu commune.

Après avoir installé Sandy, elle se redressa et promena les yeux autour d'elle. Elle ne semblait pas chercher quelqu'un en particulier mais les tensions qui la tenaillaient étaient palpables.

La curiosité piquée, Zach l'étudia avec attention. Certes,

elle était très séduisante mais ce qui le captivait plus, c'était ce qu'elle pouvait bien faire.

Surveillance. Le mot s'imposa à son esprit. Cette femme assurait la surveillance de la zone.

Comme l'inconnue inspectait des yeux les alentours de la maison funéraire, il y eut un changement subtil dans son comportement, nota Zach. Au départ, lorsqu'il avait remarqué sa présence, elle avait semblé en alerte, un peu comme une mère poule prête à intervenir à la rescousse de son poussin — Sandy — au moindre danger. Mais là, en surveillant l'assemblée, elle n'affichait plus son attitude protectrice.

Il ne restait plus rien de la mère poule. Elle semblait tendue à l'extrême. Les épaules redressées, les yeux perçants, elle était totalement focalisée sur sa proie.

Se métamorphoser ainsi en prédatrice était impressionnant, songea Zach. Curieusement, il se sentait en phase avec cette femme, devinant presque ses pensées, anticipant ses gestes.

Il suivit son regard et remarqua deux hommes. Comme les autres, ils étaient vêtus d'un pantalon noir et d'une chemise blanche, sans cravate. Comme les autres, ils avaient retiré leurs vestes parce que la chaleur était insupportable. Mais tous deux se tenaient un peu à l'écart, debout sous l'auvent de la maison funéraire, les mains dans les poches, quand le reste de l'assemblée était assis. Et ils avaient l'air fuyant, comme gênés d'être là.

En outre, ils présentaient une certaine ressemblance, un air de famille. Le plus jeune paraissait à peine sorti du lycée. Sans doute étaient-ils père et fils.

Zach reporta son attention sur l'inconnue. De toute évidence, elle ne considérait pas d'un bon œil ces deux hommes. L'intensité avec laquelle elle les scrutait était contagieuse, et très vite, les rouages du cerveau de Zach se mirent en branle. Il se focalisa à son tour sur les deux individus. Ses sens s'aiguisèrent. Tout son corps se tendit.

Comme si elle sentait son regard sur elle, la femme planta les yeux dans les siens. Ce fut comme un coup de poignard en pleine poitrine. Zach en tressaillit et un mauvais pressentiment l'envahit. Il allait certainement regretter d'avoir croisé le chemin de cette femme.

Elle se détourna alors de lui pour s'intéresser de nouveau au père et au fils. Zach l'imita et observa les deux hommes. L'adolescent murmurait quelque chose à l'oreille de son père, tout en désignant d'un mouvement de menton Sandy et l'inconnue. Le père secoua la tête. Puis il poussa son fils vers les chaises alignées tandis que le prêtre invitait l'assemblée à s'incliner pour implorer le Seigneur.

Tout en récitant les paroles sacrées, Duff adressa à Zach un petit signe pour le saluer. A la vue de l'expression désapprobatrice du prêtre, Zach baissa enfin la tête. Mais il ne put se résoudre à fermer les paupières. Il voulait garder les deux hommes à l'œil.

Après avoir dit « Amen », Duff tendit la main vers Sandy pour l'encourager à s'approcher du cercueil posé sur un chariot à roulettes devant le caveau. Comme elle s'avançait, son amie voulut lui emboîter le pas, mais Sandy l'arrêta d'un geste. Seule, elle parvint devant le cercueil, y laissa une rose blanche et se recueillit un instant avant de retourner s'asseoir.

Alors, elle le vit.

Elle qui tentait de paraître forte se décomposa soudain et des larmes jaillirent de ses yeux.

— Oh ! Zach ! murmura-t-elle. Il est mort. Notre Tristan est mort.

En deux enjambées, Zach s'approcha d'elle et la prit dans ses bras. Il l'étreignit comme il l'aurait fait avec une petite sœur et elle s'accrocha à lui, sanglotant en silence.

Zach la berça doucement tandis que Duff faisait signe

à la mère de Tristan de s'approcher à son tour du cercueil et d'y poser une rose près de celle de Sandy. Une fois que Mme DuChaud fut retournée à sa place, le prêtre invita toute l'assistance à l'imiter.

Puis, la cérémonie achevée, il vint embrasser affectueusement Sandy et tendit la main à Zach.

— Zach Winter ! Je croyais que tu avais juré de ne jamais remettre les pieds à Bonne-Chance.

— Je ne pouvais pas ne pas assister aux funérailles de Tristan, Duff… Euh, je veux dire « mon père ».

Zach ne savait pas très bien comment l'appeler.

Duff sourit.

— « Père Michael » est mon nouveau nom mais « Duff » me va très bien aussi. Plus personne n'ose me donner ce surnom dans le coin. Cela me rajeunira.

Mal à l'aise, Zach hocha la tête. Comme un couple s'approchait de Sandy pour lui présenter ses condoléances, il en profita pour entraîner son ancien camarade à l'écart.

— Que s'est-il passé, Duff ? demanda-t-il à voix basse. Comment Tristan est mort ?

— A ce que j'ai compris, il marchait le long de la passerelle inférieure de la plate-forme pétrolière quand il est tombé à l'eau près de la foreuse.

— Il marchait sur la plate-forme pétrolière ? répéta Zach, l'estomac noué. Que fabriquait-il sur une plate-forme ?

Duff leva un sourcil surpris.

— Tu n'es pas au courant ? Tu n'échangeais pas de nouvelles avec Tristan, ces dernières années ?

Un peu gêné, Zach haussa les épaules.

— Pas vraiment. Après notre déménagement, nous ne sommes restés en contact avec personne. Tu sais, avec Zoe impliquée dans l'accident, ce n'était pas facile… Une carte à Noël, un message sur Facebook, rien de plus.

Duff hocha la tête avec une grimace.

— Son père a lui aussi trouvé la mort sur une plate-forme pétrolière, deux mois avant la fin de l'année universitaire. Tristan a alors préféré interrompre ses études pour travailler sur la plate-forme et aider ainsi sa mère.

— Mais il se destinait à être vétérinaire ! Pourquoi a-t-il renoncé à aller au bout de son cursus ? Deux mois, ce n'était quand même pas la mer à boire, si ?

— J'avais essayé de lui parler, de le convaincre de se présenter au moins aux examens mais Tristan était déterminé. Pour lui, il s'agissait d'un choix de vie. Soit il donnait la priorité à sa famille — il avait prévu d'épouser Sandy à sa remise de diplôme —, soit il privilégiait sa carrière et de faire le métier de ses rêves. Il a choisi sa famille.

La gorge serrée, Zach luttait contre la tristesse et la colère qui le gagnaient. Tristan avait abandonné ses études, renoncé à la carrière à laquelle il aspirait depuis toujours, décidant de travailler tout de suite. Quel sacrifice ! Zach en était malade. Et tout cela pour quoi ? Mourir au fond de la mer.

— Attends, Duff. Je ne comprends pas. Tristan a vécu toute sa vie sur les rives du Mississippi ou du golfe du Mexique, il a appris à marcher sur des quais ou sur des pontons et il a toujours navigué. Je ne connais pas de meilleur nageur que lui. Même s'il l'avait voulu, il n'aurait pas pu tomber à l'eau et se noyer. Que s'est-il passé ?

— J'aimerais pouvoir t'en dire plus mais j'ignore les circonstances du drame. Il était accompagné d'un autre type, un Viêt-namien. Peut-être qu'ils se sont disputés ou battus. Peut-être qu'ils se sont heurtés par mégarde dans l'obscurité et que le choc les a fait passer par-dessus la rambarde.

— Tu sais aussi bien que moi qu'il n'existe pas d'endroit plus éclairé qu'une plate-forme pétrolière. Qu'a dit l'autopsie ?

Duff parut étonné.

— L'autopsie ? répéta-t-il en fronçant les sourcils.

— L'autopsie, oui. Qui l'a pratiquée ?

— Sans doute le médecin légiste, John Bookman. Il exerce dans le comté depuis une dizaine d'années. Il est aussi le médecin chef des urgences à l'hôpital de Terrebonne, à Houma.

— Houma se trouve à une cinquantaine de kilomètres au nord, non ? demanda Zach.

Le prêtre hocha la tête puis, d'un mouvement de menton, désigna un homme.

— Tu vois Angel, là-bas ?

Zach suivit le regard de Duff. Angel DuChaud, un cousin de Tristan — et un bon à rien notoire — discutait avec un petit brun. De trois ans plus âgé que Tristan, Angel avait toujours joué les mauvais garçons. Mais avec les années, il s'était totalement métamorphosé. Rasé de près, il avait coupé ses cheveux longs, et son costume dissimulait ses tatouages.

— Le type à qui il parle est le médecin légiste du comté, précisa Duff.

A ce moment-là, Sandy s'approcha et tira Zach par la manche.

— C'est bien que tu sois venu, Zach.

Avec un sourire, il lui tapota la main.

— Rien n'aurait pu m'en empêcher, tu le sais bien.

Duff arracha alors Sandy des bras de Zach et l'enlaça par les épaules.

— Sandy, viens avec moi. J'aimerais que tu fasses la connaissance de…

In petto, Zach remercia Duff de s'occuper de Sandy. Il ne s'attendait pas à ce que le légiste du coin assiste aux funérailles de Tristan mais cela lui offrait l'opportunité de l'interroger.

Il s'approcha des deux hommes. Comme il l'espérait, Angel le reconnut et le salua, puis lui présenta le Dr Bookman.

— A ce que j'ai compris, vous êtes le médecin légiste, lui dit Zach. J'étais le meilleur ami de Tristan.

— Toutes mes condoléances, répondit Bookman. Ce qui est arrivé à Tristan est terrible.

Au grand soulagement de Zach, Angel s'éloigna vers la crypte, les laissant discuter en tête à tête.

— J'aimerais vous interroger à propos de la mort de Tristan DuChaud.

Bookman observa le cercueil qui se trouvait toujours près du caveau. La dalle de pierre était ouverte, prête à l'accueillir.

— Je n'ai pas l'habitude de parler de mon travail et encore moins au cours d'un enterrement.

— Je comprends. Mais si je peux me permettre…

Zach s'interrompit. Etait-il en train de commettre une erreur ? Après tout, il ne se trouvait pas là à titre officiel. Il était venu à Bonne-Chance pour accompagner son meilleur ami dans sa dernière demeure et pour soutenir sa jeune veuve dans l'épreuve. Mais il avait besoin de comprendre ce qui s'était passé. Il ne pouvait se désintéresser des circonstances qui avaient provoqué la mort de Tristan.

Un instant, il imagina la réaction de son supérieur si ce dernier avait vent de sa démarche mais il refusa d'y songer. Il serait toujours temps de s'en soucier plus tard si le sujet venait sur le tapis.

Il se pencha pour souffler à l'oreille du légiste.

— Je travaille pour la NSA, l'Agence nationale de sécurité.

Ce qui était vrai.

— Nous enquêtons actuellement sur d'éventuelles activités terroristes dans la région, poursuivit-il.

Ce qui n'était pas complètement faux mais pas tout à fait vrai non plus. Soupçonnant des trafics d'armes, la NSA interceptait depuis quelque temps des communications téléphoniques dans les environs de La Nouvelle-Orléans et de Galveston. Comme dans beaucoup d'autres villes.

Mais Zach continua.

— J'ai besoin de savoir ce qui a causé la mort de Tristan DuChaud. Soupçonnez-vous quelque chose de louche ? Un crime ?

Le Dr Bookman recula d'un pas pour observer Zach comme s'il s'agissait d'une lame sous l'objectif d'un microscope. Après un moment, il demanda avec douceur.

— La NSA, m'avez-vous dit ? Ne devriez-vous pas plutôt interroger les gardes-côtes ? Ce sont eux qui ont récupéré le corps.

— J'ai impérativement besoin de cette information, Dr Bookman.

Manifestement perplexe, le médecin s'agita.

— Avez-vous des papiers prouvant qui vous êtes ?

Avec un soupir, Zach tira son badge de sa poche ainsi que sa carte d'identité et les tendit au médecin. Le légiste les étudia avec attention avant de les lui rendre.

— Le mieux est de nous retrouver à la morgue après la cérémonie, dit-il avec calme.

— Non, répliqua Zach. Je dois connaître les causes exactes de sa mort maintenant, tout de suite. Après la cérémonie, il sera peut-être trop tard, ajouta-t-il en désignant du menton les employés des pompes funèbres.

Ils s'activaient près du cercueil.

— Cela m'ennuie d'en discuter ici, marmonna Bookman. Je préfère en parler dans mon bureau.

Mais Zach secoua la tête d'un air implacable et le légiste finit par céder.

— D'accord, mais tâchez de vous rappeler que vous assistez à l'enterrement de votre meilleur ami, et ne faites pas d'esclandre.

Bookman s'écarta de la foule et Zach lui emboîta le pas, s'interrogeant sur la réflexion du médecin. Pourquoi

avons recueillis ne permettent pas d'aboutir à la moindre conclusion quant aux causes de la mort. Mais les deux hommes sont tombés à l'eau dans un endroit et à un moment où leur survie est inconcevable. Non seulement leurs corps ont été broyés par la foreuse mais, comme je vous l'ai dit, il y avait des requins à proximité de la plate-forme.

Derrière eux, les employés des pompes funèbres commençaient à pousser le cercueil vers le caveau. L'une des roues du chariot était cassée et crissait sur le sol.

Sandy, qui se tenait près de Duff, voulut intervenir mais le prêtre posa la main sur son épaule pour l'en empêcher. Du regard, il fit signe à Zach.

— Les gardes-côtes ont tué plusieurs requins dans la zone du drame, poursuivit le légiste. Ils doivent m'envoyer le contenu de leurs estomacs au cas où ils contiendraient d'autres restes humains que nous pourrions identifier.

De nouveau, une vague de nausée souleva Zach.

— Désolé pour votre ami, conclut Bookman.

Zach le remercia, puis rejoignit Sandy. Il tenait à assister à la cérémonie jusqu'au moment où la trappe du caveau se refermerait pour toujours sur son ami.

A cette idée, une envie folle le traversa : ouvrir le cercueil et vérifier ce qu'il y avait à l'intérieur puisqu'il ne s'agissait pas du cadavre de Tristan. Bien sûr, il ne pouvait pas faire une chose pareille. Sandy était là et pour rien au monde, il ne l'aurait laissée soupçonner que le corps de son mari n'avait pas été retrouvé. Mais bon sang, qu'était-il exactement advenu de Tristan ?

— Sandy, dit Duff, Zach n'était-il pas l'un des meilleurs amis de Tristan ?

Elle se tourna vers Zach et lui sourit.

— Pas l'un d'eux, rectifia-t-elle. Mais *son* meilleur ami.

Zach lui rendit son sourire et prit soudain conscience d'un fait qu'il avait remarqué sans l'interpréter jusque-là.

Sandy avait toujours été mince, mais sa robe noire couvrait un petit ventre rond qui ne laissait pas place au doute. Elle était enceinte. La veuve de Tristan attendait un bébé. Les larmes aux yeux, Zach crut exploser de chagrin. Tristan avait laissé derrière lui un enfant.

La main de Sandy se posa sur son ventre dans un geste protecteur et Zach sursauta : il était en train de la fixer !

Comme il levait les yeux, elle lui sourit tristement.

Il ouvrit la bouche pour s'excuser ou la consoler ou dire quelque chose, n'importe quoi, mais elle secoua la tête.

— Tout va bien, Zach. Tout ira bien. Je suis enceinte de quatre mois. Tristan était certain que j'attendais un garçon.

Comme il cherchait quoi répondre sans commettre d'impair, sans manquer de tact, une présence se matérialisa derrière lui. L'inconnue qui avait été aux côtés de Sandy pendant la cérémonie s'approchait.

— Nous devons retourner à la maison, Sandy.

Elle était redevenue mère poule. Et elle avait un petit accent. Peut-être était-elle originaire de La Nouvelle-Orléans. Ou d'une autre grande ville. Mais, en tout cas, elle ne venait pas du bayou.

Elle se tourna vers Zach ; elle avait les yeux bleus. Il n'en fut pas du tout surpris. Les yeux bleus ne lui avaient jamais inspiré confiance.

2

Zach retint un soupir. L'inconnue ne se comportait pas de façon ouvertement agressive vis-à-vis de lui, mais elle se montrait froide, voire glaciale. Puis elle se tourna vers Sandy et, comme par enchantement, son attitude changea du tout au tout. Une tendresse inattendue métamorphosa soudain son visage, balaya sa raideur. Sa froideur parut fondre sous le soleil de l'après-midi.

— Tu vas t'allonger et te reposer pendant que je sortirai les plats et que je préparerai tout pour accueillir les gens, dit-elle en prenant Sandy par le bras pour l'entraîner loin de Zach et de Duff. Mme Pennebaker vient de m'apprendre qu'elle avait apporté trois tartes et deux poulets cuits.

Sandy secoua la tête.

— Comment pourrais-je manger tout ça ?

Il y avait une note d'amusement dans sa voix, remarqua Zach. Peut-être allait-elle très bien, en définitive. Ou, en tout cas, mieux qu'elle n'en avait l'air. Parce qu'elle semblait exténuée et au bord de l'évanouissement.

— Tu dois te nourrir correctement, non seulement pour toi mais aussi pour le bébé, répondit l'inconnue. Et n'oublie pas que toutes les personnes qui ont assisté aux obsèques vont maintenant se rendre chez toi pour te présenter leurs condoléances. Il faudra leur offrir de quoi se rafraîchir et se restaurer.

— Je sais. En tout cas, je n'ai pas besoin de m'allonger. Je me sens très bien.

Résistant à son amie qui la tirait vers les voitures, Sandy se retourna pour tendre la main à Zach.

— Viens avec moi, s'il te plaît. Cela fait si longtemps que je ne t'ai pas vu. J'espère que tu n'avais pas l'intention de partir tout de suite ! Et sors tes valises de ta voiture. Tu vas t'installer chez moi.

Spontanément, Zach allait décliner l'invitation, mais l'inconnue fronçait les sourcils, et ce simple fait le décida à rester.

Il hocha la tête.

— Merci, Sandy, j'en serais très heureux.

— Mais je manque à tous mes devoirs ! s'exclama Sandy. Zach, laisse-moi te présenter Madeleine Tierney. Maddy, ajouta-t-elle en se tournant vers la femme, voici Zachary Winter, le meilleur ami de Tristan, depuis toujours. Lorsqu'ils ont fait connaissance, ils savaient à peine parler.

Madeleine Tierney le salua d'un signe de tête.

Zach lui adressa un bref geste de la main puis se tourna vers Sandy.

— Je te retrouve chez toi, Sandy. A plus tard.

Comme les deux femmes s'éloignaient, il prit quelques instants pour observer Madeleine Tierney. Vêtue d'une veste noire et d'une jupe qui semblait un peu large pour elle, elle était chaussée d'escarpins à petits talons. Elle donnait l'air de s'être habillée de manière à passer inaperçue.

Tout en aidant Sandy à prendre place dans la voiture, elle continuait à scruter la foule. Une fois de plus, ses yeux se posèrent sur les deux hommes qu'elle avait repérés plus tôt.

Zach reporta également son attention sur eux. Ils rentraient à pied vers la ville. Quand ils passèrent devant la dernière voiture garée, Zach se tourna vers le prêtre.

— Tu vois ces deux types, Duff ? demanda-t-il. Excuse-moi, je voulais dire *père Michael*.

— Cesse de t'inquiéter sur la façon de m'appeler.

Duff me va très bien, sauf dans l'église. De quels types parles-tu ?

Zach lui désigna d'un mouvement de menton les deux hommes qui s'éloignaient.

Duff les regarda un instant.

— Il s'agit de Murray Cho et de son fils. Je crois qu'il s'appelle Pat. Pourquoi ?

— Ont-ils assisté aux funérailles, tout à l'heure ?

— Je suis sûr qu'ils y étaient. Cela dit, je ne me souviens pas les avoir vus. Pourquoi cette question ? ajouta-t-il, les sourcils froncés.

— Je me demandais seulement s'ils étaient proches de Tristan.

— Quand ils se sont installés à Bonne-Chance, il y a quelques mois, Tristan les a autorisés à utiliser son ponton pour amarrer leur bateau. Tous deux sont de petits pêcheurs sans grands moyens et ils ont été bien contents de pouvoir profiter du débarcadère des DuChaud.

— Vivent-ils du produit de leurs pêches ?

Duff hocha la tête.

— Ils ont acheté l'usine de transformation du poisson et des fruits de mer de Frank Beltaine. Je ne suis pas certain qu'ils aient commencé à vendre mais ils ont déjà installé des chambres froides. A ce que j'ai compris, ils destinent leurs produits aux habitants du coin.

Les deux hommes faisaient donc partie de la communauté, songea Zach. S'ils venaient de démarrer leurs activités, ils n'étaient sans doute pas très riches. Peut-être étaient-ils venus à pied au cimetière parce qu'ils ne possédaient pas de voiture.

Zach pensa à Madeleine Tierney dont le comportement avait déclenché ses soupçons à propos des deux hommes.

— Et qui est cette Madeleine Tierney ? Et pourquoi couve-t-elle Sandy comme si elle était une enfant irresponsable ?

— Elle ne couve pas Sandy. Elle loue une chambre chez Tristan et Sandy depuis quelques semaines.

De ses mains, Duff mit le mot *loue* entre guillemets.

— Quand Sandy est tombée enceinte, précisa-t-il, Tristan s'est mis à travailler comme un fou sur la plate-forme pétrolière. Il passait trois semaines d'affilée en mer et ne rentrait que quelques jours par mois chez lui.

Zach haussa les sourcils.

— Il n'y a pas des lois pour éviter ce genre d'excès ?

— Oui, bien sûr, le Code du travail devrait être respecté partout. Mais j'ai entendu dire que la plate-forme était à court de personnel actuellement à cause d'un virus qui a décimé les équipes. Les hommes qui ne sont pas malades font des heures supplémentaires. Tristan y trouvait son compte. Son objectif était de gagner le plus d'argent possible pour pouvoir quitter la plate-forme et s'embaucher comme assistant chez un vétérinaire. Lorsque Madeleine et Sandy se sont liées d'amitié, Tristan en a été très soulagé. Cela l'ennuyait de laisser sa femme seule pendant qu'il était en mer. D'autant qu'elle est enceinte.

— Mais qui est cette Madeleine et d'où vient-elle ? insista Zach.

Duff secoua la tête.

— A ce que j'ai compris, elle est inspectrice de plates-formes pétrolières et…

— Elle est quoi ? le coupa Zach, stupéfait.

— Inspectrice de plates-formes pétrolières. Son père exerçait ce métier jusqu'à sa retraite. Quand elle était petite, elle l'accompagnait faire ses inspections. Pour ma part, j'avoue n'avoir jamais prêté beaucoup d'attention aux plates-formes pétrolières jusqu'à l'explosion de celle de British Petroleum, Deepwater Horizon.

Zach hocha la tête. Bonne-Chance était dans la même situation que beaucoup de villages situés le long de la côte de la Louisiane entre le Mississippi et le Texas. Ses habitants étaient soit des pêcheurs, soit des employés des plates-formes pétrolières. Ces deux populations entretenaient entre elles des relations d'amour et de haine. En effet, les plates-formes pétrolières attiraient les gros poissons, y compris des requins, mais elles mettaient en danger le fragile écosystème de la mer.

La plus grande marée noire de l'histoire des Etats-Unis avait laissé des traces. Après l'explosion de Deepwater Horizon, la flore et la faune avaient été sévèrement touchées, en particulier les dauphins, les poissons, les crabes et les crevettes, sans parler des oiseaux. Les pêcheurs avaient subi de plein fouet la catastrophe. Les poissons ayant été exterminés par le mazout, et les fruits de mer interdits à la vente, de nombreuses usines de transformation avaient été fermées. La marée noire avait pratiquement détruit l'industrie de la pêche sur la côte du golfe du Mexique, et désormais, tout le monde était très sensibilisé au problème.

Personnellement, Zach détestait ces plates-formes pétrolières. Son père avait longtemps travaillé sur l'une d'elles jusqu'au jour où il en avait eu assez de son métier, de son mariage, de sa famille : il avait tout quitté. Zach avait huit ans à l'époque.

Et voilà qu'une autre plate-forme pétrolière avait causé la mort de son meilleur ami. Qu'il n'ait pas revu Tristan depuis treize ans n'avait pas d'importance. Le vide dans son cœur et son chagrin étaient les mêmes que s'ils n'avaient jamais été séparés.

— Zach ? lança Duff, le tirant de ses sombres pensées. Je vais me changer avant de me rendre chez Sandy. J'y serai d'ici un bon quart d'heure.

Zach hocha la tête tandis que Duff se dirigeait vers une Mini Cooper. Il reporta ensuite son attention sur Madeleine Tierney. Toujours aux côtés, de Sandy, elle observait les deux hommes qui s'éloignaient sur la route. Elle les suivait des yeux en même temps qu'elle tripatouillait la bandoulière de son sac à main. Le geste parut curieusement familier à Zach et, quand elle jeta un coup d'œil au fermoir de son sac, il se figea.

Lorsqu'il avait intégré la NSA, il avait suivi une formation, plusieurs semaines d'entraînement au maniement d'armes. Deux femmes faisaient partie de sa classe et il les avait vues ranger leurs pistolets dans un sac spécialement conçu à cet effet. Elles avaient l'habitude de jouer avec la bandoulière et avec le fermoir, exactement comme Madeleine Tierney venait de le faire.

Elle avait un automatique dissimulé dans son sac, Zach était prêt à parier toutes ses économies sur le sujet. Et les inspecteurs des plates-formes pétrolières n'avaient certainement pas pour habitude de porter une arme dans l'exercice de leur métier.

Qui donc était cette femme et quelles relations exactes entretenait-elle avec Tristan et Sandy ? A en juger par son sac et sa façon de le porter, sans parler des regards suspicieux avec lesquels elle détaillait certaines personnes, elle était probablement un agent fédéral. Mais pour quelle organisation gouvernementale travaillait-elle ? D'après Duff, elle vivait à Bonne-Chance depuis un mois. Soit avant la mort de Tristan. Elle n'était donc pas venue pour enquêter sur sa disparition.

Zach se mordit la lèvre. Tant qu'il ne saurait pas avec certitude qui elle était et pourquoi elle s'était rendue aux funérailles de Tristan munie d'une arme, il la garderait à l'œil. Elle était peut-être la clé qui lui permettrait de comprendre la vérité concernant la mort de Tristan. Même si la probabilité qu'elle le puisse était d'une chance sur un million, il ne pouvait se permettre de la laisser échapper. Il ne la lâcherait pas tant qu'il n'aurait pas tout appris sur elle.

Comme la voiture des deux femmes s'éloignait, il sortit du cimetière pour regagner son propre véhicule. Il allait les suivre jusqu'à la maison de Sandy. Mais il s'immobilisa soudain. Il avait quelque chose à faire avant cela.

Pivotant sur lui-même, il repartit vers la chapelle funéraire. La plupart des gens avaient quitté les lieux. Le cercueil se trouvait toujours sur le chariot et les employés des pompes funèbres s'apprêtaient à le pousser dans le caveau.

Il prit une profonde inspiration et s'approcha.

— Pourriez-vous me laisser seul un moment ? Je voudrais me recueillir…

Les hommes acquiescèrent puis s'écartèrent.

Zach baissa alors la tête, une main sur le cercueil. Celui-ci était vide, il le savait désormais, mais il avait quand même besoin de le toucher pour dire adieu à son vieil ami.

Maddy poussa un soupir de soulagement. Dès leur arrivée chez Sandy, Marie-Belle, qui était restée à la maison pendant les obsèques, prit la jeune veuve sous son aile. Elle l'entraîna dans la chambre, y ouvrit le lit.

— Maintenant, vous allez vous allonger, ordonna la vieille Cajun. Et vous reposer.

— Je ne suis pas malade, répondit Sandy, visiblement agacée.

Mais elle laissa Marie-Belle la coucher.

Celle-ci avait une réelle autorité naturelle, constata Maddy. Elle-même parvenait rarement à convaincre Sandy de dormir dans la journée. En revanche, même si elle bougonnait, Sandy écoutait la vieille Cajun et finissait toujours par lui céder.

A sa pâleur, à ses traits tirés, à ses yeux brillants de larmes et aux cernes mauves qui dévoraient son petit visage, il était évident que Sandy était épuisée. Et ravagée de chagrin. Elle avait vraiment besoin d'une sieste.

— Il vous faut vous reposer le plus possible, lui dit Marie-Belle. Pour la santé de l'enfant que vous portez si ce n'est pour vous.

— D'accord, d'accord, reconnut Sandy.

La présence de Marie-Belle avait donné à Maddy l'espoir de ne pas avoir à gérer seule tous les plats que les voisins, amis et membres de la famille avaient apportés. Malheureusement, la vieille Cajun devait retourner chez elle sans tarder et mettre un poulet au four pour son dîner.

Maddy l'exhorta à emporter l'un de ceux qui attendaient d'être découpés dans la cuisine. Mais Marie-Belle secoua la tête.

— Ces plats sont pour madame Sandy, pas pour moi. A vous de prendre soin d'elle, maintenant. Et elle a besoin de calme.

Tandis que Sandy se reposait dans la grande chambre au fond du couloir, Maddy considéra la table et le comptoir de la cuisine tapissés de viandes froides, de tartes, de gâteaux, de salades diverses et de jus de fruits. Elle ouvrit le réfrigérateur : il était plein à craquer. Qu'allait-elle faire de tous ces plats ?

Avec un peu de chance, il n'y avait pas besoin de les réchauffer.

Cuisiner n'avait jamais été son fort. Sandy lui avait appris quelques rudiments culinaires, préparer des œufs brouillés, par exemple, mais Maddy était consciente de ses lacunes. A part les *fettuccine* à la sauce bolognaise — sa spécialité — elle ne savait pas confectionner grand-chose.

Maudissant la coutume américaine qui poussait les voisins à apporter des plats dans la maison d'un défunt pour nourrir la famille en deuil, elle s'approcha de la porte d'entrée pour vérifier qu'elle était bien fermée à clé. Elle ne voulait pas que les gens arrivent dans la maison de tous les côtés.

Puis elle regagna sa chambre. Elle sortit son semi-automatique de son sac et le glissa dans la poche de sa jupe prévue à cet effet, sous sa veste. Seul l'œil exercé d'un agent du FBI ou d'un policier aurait pu déceler la présence d'une arme et aucune des personnes venues à l'enterrement n'était capable de deviner qu'elle dissimulait un pistolet sur elle.

Après avoir rangé son sac dans le placard, elle retourna dans la cuisine.

Que pouvait-elle bien faire pour préparer l'arrivée de la foule des invités ?

Tout en promenant les yeux autour d'elle, un peu paniquée, elle repensa au père et au fils viêtnamiens qui s'étaient rendus au cimetière mais qui n'avaient pas assisté à la messe de funérailles. Comme les autres hommes, ils étaient vêtus de pantalons noirs et de chemises blanches et pourtant, ils détonnaient dans l'assemblée. D'après Sandy, il s'agissait d'un pêcheur du coin et de son fils, Murray et Patrick Cho. Mais ce n'était pas leur apparence ou leurs vêtements qui inquiétaient Maddy. Plutôt leur comportement.

Pendant toute la cérémonie, ils avaient passé leur temps à éviter les regards. Ils paraissaient à la fois mal à l'aise et provocants comme s'ils s'attendaient à ce que quelqu'un les prie de partir. Le fils, Patrick, avait beaucoup reluqué Sandy. A une ou deux reprises, son père lui avait murmuré quelque chose à l'oreille, sans doute pour le prier de cesser.

Se remémorer ces deux types lui fit penser, par association d'idées, au troisième à être venu à l'enterrement mais pas à la messe. A l'homme aux lunettes noires et aux yeux verts. Elle l'avait remarqué alors qu'il se trouvait encore loin, près de sa voiture. Il faisait partie de ces gens qui attirent l'attention, quoi qu'ils fassent. Grand, brun, mince et musclé, il avait tout de l'idéal masculin de Maddy. Dans ses fantasmes, en tout cas. Parce que, dans la réalité, elle n'avait jamais connu intimement d'homme aussi bien bâti.

Avec un soupir, elle secoua la tête. Ce n'était pas le moment de commencer à rêvasser stérilement. Elle était en mission. Certes, elle n'avait pas imaginé que sa première infiltration consisterait à jouer les baby-sitters pour une jeune veuve enceinte et à servir une myriade de plats cuisinés à des voisins, mais, en professionnelle, elle devait s'adapter à la situation.

Elle consulta sa montre. A propos de mission, peut-être devait-elle contacter son superviseur avant que les invités ne commencent à arriver. Elle sortit son téléphone portable pour composer le numéro de Brock, son contact. Tout en attendant qu'il prenne l'appel, elle s'empara d'une pile de gobelets en plastique que quelqu'un avait laissée sur la table de la cuisine. Elle essaya de défaire le nœud qui en fermait l'emballage.

— Bonjour, Maddy. Quoi de neuf ? s'enquit Brock.

Elle ne savait presque rien sur lui, hormis qu'après avoir fait carrière au sein de l'armée, il avait été engagé, une fois en retraite, par la CIA pour infiltrer des milieux terroristes dans le Wyoming. Elle ignorait comment il était passé du Wyoming à Washington, comment il s'était retrouvé à travailler pour la Sécurité du territoire et à superviser des agents infiltrés, mais elle pouvait compter sur lui pour l'aider à mener à bien sa mission et pour la protéger en cas de besoin. Cela suffisait.

— Bonjour, Brock. L'enterrement est terminé, c'était la bonne nouvelle. La mauvaise est que je dois à présent accueillir tous les habitants de la ville et les regarder engloutir les plats qu'ils ont apportés chez Sandy.

Tout en parlant, elle s'efforçait de déchirer le plastique qui retenait les gobelets prisonniers.

— Parfait, répondit Brock. Vous avez grandi à La

Nouvelle-Orléans, vous devez donc connaître les traditions du Sud.

— Je les connais, ce qui ne signifie pas que je les apprécie.

Avec un gémissement frustré, elle finit par couper l'emballage avec les dents. Il se rompit brusquement, envoyant les verres en plastique valser aux quatre coins de la cuisine.

— Merde, murmura-t-elle.

— Que se passe-t-il ?

— Désolée, j'essayais d'ouvrir une pile de gobelets et je n'ai réussi qu'à les renverser par terre.

— Avez-vous remarqué quelque chose d'inhabituel au cours de ces funérailles ?

— Oui, monsieur, dit-elle avant de prendre une profonde inspiration. Je ne connais pas tous les habitants de la ville par leurs noms mais je connais désormais leurs visages. Or, j'ai repéré quatre personnes à l'enterrement que je n'avais jamais vues auparavant.

Tout en parlant, elle se penchait pour ramasser les gobelets éparpillés.

— Votre avis sur ces personnes ?

— Sandy les connaît. Ils sont tous liés au clan DuChaud. Elle m'a présentée à eux, précisa-t-elle en se frottant la nuque.

La mort de Tristan DuChaud ne la laissait pas indifférente. Tous deux travaillaient pour Homeland Security — la Sécurité territoriale américaine, le renseignement intérieur — et ils avaient été affectés à la même opération d'infiltration. Mais elle ne l'avait jamais rencontré avant de venir à Bonne-Chance.

Quand Tristan avait prévenu ses supérieurs que sa couverture semblait compromise et qu'il avait demandé des renforts ainsi qu'une protection particulière pour sa femme, Maddy avait été dépêchée sur place. Officiellement, elle avait été chargée de mener une inspection sur la plate-forme pétrolière The Pleiades Seagull. Elle en aurait profité pour remettre discrètement à Tristan un téléphone satellite sécurisé. Mais quand elle avait voulu monter à bord, le capitaine de la plate-forme lui avait interdit l'accès du site, arguant qu'une épidémie de gastro-entérites avait laminé ses équipes et qu'il manquait d'hommes pour effectuer le travail.

Si son refus bloquait Maddy, il avait arrangé Tristan qui cherchait à passer le plus de temps possible sur The Pleiades Seagull pour tenter d'en apprendre davantage sur ce qui s'y tramait. Chargé d'intercepter les échanges radio entre le capitaine et ses supérieurs, il devait vérifier des informations obtenues par d'autres agents qui soupçonnaient la plate-forme pétrolière de servir de base à des activités terroristes dans le golfe du Mexique.

Il avait déjà été établi que beaucoup d'échanges avaient pour origine la plate-forme The Pleiades Seagull. Au cours de l'un des rares week-ends que Tristan avait passés chez lui avec Sandy, il avait pu mettre son superviseur au courant. Il avait surpris des échanges téléphoniques entre le capitaine de la plate-forme et un téléphone satellite non identifié.

A la lecture de ses rapports, ses supérieurs avaient envoyé Maddy sur place. Lorsqu'elle était arrivée à Bonne-Chance, Tristan travaillait pratiquement tout le temps sur la plate-forme pétrolière. Comme, très vite, il était apparu que le capitaine n'était pas disposé à la faire monter à bord, Brock lui avait donné pour nouvelle mission de jouer les gardes du corps pour la femme de Tristan, Sandy. Tristan et Maddy avaient reçu la consigne de ne rien révéler à cette dernière de leurs activités clandestines. Pour Sandy, Maddy était simplement une locataire devenue amie.

Maddy vivait dans leur maison depuis presque un mois quand Tristan avait enfin pu bénéficier d'une semaine de congé. Tous deux avaient réussi à convaincre Sandy qu'il valait mieux que Maddy reste chez eux tant qu'il travaillait sur The Pleiades Seagull. Tristan en avait été soulagé parce qu'il tenait à ce que sa femme, enceinte, soit protégée.

Maddy avait moins bien vécu la situation. C'était sa première mission sur le terrain et elle aurait préféré monter sur la plate-forme pétrolière, passer à l'action. Elle avait effectué une nouvelle tentative pour approcher le capitaine et obtenir l'autorisation d'inspecter le site mais, une fois de plus, elle avait essuyé un refus.

Désormais, Tristan était mort et Maddy se sentait responsable. Avec colère, elle refoula les larmes qui brûlaient ses paupières. Elle détestait montrer la moindre faiblesse. Pourquoi fallait-il toujours qu'elle pleurniche aux enterrements et aux mariages ? Parfois même devant certains films ou, pire, devant certaines publicités.

— Maddy ? reprit Brock. Continuez.

— Oui, répondit-elle en s'essuyant les yeux avant de se remettre à ramasser les gobelets. Il y avait moins de gens au cimetière qu'à la messe. J'ai repéré trois personnes qui sont venues à l'enterrement alors qu'elles n'avaient pas assisté aux funérailles. Deux sont des pêcheurs du coin, un Viêt-namien et son fils, que je n'avais jamais croisés. Et un troisième homme que je n'avais jamais vu non plus.

De nouveau, l'image de cet inconnu, du *troisième homme*, s'imposa à sa mémoire. Son corps d'athlète, sa BMW, ses lunettes noires, ses yeux verts. D'après Sandy, il s'appelait Zach.

— Votre analyse ?

Elle s'efforça de se concentrer.

— Comme je vous l'ai dit, à en croire Sandy, les deux premiers sont des pêcheurs. Ils s'appellent Murray et Patrick Cho. Ils étaient respectueux et vêtus correctement mais ils semblaient mal à l'aise et peut-être un peu arrogants, comme s'ils s'attendaient à devoir justifier leur présence.

— Avez-vous pris des photos d'eux ou de leur véhicule. Une plaque d'immatriculation ?

— Ils n'avaient pas de voiture. En tout cas, pas au cimetière. Ils sont venus et repartis à pied. Et ils n'ont adressé la parole à personne. Ils se contentaient de regarder. A deux ou trois reprises, ils se sont parlé à l'oreille. Et le plus jeune, le fils, désignait souvent Sandy à son père.

— D'accord, vous me donnerez leurs noms par écrit. Je mènerai une petite enquête sur eux. Et que pouvez-vous me dire à propos du troisième homme ?

— Bien habillé, il conduisait une BMW, de location je pense.

— Nous pouvons donc l'identifier.

— Absolument. Il s'appelle Zachary Winter et c'est un vieil ami de Tristan et de Sandy.

— Avez-vous une photo ?

— Non. Il me fixait en permanence. Mais manifestement, Sandy l'aime beaucoup. Ils avaient l'air très proches. Mais je ne pense pas qu'il soit seulement un ami. Il me semblait trop alerte, trop prêt…

— Trop prêt à quoi ?

— A tout, répondit-elle, se représentant Zach aux prises avec un homme armé qu'il neutralisait à mains nues. Excusez-moi, que disiez-vous ? demanda-t-elle, consciente de s'être laissée égarer par son imagination fertile et d'avoir laissé échapper la dernière phrase de Brock.

— Envoyez-moi son nom et le numéro d'immatriculation de sa voiture.

— Je n'ai pas son numéro. Il s'était garé trop loin.

Au même instant, la BMW passa sous la fenêtre de la cuisine. Puis elle s'arrêta dans la cour.

— Attendez, je vais pouvoir vous donner le numéro

de sa plaque d'immatriculation parce qu'il vient d'arriver chez Sandy.

Elle se pencha et lut la plaque à Brock.

— Je vais voir ce que je peux en faire, promit-il. Essayez d'en apprendre le plus possible sur lui et sur ses liens avec Sandy DuChaud.

— Et de votre côté, vous avez du nouveau ? Pensez-vous pouvoir envoyer quelqu'un d'autre, un autre agent, sur la plate-forme pour remplacer Tristan ?

— Cela se présente mal. Nous essayons de chercher autrement ce que Tristan avait découvert et de déterminer s'il s'agit d'une menace immédiate. Si vous le souhaitez, nous pouvons vous exfiltrer, vous dégager de cette mission pour vous rapatrier à Washington.

Comme une autre voiture entrait dans la cour, Maddy secoua la tête.

— Non, je préfère rester. Sandy est enceinte et toute seule. Ils arrivent.

— Qui ?

— Tous les habitants de la ville. Ils viennent réconforter Sandy et manger les plats qu'ils ont apportés depuis hier.

— Gardez l'œil ouvert et restez vigilante.

— Comptez sur moi, répondit-elle en posant la main sur son arme cachée dans sa poche. Je suis toujours vigilante.

— En général, oui.

— Que voulez-vous dire ?

— Deux fois, aujourd'hui, vous avez perdu le fil de nos échanges. D'abord à cause des gobelets et ensuite, lorsque vous me parliez du troisième homme, celui qui vous paraît *prêt à tout*.

— Lâchez-moi un peu, répliqua-t-elle, piquée au vif. Je vous faisais mon rapport et la journée n'a pas été facile.

— Maddy, nous ignorons à qui nous avons affaire. Mais n'oubliez pas que vous devez considérer…

— … tout le monde comme une menace potentielle, oui, acheva-t-elle à sa place. Je sais, ne vous en faites pas. Tout est sous contrôle.

Et pourtant…, songea-t-elle. La mort de Tristan restait mystérieuse. Il s'agissait peut-être d'un accident, comme l'avait affirmé la société de forage. Les accidents n'étaient malheureusement pas rares sur les plates-formes pétrolières. Mais une autre raison pouvait expliquer sa mort. Une raison beaucoup plus inquiétante.

Deux mois plus tôt, Tristan avait informé son contact que le capitaine commençait à nourrir des soupçons à son endroit. Voilà pourquoi il avait demandé des renforts et une garde rapprochée pour sa femme enceinte.

— Brock ? Je sais que nous avons peu d'éléments pour avancer mais … Et si Tristan avait été poussé par-dessus bord ou assommé avant d'être jeté à l'eau ? Il était certain que le capitaine se doutait qu'il l'espionnait et qu'il avait réussi à intercepter certains de ses échanges téléphoniques.

— Mon supérieur étudie toutes les hypothèses mais le sujet est sensible avec l'approche des élections. Aucun homme politique n'a envie de dénoncer la corruption sur les plates-formes pétrolières. Et les élus moins que quiconque.

— Mais un agent fédéral en est mort.

— Non, un employé d'une plate-forme pétrolière est mort. Pour le moment, le lien de cause à effet entre le fait que DuChaud était un agent et sa mort n'a pas été établi. Pas encore. Mon supérieur a souligné la nécessité d'avancer pas à pas, sans précipitation, dans cette histoire. Des experts vont étudier les enregistrements de DuChaud pour tenter de trouver des indices.

— Des indices ? Il avait demandé des renforts et une protection pour sa femme. N'est-ce pas un indice suffisant ?

— Agent Tierney, je vous ai donné la position de mon

supérieur, répondit Brock d'un ton sec. Maddy, ajouta-t-il plus gentiment. Croyez-moi, il est préoccupé. Il va très bientôt s'entretenir avec les principaux dirigeants de Lee Drilling, la société propriétaire de Pleiades Seagull. En attendant, nous avons besoin que vous protégiez Mme DuChaud.

— Et qu'en est-il de mon inspection de la plate-forme ?

— Il ne s'agit plus de votre mission. Nous avons mis au point un dispositif espion pour capter toutes les communications de Pleiades Seagull avec l'extérieur.

— Un dispositif espion ? Pourquoi ne pas l'avoir utilisé plus tôt au lieu d'exposer Tristan au danger ?

— Poursuivez votre mission en fonction de mes instructions, agent. Je vous laisse, j'ai une réunion.

— Brock ?

Mais il avait raccroché.

Elle ramassa d'autres gobelets, songeant au ton clairement réprobateur de Brock. Comme il avait fait carrière dans l'armée, il estimait sans doute que les agents n'avaient pas à discuter les ordres de leurs supérieurs ni à donner leur opinion.

Elle releva la tête. Zach Winter se tenait devant les portes-fenêtres. Sa veste était un peu chiffonnée mais il l'avait gardée comme si la chaleur ne le dérangeait pas. Le vêtement mettait en valeur ses larges épaules et elle admira une fois de plus sa stature puissante, ses longues jambes, son torse musclé. S'il avait été plus grand ou plus mince, il aurait paru dégingandé. Mais il ne l'était pas. Physiquement, il était parfait.

— Puis-je entrer ? demanda-t-il.

Il la troublait tellement qu'elle ne put s'empêcher de rougir.

Pour donner le change, elle le fusilla du regard en s'approchant de lui. Malheureusement, son pied buta contre un gobelet oublié et elle faillit s'étaler de tout son long.

Elle se rattrapa de justesse.

— Merde, dit-elle avant de se pencher pour ramasser le verre en plastique.

Comme Zach s'était précipité pour la devancer, leurs mains se touchèrent.

— Que s'est-il passé ici ? s'enquit-il.

Il voulut l'aider à se relever mais elle l'ignora.

— Je m'appelle Zach Winter, poursuivit-il.

Maddy tiqua. Même si, physiquement, Zach incarnait l'homme idéal, sa personnalité ne lui plaisait pas. Il essayait trop ouvertement de se montrer charmant, familier.

— Oui, je me souviens. Sandy nous a présentés au cimetière.

— Et souhaitez-vous que je vous appelle Madeleine, Maddy ou madame Tierney ?

« Madame Tierney » lui semblait préférable, mais quelqu'un apparut à la porte, l'empêchant de répondre. C'était le père Michael.

— Bonjour Madeleine.

Elle s'éclaircit la gorge.

— Bonjour, père. J'espère toujours qu'un jour vous m'appellerez Maddy.

— D'accord, Maddy. Zach et moi sommes donc les premiers arrivés ? Et où est Sandy ? Elle se repose ?

Maddy hocha la tête.

— Comment vous connaissez-vous tous les deux ?

Le père Michael leva un sourcil surpris vers Zach et sourit.

— Laissez-moi vous présenter l'un des garçons les plus prometteurs de Bonne-Chance… qui a malheureusement quitté la ville, il y a quelques années. Zachary Winter. Zach, voici Madeleine… euh… Maddy.

Maddy considéra Zach. Son nom lui allait bien. Vif et séduisant, tout comme lui.

— Vous êtes donc originaire du coin ? lança-t-elle. C'est drôle, parce que personne ne semble vous reconnaître, à part le père et Sandy.

3

Instinctivement, Maddy n'arrivait pas à avoir confiance en ce Zach Winter. D'où la question peu amène qu'elle venait de lui poser.

De son côté, il la regardait benoîtement.

— J'ai quitté la région il y a longtemps. Permettez-moi de trouver étrange l'hostilité que vous montrez à mon égard sans me connaître.

— Cela suffit, vous deux, intervint le père Michael. Essayez de vous entendre. Je vais accueillir les invités.

Il poussa les portes-fenêtres pour sortir dans le jardin.

— Je ne suis pas hostile à votre égard, corrigea Maddy. Seulement curieuse. Quand avez-vous quitté Bonne-Chance ?

Il fronça les sourcils puis détourna la tête.

— J'avais quinze ans. Puis-je vous aider à récupérer les gobelets éparpillés par terre ? Nous pourrions y mettre des glaçons avant l'arrivée des gens, non ?

— Les glaçons ! s'exclama-t-elle.

Elle les avait totalement oubliés.

Zach Winter les sortit du congélateur.

— Merci, dit-elle. Il y a du thé glacé dans le réfrigérateur si cela ne vous ennuie pas d'en offrir. Et des carafes d'eau fraîches.

Zach ramassa les verres en plastique puis les remplit tandis que les amis et voisins de Sandy commençaient à envahir le salon, guidés par le père Michael.

Maddy abandonna donc Zach pour aller saluer les nouveaux arrivants.

Pendant un moment, elle fut occupée à les inviter à entrer et à les diriger vers le buffet où étaient disposés des gobelets de thé glacé ou d'eau fraîche que Zach alignait consciencieusement.

Un petit groupe de femmes vint prendre des plats dans la cuisine. Elles les installèrent sur la table afin que les convives puissent se servir facilement. Tout le monde bavardait tout en remplissant des assiettes en carton de viande froide et de salades.

Maddy aurait dû pousser un soupir de soulagement et commencer à se détendre. Manifestement, ces gens savaient comment se comporter en de telles circonstances et ils se débrouillaient très bien tout seuls. Mais elle n'y parvenait pas. Elle s'inquiétait pour Sandy depuis des jours, depuis qu'elles avaient appris la mort de Tristan. Grâce à Dieu, Sandy était en train de se reposer. La pauvre n'avait presque pas fermé l'œil de la nuit, tant elle se faisait du souci à propos du déroulement des funérailles.

Maddy ne voulait pas que quiconque ennuie Sandy, puisqu'elle dormait enfin. Pas question de laisser quelqu'un approcher de la chambre.

Elle chercha Zach des yeux : il était dans le couloir, adossé au mur. Un verre à la main, il regardait les invités qui bavardaient autour de lui. Il avait l'air détendu. Mais chaque fois que quelqu'un faisait mine de se diriger vers la chambre de Sandy, il se décollait du mur pour en bloquer l'accès. Il échangeait quelques mots en souriant avec l'intrus qui finissait par battre en retraite.

Quelque chose chez ce Zach Winter lui échappait. Elle se remémora ce qu'elle avait dit à Brock à propos de Zach. Qu'il lui paraissait « prêt à tout ». Il aurait dû être comme les autres : bouleversé, voire choqué par la mort brutale d'un jeune mari, d'un futur père. Il ne se comportait pas comme un homme qui venait de perdre son meilleur ami.

En fait, Zach Winter ne ressemblait pas à la plupart des gens réunis dans cette maison. Beaucoup étaient certainement tristes, bien sûr, de la fin tragique d'un ami mais ils semblaient surtout pressés d'en finir avec la corvée des condoléances et ils attendaient l'occasion qui leur permettrait de filer à l'anglaise ou, en tout cas, sans paraître grossiers.

Lui, il donnait l'air d'avoir tout son temps.

Elle l'observa de nouveau à la dérobée. Mon Dieu ! Il ne s'était pas installé dans le couloir pour profiter de la vue.

Il *montait la garde*. Il empêchait les invités d'accéder à la chambre de Sandy.

Voilà pourquoi elle avait vu juste en disant qu'elle le sentait « prêt à tout ». Depuis le départ, elle avait deviné que, derrière son attitude nonchalante, derrière sa décontraction apparente, il ne s'était pas rendu chez Sandy par souci des convenances en guettant le moment de prendre discrètement la poudre d'escampette. Il veillait sur Sandy, il s'était autoproclamé gardien de son sommeil.

Se comportait-il avec Sandy comme tout véritable ami le ferait ou, comme elle, la protégeait-il pour une autre raison ? se demanda Maddy.

Mais le père Michael l'appelait et, avec un dernier regard à Zach, elle alla rejoindre le prêtre. Il jouait les maîtres de maison à la perfection, accueillant les gens, les invitant à entrer, leur désignant le buffet, saluant ceux qui partaient, les remerciant d'être venus. Il s'était manifestement donné pour mission de la présenter à tous et à chacun. C'était vraiment gentil de sa part, même si Maddy était fatiguée de mémoriser les noms de tous les habitants de la ville.

Elle serra des mains un petit moment puis, avec un mot d'excuse, s'éclipsa pour aller se servir un verre d'eau. Mais même la cuisine n'était pas un refuge. De nombreuses femmes avaient envahi les lieux. Elles bavardaient tout en coupant les tartes, en faisant réchauffer certains plats, en en lavant d'autres, et elles avaient également envie de lui tenir la jambe. Maddy leur sourit, hocha la tête et quitta vite la pièce.

Elle finit par aller rejoindre Zach.

— Cachez-moi, je vous en prie, plaisanta-t-elle. Et merci de tenir les gens à distance de la chambre de Sandy.

Zach ne fit pas semblant de ne pas comprendre à quoi elle faisait allusion.

— Vous aviez l'air de tenir à ce que personne n'approche de cette chambre alors j'ai eu envie de vous donner un coup de main. Mais que dois-je répondre à ceux qui prétendent vouloir se rendre dans la salle de bains, au bout du couloir ?

— Il y a d'autres toilettes près de la lingerie, de l'autre côté de la maison. Le père Michael devrait le dire aux invités dès leur arrivée.

— Exact, je m'en souviens, à présent. Mais, qu'ils le reconnaissent ou pas, la plupart des curieux ont en réalité envie de « jeter un coup d'œil » sur Sandy. Et je m'inquiète pour elle, moi aussi. Comment va-t-elle ? Pensez-vous qu'elle se soit endormie ?

— J'en doute mais elle s'est allongée et j'espère qu'elle se repose, répondit Maddy. Quand nous sommes revenues du cimetière, elle était si pâle que je craignais qu'elle ne perde connaissance.

— Sandy est beaucoup plus forte qu'elle n'en a l'air, répondit Zach. Même si elle est enceinte.

Maddy poussa un soupir frustré.

— Je ne lui jetais pas la pierre. Mais Tristan m'avait demandé de veiller sur elle. Et je ne suis pas sûre qu'elle parvienne à aller de nouveau bien un jour.

— Cela va lui demander un peu de temps mais elle s'en remettra.

— Oui, j'avais oublié à qui je m'adressais. Excusez-moi.

— Pardon ? demanda-t-il, un sourire narquois sur les lèvres.

Elle esquissa un geste d'un air absent.

— Vous étiez le meilleur ami de Tristan, n'est-ce pas ? Le prêtre disait que vous étiez né ici.

Il hocha la tête.

— Le père de Tristan et le mien travaillaient sur la plate-forme pétrolière autrefois. Je connais Tristan depuis toujours. Puis mon père nous a quittés, ma mère et moi, pour vivre une nouvelle existence ailleurs. Celui de Tristan est mort. Je n'avais pas revu Tristan depuis que nous sommes partis de Bonne-Chance pour emménager à Houston. Mais oui, ajouta-t-il d'un air triste, nous étions les meilleurs amis au monde, lui et moi.

Il la dévisagea un instant en silence puis lui lança.

— Que savez-vous exactement des circonstances de sa mort ?

— Pas grand-chose, répondit-elle. Presque rien.

Arrête, s'ordonna-t-elle *in petto. N'en fais pas trop. Comporte-toi comme n'importe qui le ferait. Sors-lui trois banalités, répète-lui ce que tout le monde dit.*

— C'était un accident, conclut-elle.

Le regard de Zach se reposa sur elle si brutalement qu'elle craignit un instant d'avoir pensé à voix haute.

— Et Sandy ? demanda-t-il. Vous a-t-elle confié ce que la police lui avait dit à ce sujet ?

— En partie. Mais je ne pense pas qu'ils lui aient expliqué grand-chose. Personne n'a été témoin du drame, personne n'a vu ce qui s'était passé. La seule chose qui ait vraiment accablé Sandy est qu'on ne l'ait pas laissée l'embrasser une dernière fois.

Zach ferma brièvement les paupières sans émettre de commentaires.

— Je vous ai vu discuter avec le médecin légiste, reprit-elle. Donc, vous en savez sans doute plus que moi. Que vous a-t-il raconté ?

— Je cherchais seulement à comprendre ce qui s'était passé.

Elle se rapprocha de lui.

— Oui, mais est-ce qu'il vous a dit pourquoi le cercueil n'avait pas été laissé ouvert ?

Il ne répondit pas mais il n'en avait pas besoin. Sa façon de serrer les mâchoires comme son silence étaient assez éloquents.

Elle fut soudain mal à l'aise.

— Cela n'a pas d'importance…

Un cri étouffé l'interrompit. Il émanait de la chambre de Sandy.

— Sandy ! murmura-t-elle en blêmissant.

Comme elle tournait les talons, prête à se précipiter en avant, elle se ressaisit à temps : des gens dans la cuisine pouvaient la voir.

Bon sang ! Je l'ai laissée seule trop longtemps.

Elle s'était laissé distraire par tous ces invités qu'elle avait tenté de sonder, par Zach Winter…

— Qu'y a-t-il ? demanda-t-il à voix basse. Qu'est-ce qui ne va pas ?

— Je reviens tout de suite, glapit-elle. Fermez la porte de la cuisine.

Elle réussit à marcher d'un pas posé jusqu'au moment où la porte de la cuisine claqua dans son dos. Elle se mit alors à courir vers le bout du couloir. De sa main droite, elle saisit son arme et elle posa l'autre sur la poignée.

Comme elle s'apprêtait à entrer, Zach lui prit le bras et l'arrêta.

— Attendez, murmura-t-il à son oreille.

Glissant la main sous sa veste, il s'empara d'un revolver.

— Que faites-vous ? chuchota-t-elle.

— Nous avons intérêt à nous préparer à tout.

Nous ?

Mais il poursuivit.

— Restez derrière moi.

— Quoi ? Vous plaisantez ? riposta-t-elle en le repoussant. *Vous* restez en arrière et *je* passe devant. Je suis agent fédéral. Je travaille pour la Sécurité du territoire, plus exactement pour le renseignement intérieur. J'ai été formée pour faire face à ce genre de situations.

Il se pétrifia puis esquissa un pas en arrière.

— Vous êtes quoi ?

Sans répondre, elle débloqua le cran de sécurité de son pistolet et murmura.

— A trois, nous entrons. Un, deux, …

— D'accord, Maddy Tierney. Et, pour votre information, je suis également agent fédéral.

Stupéfaite, Maddy dut faire appel à toute sa volonté pour rester concentrée sur le danger qui se trouvait peut-être derrière cette porte.

— Trois ! cria-t-elle en faisant irruption dans la chambre.

Zach était passé en mode *commando* : il était à la fois tendu à l'extrême et en état d'alerte maximale. Il avait suivi la meilleure formation du monde. Quand la NSA avait décidé de superviser ses propres opérations d'infiltration, elle avait fait appel aux meilleurs, aux experts des forces spéciales de chaque branche de l'armée.

Après tout, il s'agissait d'entraîner des mathématiciens, des financiers et des informaticiens pour en faire des guerriers.

Zach suivit Maddy qui se ruait dans la chambre, encore sous le choc de ce qu'elle venait de lui apprendre — et déstabilisé par ce frisson quand il avait posé la main sur son bras pour l'empêcher d'entrer. Il lui avait laissé la direction des opérations sans discuter et il s'était placé automatiquement en position pour la couvrir. Ils n'avaient pas de temps à perdre à décider qui des deux devait prendre la tête des opérations.

Il se glissa à l'intérieur et, dos au mur, balaya rapidement du regard la chambre plongée dans la pénombre. Maddy faisait la même chose de son côté.

Au cours de sa formation, il avait développé la capacité de se focaliser sur plusieurs choses à la fois sans en négliger aucune. Ainsi, tout en inspectant la chambre, un autre coin de son cerveau suivait ce que faisait Maddy.

Leurs objectifs se rejoignaient et tous deux semblaient se fondre pour n'être plus qu'un, pour former une sorte de supersoldat parfaitement huilé. Il avait ressenti la même chose, à un moindre degré, quand il l'avait vue fouiller des yeux le cimetière, à la recherche de menaces potentielles.

Au moment où son cerveau l'informait de l'absence de danger immédiat, Maddy lui demanda d'un geste de ne pas bouger, de la couvrir. Elle traversa rapidement la pièce pour examiner les fenêtres. Elles étaient bien fermées.

Le soleil avait de nouveau disparu derrière les nuages. Brutalement, le ciel s'assombrissait, annonçant la pluie. A une centaine de mètres de la maison, à l'endroit où la pelouse se perdait dans les marais, une brume grise recouvrait le sol, les herbes et les broussailles.

Maddy jeta un coup d'œil dans la salle de bains, hocha la tête puis reporta son attention sur le placard. Avant de l'ouvrir, elle lança un regard entendu à Zach qui se mit aussitôt en position, prêt à tirer si quelqu'un se trouvait à l'intérieur. Mais il ne contenait que des chemises d'homme et quelques costumes d'un côté, des robes et des corsages de femme, de l'autre. Et une ribambelle de chaussures soigneusement alignées. De toute façon, il était trop exigu pour permettre à quiconque de s'y cacher.

— C'est bon, dit-elle.

Zach promena une dernière fois les yeux dans la pièce avant de glisser son arme dans son holster. Il reporta alors son attention sur Sandy.

Recroquevillée sur son oreiller, les yeux écarquillés et les joues ruisselantes de larmes, elle semblait terrifiée. Quand Maddy s'approcha et alluma la lampe de chevet, Sandy cligna des paupières, éblouie par la lumière. Elle ne parut pas remarquer la présence de Zach mais elle dévisagea Maddy comme s'il s'agissait d'une extraterrestre.

— Tout va bien Sandy, la rassura celle-ci. Tout va bien.

— Maddy, balbutia-t-elle. J'ai vu quelqu'un à la fenêtre. Un homme, peut-être deux. Ils me regardaient.

— Quel genre d'hommes ?

D'une main tremblante, Sandy repoussa ses cheveux en arrière.

— Je ne sais pas. Des hommes.

Elle jeta un coup d'œil apeuré à la fenêtre puis replongea le visage dans ses oreillers.

Zach se tourna vers la baie vitrée. Le ciel s'assombrissait à vue d'œil. Si des inconnus avaient observé Sandy de l'extérieur, ils auraient pu facilement disparaître ensuite dans la brume. Il leur suffisait de faire quelques pas vers les marais pour se noyer dans cet épais voile opaque.

— Je vais aller inspecter le jardin, au cas où il y aurait des empreintes de pas sous les fenêtres, annonça-t-il.

— Non ! s'exclama Maddy. Pas maintenant. Attendez que les invités soient tous partis.

— Pourquoi ? Mieux vaut examiner le sol avant qu'il ne se remette à pleuvoir.

— Vous allez inquiéter les gens. Ils vont s'affoler. A quoi bon semer la panique dans la ville ?

Se penchant vers lui, elle baissa la voix avec un coup d'œil à Sandy.

— Si elle a vraiment aperçu quelqu'un et que ce quelqu'un a quelque chose à voir avec la mort de Tristan, nous ne pouvons pas prendre le risque de lui mettre la puce à l'oreille.

— A vos ordres, madame, répondit Zach d'un ton sarcastique, même si Maddy avait clairement raison.

Les amis et les membres de la famille feraient un scandale s'ils soupçonnaient que la mort de Tristan était peut-être d'origine criminelle.

Il se tourna vers Sandy.

— Sandy, chérie, raconte-moi ce qui s'est passé.

Elle fronça les sourcils.

— Je ne sais pas exactement. Quelque chose m'a réveillée, un bruit contre la vitre. Comme j'émergeais du sommeil, j'ai entendu des voix. La chambre était plongée dans le noir et j'ai oublié…

Elle s'interrompit avant de poursuivre.

— Pendant un instant, j'ai oublié qu'il était mort et j'ai d'abord cru que c'était Tristan. En tout cas, j'ai vu le visage d'un homme, puis un autre, derrière la fenêtre. Tous deux me regardaient fixement mais, quand je me suis mise à crier, ils se sont enfuis.

— Il ne s'agissait pas d'ombres ? Ou d'un rêve ? s'enquit Zach.

Elle se tourna vers lui.

— Zach ? s'exclama-t-elle d'une voix douloureuse. Tu ne me crois pas ? Tu penses que j'ai tout inventé ?

— Non, non, je pose juste la question. Dis-moi ce que tu as vu. As-tu reconnu l'un de ces hommes ?

Elle secoua la tête.

— Non, je ne crois pas que je les connaissais.

Maddy s'approcha.

— A quoi ressemblaient-ils ?

— Je ne sais pas. Il faisait sombre, je ne les voyais pas bien. Peut-être que c'était des étrangers. Au début, il n'y en avait qu'un. Puis un deuxième l'a rejoint. Il avait l'air agité. Je ne distinguais pas les traits de leurs visages parce qu'ils étaient dans l'ombre. Ils étaient là et puis, ils ont disparu.

— Que veux-tu dire par « étrangers » ? demanda Zach, pensant aux Cho.

Sandy semblait totalement perdue.

Zach se reprocha de la bombarder de questions mais il avait besoin de savoir : avait-elle vraiment vu quelqu'un à la fenêtre ou avait-elle rêvé ?

D'autres questions en découlaient.

La mort de Tristan mettait-elle Sandy en danger ? Ou provoquait-elle simplement chez elle des terreurs nocturnes ?

Maddy intervint à son tour.

— Etaient-ils armés ?

— Armés ? Pourquoi auraient-ils été armés ?

Sandy la dévisagea, les yeux écarquillés, puis elle se tourna vers Zach. Pour la première fois, elle remarqua qu'il avait son revolver à la main.

— Zach, pourquoi as-tu une arme ?

— Je suis également armée, Sandy, indiqua Maddy en brandissant son Sig.

Sandy se mit à trembler.

— Mais pourquoi ? répéta-t-elle.

Maddy glissa son pistolet dans la poche secrète de sa jupe puis elle prit les mains de Sandy dans les siennes.

— Ne t'inquiète pas. Je porte une arme parce que Tristan m'avait demandé de veiller sur toi, c'est la seule raison. Nous t'avons entendue crier, alors nous avons couru voir ce qui se passait. Maintenant, tout va bien, le danger est écarté et je veux que tu te détendes, d'accord ? dit-elle gentiment en mêlant les doigts de Sandy aux siens.

Mais, visiblement, Sandy n'était pas rassurée. Elle posa ses yeux angoissés sur Zach.

— Zach ? Que se passe-t-il ? Tout ceci a-t-il un rapport avec Tristan ?

Elle était livide.

Zach déglutit avec difficulté.

— Je ne pense pas.

D'un mouvement de tête vers la cuisine, Maddy lui ordonna en silence de quitter la chambre. Puis elle reporta son attention sur Sandy.

— Tu as des invités. As-tu envie de leur parler ?

— Et la fenêtre ? grommela Zach.

Maddy le fusilla du regard.

— Non, restez dans le couloir jusqu'à ce que tout le monde soit parti. Dites au père Michael de prévenir les gens que Sandy sera là dans un instant. Demandez-lui de les laisser bavarder avec elle une dizaine de minutes avant de les encourager à s'en aller.

Elle le congédiait, comprit Zach. Mais il s'en félicita. Sandy ne cessait de pleurer et il n'avait jamais su quoi faire devant une femme en larmes. Il se sentait tellement démuni qu'il était heureux de laisser Maddy s'occuper d'elle. Elle saurait sans doute beaucoup mieux que lui comment la calmer et découvrir si ce qu'elle avait entendu venait d'un mauvais rêve ou représentait une véritable menace. Et elle avait raison. Les amis et les membres de la famille devaient rester parqués et sous contrôle. A lui de s'en charger.

Il remit son arme dans son holster et sortit de la chambre, fermant la porte derrière lui. Dans son dos résonnait la voix douce et apaisante de Maddy. Il aimait beaucoup cette voix et il regretta de ne pouvoir remercier Maddy d'être aussi gentille avec Sandy.

Comme il se dirigeait vers la cuisine, il faillit heurter de plein fouet quelqu'un qui remontait le couloir.

— Attention ! cria-t-il en tendant les mains.

L'homme poussa une exclamation mais ne ralentit pas, se contentant de contourner Zach.

Mais Zach lui bloqua le passage.

— Attendez ! Où allez-vous ?

— Excusez-moi, répondit l'intrus.

Puis il se figea sur place.

— Oh ! Mais c'est Zach ! Salut, vieux !

Zach le considéra avec plus d'attention, s'efforçant de l'identifier. Le type lui disait vaguement quelque chose mais ni plus ni moins que la quasi-totalité de ceux qu'il avait croisés depuis son arrivée.

Bonne-Chance était sa ville natale, après tout, et dans cette partie de la Louisiane, la plupart des gens vivaient toute leur existence à quelques kilomètres de l'endroit où ils étaient nés.

— Je suis Gene, Gene Cambell… Je tenais la boutique de vêtements de sports… jusqu'à ce qu'un magasin Walmart s'installe en ville, ajouta-t-il en secouant la tête. Un petit commerçant indépendant n'a aucune chance face à un géant de la distribution.

Gene Cambell.

Zach se rappelait à peine de lui.

— Ah oui ! Et tu comptais aller où, là, Gene ?

Son ancien camarade le dévisagea un instant et fronça les sourcils.

— Tu l'ignores sans doute mais Sandy est ma nièce. Sa mère est morte il y a des années, peut-être t'en souviens-tu. Alors je me sens un peu responsable d'elle et j'avais envie de voir comment elle allait. Est-elle malade ou quelque chose du genre ? Elle devrait être avec ses amis et avec sa famille, ajouta-t-il, tentant de nouveau de passer devant Zach.

Pour un brave garçon, cherchant seulement à prendre des nouvelles de sa nièce, Gene semblait très déterminé.

— Non, je ne savais pas que vous étiez de la même famille, Sandy et toi. Je croyais qu'après la mort de sa mère, elle n'avait plus personne. Elle n'avait pas été adoptée par un vieux couple ?

Comme Gene ne semblait pas disposé à répondre, Zach poursuivit.

— Quoi qu'il en soit, elle a besoin de se reposer. Elle était bouleversée en sortant du cimetière. C'est compréhensible.

— Ah bon ? Je l'ai vue discuter avec le père Michael et elle avait l'air d'aller bien.

— Quoi de neuf alors, Gene ? demanda Zach en lui prenant le bras pour l'éloigner de la chambre. Comment vont les enfants ?

Gene haussa les épaules.

— Depuis combien de temps as-tu quitté Bonne-Chance ? Un bail, manifestement. Mes gosses sont mariés et j'ai trois petits-enfants. Dont je suis fou, précisa-t-il en souriant. Et toi ? Et comment va ta mère ?

— Très bien, merci. Elle vit toujours à Houston et elle se porte comme un charme.

Il tendait l'oreille mais, quand il retourna avec Gene dans la cuisine, ni Maddy ni Sandy n'étaient encore sorties de la chambre.

Comme Gene se servait de thé glacé, deux vieilles dames s'approchèrent du couloir d'un air curieux.

— Tout va bien ? s'enquit l'une d'elle.

Avant que Zach ne puisse répondre, la mère de Tristan le devança et les prit par le bras.

— Tout va très bien, répondit-elle en souriant. Que diriez-vous de goûter la tarte aux myrtilles ? Elle est vraiment délicieuse.

Comme les femmes battaient en retraite en discutant des desserts, la mère de Tristan tenta à son tour de passer en force mais Zach la bloqua avec douceur.

— Zach chéri ! s'exclama Mme DuChaud en l'embrassant. Que c'est gentil de ta part d'être venu.

Elle avait toujours été très jolie et Tristan avait hérité de ses traits harmonieux mais là, son visage était défait. Elle était pâle et de grands cernes mauves soulignaient ses yeux.

— Que tu as grandi ! Tu es devenu très bel homme, très séduisant, Zach. Mais, chéri, tu devrais aller voir Ralph dès demain et lui demander de te couper cette tignasse.

— Je suis navré de ce qu'il est arrivé à Tristan. Je vous présente mes sincères condoléances.

— Merci. Mais maintenant, je voudrais aller voir Sandy, dit-elle en secouant tristement la tête. La pauvre petite est anéantie. Moi aussi, bien sûr, mais j'ai la foi, de véritables amis pour me soutenir. Alors que Sandy… Je n'en sais trop rien.

Zach s'interdit de lever les yeux au ciel. La mère de Tristan avait toujours eu la dent dure.

— Elle a fait un cauchemar et Maddy la calme. Elles vont nous rejoindre dès qu'elle ira mieux.

— Maddy ? Tu veux dire Madeleine Tierney, je suppose. Je n'apprécie pas beaucoup cette jeune femme. Personne ne sait d'où elle sort mais elle se comporte comme si sa présence était indispensable. Laisse-moi passer. Je dois apporter un verre d'eau à Sandy.

Bien sûr, elle n'avait pas de verre d'eau à la main, constata Zach. Il planta les yeux dans les siens sans commentaire.

— Je voulais d'abord lui demander si elle en voulait, prétendit Mme DuChaud. Tu as bien changé, Zach. Autrefois, tu étais un si charmant garçon, si poli, si gentil…

— Oui, madame, répondit Zach sans bouger.

La mère de Tristan finit par renoncer et tourna les talons d'un air pincé.

Par la suite, personne d'autre n'essaya de se rendre dans la chambre de Sandy, même si plusieurs dévisagèrent Zach avec curiosité et qu'une ou deux s'approchèrent pour lui parler tout en fixant la porte fermée derrière lui.

Finalement, il eut un moment de tranquillité pour réfléchir à la bombe que Maddy avait jetée : elle travaillait pour la Sécurité du territoire. Elle était agent du renseignement, une espionne chargée d'identifier et de neutraliser les menaces en particulier terroristes visant le territoire national. Peu de choses le surprenaient dans la vie, mais là, il avait été sidéré. En tout cas, il comprenait un peu mieux ce qu'elle faisait là. Mais pourquoi était-elle arrivée plusieurs semaines plus tôt ? Et sa présence avait-elle un lien avec la mort de Tristan ?

A ce moment, Sandy et Maddy sortirent de la chambre. Il se poussa de côté pour les laisser passer. Sandy se rendit dans la cuisine où la moitié de la ville l'attendait pour l'embrasser avec effusion.

Puisqu'il en savait plus sur Madeleine Tierney, Zach l'observa avec un intérêt renouvelé tandis qu'elle fendait la foule pour escorter Sandy jusque dans le salon. Elle faisait du bon travail. Elle empêchait Sandy d'en dire trop mais elle la protégeait également de ceux qui sans penser à mal remuaient le couteau dans la plaie. Apparemment, elle était plus douée pour effectuer des tâches d'agent du renseignement que pour servir des plats ou présenter un buffet à une cinquantaine de personnes. Il sourit en se remémorant la nervosité qu'elle affichait lorsqu'il était arrivé. Mais quand Sandy avait poussé un cri de détresse, elle était passée à l'action et s'était comportée en professionnelle, en agent secret expérimenté.

Maddy garda un œil sur Sandy. Heureusement, elle marchait d'un pas assuré et saluait ses invités avec calme.

Elle recula pour laisser la jeune veuve sur le devant de la scène. Comme elle tournait la tête, Zach apparut dans son champ de vision : il lui adressa un petit signe. D'un mouvement de menton presque imperceptible, elle accepta son invitation et traversa la cuisine pour le rejoindre discrètement dans le couloir.

Cela fait, elle jeta un coup d'œil aux deux portes qui donnaient sur le salon puis hocha la tête en direction de Zach. Evidemment, il comprit le message : tous deux allaient monter la garde pour veiller sur Sandy et vérifier qu'aucun des invités n'allait se promener seul dans la maison.

Elle s'installa près du salon, les pieds ancrés sur le sol, les bras croisés. Zach s'adossa au mur, l'air nonchalant comme s'il n'avait rien de mieux à faire et qu'il avait l'intention de rester planté là pendant des heures. En fait, il semblait écouter d'une oreille les conversations qui roulaient dans la cuisine.

Bien sûr, les gens parlaient tous de Tristan, du charmant jeune homme qu'il avait été et de la façon tragique dont il avait prématurément fini. Certaines personnes évoquaient le manque de sécurité sur les plates-formes pétrolières, la situation de l'industrie de la pêche et même l'équipe de football de l'école et de ses chances de parvenir en finale au championnat.

Mais les pensées de Maddy tournaient toutes autour de Zach. Elle se remémorait les mots qu'il avait prononcés avant de faire irruption dans la chambre de Sandy.

« Je suis moi aussi un agent fédéral. »

— Tout à l'heure, qu'avez-vous voulu dire en me confiant que vous étiez agent fédéral ? demanda-t-elle.

Adossé au mur, Zach paraissait perdu dans ses pensées mais elle n'était pas dupe : il ne perdait rien de ce qui se passait autour de lui.

— Avez-vous vraiment envie d'en discuter maintenant ?

Elle leva les yeux au ciel.

— Oui ! Pourquoi pas ?

— Je pensais qu'il valait mieux en parler en privé.

— Je préfère savoir à qui je m'adresse. Dès que je vous ai vu, j'ai remarqué que vous portiez une arme mais j'ai besoin de savoir pour qui vous travaillez.

Elle ajouta dans la foulée, en désignant Sandy :

— Elle s'en sort vraiment bien.

— Qui ? Oh ! Sandy ? Oui je vous avais dit qu'elle était forte. Je savais que vous étiez armée, vous aussi.

— Vraiment ? A quoi l'avez-vous deviné ?

— A votre sac. Vous ouvriez votre sac à main comme les femmes agents que j'ai vues à l'entraînement. En jouant avec le fermoir et avec la bandoulière.

— Bon, je vais peut-être renoncer au sac à main.

De nouveau, elle jeta un coup d'œil à Sandy.

— Elle est sans doute forte mais elle est aussi épuisée et accablée de chagrin. Elle n'a pas dormi depuis mercredi, depuis qu'elle a appris la mort de Tristan.

— Peut-être qu'elle dormira mieux cette nuit, maintenant qu'elle…

Il s'interrompit.

— Qu'elle… quoi ? s'exclama-t-elle. Qu'elle l'a enterré ? C'est ce que vous alliez dire ?

Il parut étonné.

— Non … enfin… oui.

— Vous savez qu'il n'y a pas vraiment eu de funérailles, reprit Maddy. Sandy a été bouleversée qu'on ne la laisse pas embrasser son mari une dernière fois.

— Mais vous savez pourquoi, non ?

— Non, pas vraiment. J'imagine qu'il portait des traces de ses blessures… Peut-être qu'il n'était pas très joli à voir.

Zach la regarda avec attention.

— Vraiment, vous ne savez rien ?

— Ecoutez, je vous ai vu parler avec le Dr Bookman mais il ne m'a rien dit à moi. Que vous a-t-il raconté ?

Zach n'était arrivé que quelques heures plus tôt et il en

savait déjà plus qu'elle qui était là depuis des semaines, songea-t-elle avec amertume.

Sans répondre, il haussa les épaules.

— Allez, dites-moi ! insista-t-elle.

Il n'était pas facile de reconnaître qu'elle avait commis une erreur, qu'elle était passée à côté de quelque chose. Et elle avait hâte qu'il lui donne les informations qui la remettraient dans la partie. De toute façon, rien ni personne — et surtout pas ce séduisant agent secret — n'allait la sortir du jeu.

Elle s'était juré que rien ne la détournerait de sa mission. Pas même Zach Winter.

— Vous ne savez pas pourquoi ils ne l'ont pas laissée embrasser son mari une dernière fois, pourquoi ils n'ont pas laissé le cercueil ouvert pendant la cérémonie, n'est-ce pas ? répéta-t-il.

Un frisson la parcourut.

— Non… Dites-moi.

— D'après le légiste, il ne restait presque rien du corps. Le peu qu'ils ont retrouvé a été mis sous scellés et va servir à l'identification via des analyses d'ADN. Le cercueil de Tristan était vide.

4

Le cercueil de Tristan était vide !

Maddy en trembla.

— Quelle horreur ! Pauvre Sandy. Il ne faut pas qu'elle l'apprenne.

Le visage de Zach s'assombrit.

— Je vous interdis de le lui dire et, si vous passiez outre cette interdiction, je vous écorcherais vivante. C'est bien compris ?

— Bien sûr, vous pouvez compter sur ma discrétion, répondit-elle d'un ton solennel. Que vous a dit d'autre le médecin légiste ? Est-ce qu'il a identifié la cause du décès ?

— Non, il n'a aucun élément pour la déterminer, il ne peut que spéculer. Il pense que Tristan est tombé de l'une des passerelles métalliques de la plate-forme. Peut-être qu'il se battait avec le Viêtnamien qui est également mort ce soir-là. Peut-être qu'ils étaient tous les deux ivres. En tout cas, ils sont passés par-dessus bord.

Maddy secoua la tête.

— Cela ne ressemble pas à ce que je sais de Tristan.

— C'est vrai. Mais vous, comment pouvez-vous l'affirmer ? Vous ne le connaissiez pratiquement pas.

Il s'exprimait d'une voix grave qui la troubla.

— Sandy m'a beaucoup parlé de lui. Elle est dans un état second depuis qu'elle a appris sa mort. Elle n'a pas posé beaucoup de questions mais, quand le père Michael est venu lui parler et lui a expliqué ce que vous venez de me dire, elle a tout de suite répondu que Tristan n'était certainement pas tombé tout seul.

Maddy s'arrêta un instant, puis reprit.

— En effet, je ne le connaissais pas très bien, je ne l'ai croisé qu'une fois ou deux depuis mon arrivée mais je partage l'opinion de Sandy. Il a toujours vécu par ici, il faisait du bateau, il nageait comme un poisson, il grimpait aux arbres. Non seulement il était très sportif et responsable, mais il n'ignorait rien des dangers du golfe du Mexique et des plates-formes. Je suis également persuadée qu'il ne s'agit pas d'un accident.

— Vous avez raison et c'est d'ailleurs ce que j'ai dit au légiste qui essayait de me convaincre que Tristan était tombé malencontreusement à l'eau. Pour moi, il a été poussé.

Maddy le dévisagea fixement tandis que ses paroles s'insinuaient dans sa tête et que la réalité s'imposait à son esprit.

Il a été poussé.

Elle couvrit sa bouche de ses mains, et ses yeux se remplirent de larmes.

— Oui, le drame s'est déroulé ainsi. J'en suis certaine. C'est la seule hypothèse plausible.

Zach fronça les sourcils.

— Je le crains.

— Il a été poussé à l'eau, répéta-t-elle d'une voix blanche. Et dès que Sandy recouvrera ses esprits, elle le comprendra. La pauvre petite. Comment va-t-elle le supporter ? Comment pourra-t-elle accepter que Tristan ait été assassiné ?

Zach se mit à arpenter le couloir.

— Je ferai tout ce qui est en mon pouvoir pour qu'elle apprenne le plus tard possible la vérité, confia-t-il, les mâchoires serrées. Et le jour où elle comprendra qu'il s'agissait d'un meurtre, j'aurai démasqué l'assassin et, quel que soit le mobile, ce type sera derrière les barreaux. Sandy aura au moins le réconfort de savoir que le tueur de Tristan est en prison.

— Et vous croyez pouvoir y arriver ? releva Maddy. Tant mieux. Il est peut-être temps que vous me disiez qui vous êtes et pour qui vous travaillez…

Malgré elle, elle avait élevé la voix et plusieurs personnes la dévisageaient d'un air désapprobateur. Elle leur sourit et s'éclaircit la gorge puis répéta dans un murmure.

— Dites-le-moi, s'il vous plaît.

Zach poussa un soupir frustré.

— Je suis un agent de la NSA, le service de renseignement américain spécialisé dans l'espionnage électronique, des écoutes et de la sécurité des systèmes informatiques du gouvernement, comme vous le savez certainement.

Il sortit son badge et le lui tendit.

Elle s'en saisit, l'examina attentivement puis leva les yeux vers Zach. Elle était impressionnée.

— Vous voulez dire la NSA ? Vous travaillez pour la NSA ?

— Voilà.

— Mais vous êtes… Vous avez une arme.

Sa surprise se muait en incrédulité.

— Et alors ? fit-il sèchement.

— Mais pourquoi êtes-vous armé ? demanda-t-elle, joignant les mains pour l'implorer de le lui expliquer. D'accord, vous êtes ici parce que Tristan était votre meilleur ami, qu'il est mort et que vous vous faites du souci pour Sandy. Mais … que vient faire la NSA dans cette histoire ? Et pourquoi êtes-vous armé ? Je pensais que la NSA, c'était des mathématiciens, des informaticiens, des chercheurs, de grands cerveaux … mais pas des agents secrets, pas des agents d'infiltration.

Zach se frotta le visage.

— Je suis membre d'une division de la NSA qui mène

des enquêtes sur d'éventuelles activités terroristes à partir de renseignements obtenus grâce aux écoutes d'un autre service. Mais je suis en vacances actuellement. Je ne suis pas venu à Bonne-Chance à titre officiel : uniquement parce que j'étais l'ami de Tristan et de Sandy.

Maddy l'observa un long moment.

— Vous êtes donc en train de me dire que vous travaillez comme agent secret pour la NSA et que vous êtes autorisé à porter une arme ?

Elle n'en revenait toujours pas.

— C'est exactement ce que je suis en train de vous dire. Voulez-vous que je vous le répète une troisième fois ?

Maddy secoua la tête.

— Non, c'est bon. J'ai compris. La NSA, répéta-t-elle avec un petit rire. Qui se serait douté que les membres de la NSA jouaient les James Bond ? Mais quel métier exercez-vous ? A mon avis, vous n'êtes pas militaire de carrière.

Il releva le menton.

— J'enseigne à Harvard. Les mathématiques et la finance.

— Vraiment ? dit-elle en riant. Les maths et la finance. Et depuis combien de temps travaillez-vous comme agent secret ?

— Depuis peu de temps, reconnut-il en serrant les mâchoires. Jusqu'ici, je n'ai été chargé que d'une seule mission. Et il s'est avéré qu'elle manquait d'intérêt. Des gamins avaient modifié les noms des méchants de leur jeu vidéo préféré pour les remplacer par les noms de véritables terroristes. Peut-être en avez-vous entendu parler.

— Non, ça ne me dit rien.

— Cela n'a pas d'importance, répondit-il avec un haussement d'épaules. Comme je vous l'ai déjà indiqué, je ne suis pas ici à titre officiel. Et vous ?

Maddy ignora la question.

— La NSA emploie des agents secrets, j'aurais vraiment tout entendu.

— Vraiment ? Vous croyez avoir tout entendu ? intervint le père Michael. Pour ma part, je crois que j'ai encore beaucoup à apprendre.

— Oh ! Mon père, vous m'avez fait peur.

Maddy n'avait pas remarqué sa présence avant qu'il ne prenne la parole.

— Avant de m'en aller, je voulais vous demander votre accord. Sandy essaie de me convaincre de partir avec de quoi manger quelques jours, dit-il en désignant la cuisine où Sandy emballait des tartes et de la viande froide.

Elle lui sourit.

— Emportez tout ce qui vous fait plaisir. Nous n'arriverons jamais à manger tout cela.

— Merci, Madeleine, je veux dire Maddy, de veiller sur Sandy. Quant à toi, ajouta-t-il en se tournant vers Zach, je compte sur toi pour protéger ces deux femmes, nous sommes bien d'accord ?

— Ne t'inquiète pas, Duff. J'en ai bien l'intention.

Le prêtre s'en alla, les bras chargés de plats et Maddy referma les portes-fenêtres derrière lui. Avec un soupir mi de soulagement, mi d'épuisement, elle posa un instant le front sur la vitre.

— Ça va, Maddy ? s'enquit Sandy.

— Bien sûr, répondit Maddy, même si elle se sentait un peu fatiguée.

Elle s'adressa à Zach :

— Vous appelez le père Michael *Duff* ?

— Je n'arrive pas à m'habituer à l'appeler *père Michael.*

Il se tourna vers Sandy.

— Pourquoi tu ne retournerais pas t'allonger ?

Une ombre passa sur le visage de Sandy.

— Je n'ai pas sommeil. C'est toi, Maddy, qui sembles

épuisée et qui devrais aller dormir. Monte te coucher. Zach et moi allons bavarder pendant ce temps-là.

Maddy lança un regard interrogateur à Zach. Il hocha brièvement la tête.

— D'accord, répondit-elle, je vais aller prendre une douche et peut-être me coucher tôt puisque Zach est là.

— Très bien. Tu t'occupes beaucoup de moi et j'apprécie, dit Sandy en l'embrassant affectueusement.

— Es-tu sûre que tu n'as plus besoin de rien ?

— Sûre et certaine. Je vais préparer le canapé-lit de la nurserie pour Zach, ajouta-t-elle. Puis nous nous rappellerons le bon vieux temps, tous les deux. Mais il faut d'abord que j'aille faire pipi. Apparemment, une femme enceinte en a tout le temps envie, y compris pendant les enterrements.

Et elle s'éloigna dans le couloir.

Zach paraissait sonné et Maddy se tourna vers lui.

— Elle cherche à alléger l'atmosphère, expliqua-t-elle. Peut-être qu'elle va mieux. Mais, avant qu'elle revienne, j'ai une question à vous poser. Croyez-vous ce qu'elle vous a raconté ?

— Vous voulez savoir si je crois qu'elle a vu quelqu'un à la fenêtre ? Je n'en ai aucune idée. J'ignore tout des femmes enceintes. Sont-elles souvent victimes de cauchemars ou d'hallucinations ?

— Ne me demandez pas ce genre de choses, pas à moi. Mais vous la connaissez. Alors, vous la croyez, oui ou non ?

— Je crois qu'elle croit avoir vu deux hommes derrière la vitre. Maintenant, suis-je certain que deux inconnus se sont approchés en catimini de la maison, qui était pleine de monde à ce moment-là, pour la regarder dormir… Non, pas vraiment. Et vous ?

— Je partage votre avis. Mais s'ils étaient bien venus l'espionner ? Qui étaient ces types ? Que fabriquaient-ils ?

— C'est ce que je vous demande. Et qu'en est-il des pêcheurs que vous surveilliez si étroitement au cimetière ? Serait-ce possible que ce soit eux qu'elle ait vus ? Sandy les connaît-elle ?

Maddy fronça les sourcils.

— Oui, cela pourrait être les Cho et, oui, elle les aurait reconnus. Mais pourquoi se seraient-ils glissés furtivement derrière la maison ?

Zach répondit à sa question par une autre.

— Pourquoi êtes-vous aussi suspicieuse à leur sujet ?

— Non, je ne suis pas particulièrement suspicieuse à leur sujet. J'avais tout le monde à l'œil pendant les funérailles et au cimetière. Ils n'ont pas assisté à la messe. Vous non plus, d'ailleurs.

Il hocha la tête.

— En effet.

— Mais je n'arrive pas à imaginer les Cho furetant autour de la maison, poursuivit-elle. Et je ne peux pas non plus imaginer Sandy ne pas les avoir reconnus.

— Peut-être était-elle à moitié assoupie. Ou peut-être était-elle complètement endormie : elle aura vu ces deux hommes dans un rêve.

Il ajouta dans la foulée.

— Et s'il s'agissait tout simplement de deux employés de la plate-forme pétrolière ? Qui connaissaient Tristan et qui ont eu envie d'assister à ses obsèques, par exemple ?

Maddy secoua la tête.

— Primo, s'ils travaillaient sur la plate-forme pétrolière, il faudrait qu'ils soient en congé cette semaine ou envoyés par le capitaine de la plate-forme. Deuxio, lorsque vous êtes employé sur une plate-forme, vous ne demandez pas un après-midi de congé, vous ne prenez pas un bateau ou un hélicoptère pour retourner sur le continent. C'est un peu plus compliqué. Vous devriez le savoir. Votre père travaillait sur une plate-forme, non ?

Zach se frotta le visage. Il semblait fatigué tout d'un coup.

— Oui, mais il a quitté ma mère et la région quand j'avais huit ans. A l'époque, j'ignorais tout des plates-formes pétrolières. Tout ce que je savais était qu'il était absent la plupart du temps et que, lorsqu'il revenait à la maison, il ne cessait de crier.

Maddy ne releva pas.

— Et tertio, comme je vous l'ai dit, j'ai repéré toutes les personnes qui se sont rendues à la messe d'enterrement et au cimetière. Et il n'y avait aucun employé de la plate-forme parmi elles. Et si l'un d'eux avait échappé à ma vigilance, il n'aurait pu échapper aussi à celle du père Michael. Il saluait tous les gens qui passaient devant moi. En plus, même si je ne me rappelais pas toujours leurs noms, j'avais déjà vu, croisé, tous ceux qui ont assisté aux funérailles.

Au loin, Sandy ouvrit la porte de la nurserie, les interrompant. Zach poussa un soupir.

— Bon. Nous avons besoin d'examiner ces différents points, un par un. Si vous êtes d'accord, je vais bavarder un peu avec Sandy, puis j'irai inspecter le jardin pour voir s'il y a des traces de pas sous la fenêtre.

Maddy ne put retenir un sourire.

— Bien sûr. Pourquoi me demandez-vous la permission ?

— Vous plaisantez, je suppose. Vous m'avez bien fait comprendre que vous étiez responsable de tout dans cette histoire, non ?

Elle fut plus étonnée encore.

— Etes-vous en train de me dire que vous seriez d'accord pour prendre la direction des opérations ?

La question parut le désarçonner un instant, puis il releva le menton.

— Madeleine Tierney… Croyez-moi, le jour où je serai prêt à prendre la direction des opérations, vous le saurez.

Puis il tourna les talons et se dirigea vers la nurserie.

— Je ne comprendrai jamais les hommes, persifla Sandy en posant des draps propres sur le canapé. Comment peux-tu considérer comme ton meilleur ami quelqu'un que tu n'avais pas revu depuis plus de dix ans ?

Zach haussa les épaules.

— Les hommes fonctionnent ainsi. Ça va, Sandy ? ajouta-t-il en la détaillant.

Elle sourit tristement.

— Comment pourrais-je aller ? Il est mort. Je n'arrive même pas à me rappeler un jour de ma vie sans lui, confia-t-elle en essuyant une larme sur sa joue.

Zach hocha la tête.

— Je sais. Moi non plus, je ne peux pas concevoir qu'il soit mort.

Sandy se moucha puis fronça les sourcils.

— Vous vous êtes disputés, tous les deux, la veille de ton départ pour Houston.

— Il ne s'agissait pas d'une véritable dispute.

— C'était à cause de moi. Tristan jouait les jaloux mais, au fond, il savait que je ne le trompais pas, il n'a jamais vraiment douté de ma fidélité. Par contre, il était contrarié que je me confie autant à toi.

Zach sourit.

— Il avait peur que je te raconte tous ses secrets.

— Et je te remercie de l'avoir fait. Je savais comment le prendre parce que tu m'avais dit beaucoup de choses sur lui.

— Tu avais besoin de les connaître. Tristan est — était — parfois complètement idiot et très têtu.

Zach avait du mal à parler de son ami au passé et Sandy dut le sentir car ses lèvres se mirent à trembler.

— Je regrette tellement que vous ne vous soyez jamais expliqués tous les deux après ton départ.

— Crois-moi, nous avons eu des échanges un peu vifs ce soir-là mais il n'y avait rien de dramatique. Je lui avais dit qu'il devait te traiter comme une petite amie et non comme un vague copain. Et que s'il ne changeait pas d'attitude, il allait te perdre, tu finirais par le quitter.

— Oh ! Zach ! Et c'est la raison pour laquelle vous vous êtes disputés, n'est-ce pas ? Qu'a-t-il répondu ?

Zach sourit.

— Il était d'accord avec moi.

— Il était d'accord avec toi ? répéta-t-elle sans comprendre. Mais il t'avait éclaté les lèvres, si je me souviens bien.

Il hocha la tête.

— C'est ce que je dis, il était d'accord avec moi.

Sandy se mit à rire tout en s'emparant des coussins qui ornaient le canapé.

— Il ne supportait pas d'avoir tort.

— Ne fais pas le lit, dit Zach. Je serai très bien sur le canapé tel qu'il est. Inutile de le défaire. Viens plutôt t'asseoir près de moi. J'ai envie d'en apprendre davantage à propos du bébé.

Il avait surtout envie d'en apprendre davantage sur le prétendu accident qui avait coûté la vie à son meilleur ami mais il n'allait évidemment pas encourager Sandy à aborder le sujet.

— Et moi, j'aimerais avoir des nouvelles de ta mère et de Zoe.

Zach poussa un soupir.

— Maman va bien. Elle s'épanouit à Houston. Elle a trouvé du travail dans un grand magasin, et maintenant elle y est directrice des achats. Du coup, elle est devenue une *fashionista* et son style très personnel fait d'elle une célébrité locale.

— Waouh. Je suis impressionnée par ta mère mais par toi aussi. Je n'en reviens pas que tu connaisses le mot *fashionista*.

Zach se mit à rire.

— Et comment va Zoe ? reprit Sandy.

Il cessa immédiatement de rire.

— Voilà plusieurs années que je n'ai plus de nouvelles. La dernière fois que j'en ai eu, elle vivait à Atlanta. Elle a été mariée quelque temps — quatre ou cinq mois — et d'après maman, elle penserait emménager bientôt à La Nouvelle-Orléans. Je ne sais pas du tout pourquoi.

— Pauvre Zoe ! La mort de Fox Moncour, le soir de la remise des diplômes, a changé beaucoup de choses à Bonne-Chance, non ?

Elle s'interrompit un instant.

— J'ai peur que celle de Tristan provoque des bouleversements similaires. Je ne suis pas sûre de pouvoir rester à Bonne-Chance dans ces conditions.

Zach observa Sandy. Une question lui brûlait les lèvres : Sandy était-elle sûre que la mort de Tristan était bien due à un accident ?

Mais il ne pouvait pas lui faire ça. Pas le jour de l'enterrement de son mari.

Il changea de sujet.

— Je dois retourner à Fort Meade dimanche, mon avion décollera à l'aube. Je prendrai donc la route dès demain pour passer la nuit à La Nouvelle-Orléans. J'en suis désolé, Sandy.

Les yeux de celle-ci s'emplirent de larmes.

— Oh… Tu ne seras pas resté longtemps.

Puis elle se reprit et lui sourit.

— Je comprends, Zach. Pas de souci.

Sur ce, elle regagna sa chambre et Zach en profita pour sortir dans le jardin inspecter le sol. Comme il le craignait, il avait recommencé à pleuvoir. Pas assez fort pour effacer des empreintes mais il n'en trouva aucune. L'herbe était trop épaisse pour garder d'éventuelles traces de pas.

Il revint donc dans la nurserie et considéra le canapé censé se transformer en lit très facilement en actionnant un levier. Il avait assuré à Sandy qu'il n'était pas utile de le défaire. Et pour cause ! Il était si fatigué qu'il aurait pu dormir sur une planche tapissée de clous.

Il s'empara d'un oreiller et le tapota pour le regonfler. Puis il se déshabilla, se laissa choir sur le canapé et calla l'oreiller sous sa tête. Il lui faudrait se lever tôt le lendemain s'il voulait passer un peu de temps avec Sandy et Maddy avant de s'en aller.

Lorsqu'il était tendu, il avait une méthode infaillible pour s'assoupir. Il se mettait à respirer lentement et profondément. Il relâchait chaque partie de son corps en commençant par les pieds, en poursuivant par les jambes, le dos et en terminant par la nuque et la tête. En général, même s'il n'était pas particulièrement fatigué, il s'endormait avant d'avoir atteint le dos.

Mais son esprit ne semblait pas disposé à lâcher prise. Chaque fois qu'il se mettait à somnoler, une pensée dérangeante remontait à sa mémoire et venait le tirer du sommeil.

Il se rappela ainsi avoir dit à Duff que Tristan n'aurait pas pu tomber dans l'eau et se noyer tout seul. Tristan avait grandi et vécu sur les rives du Mississippi ou du Golfe, sur les bateaux, sur les quais ou les pontons flottants. Et Zach ne connaissait pas de meilleur nageur.

Il se remémora également les paroles du médecin légiste. D'après lui, il ne restait presque rien du corps de Tristan et, pour cette raison, le cercueil était vide.

Zach retint un juron. Il ne réussirait manifestement pas à dormir. Il se redressa sur le canapé.

Trop d'informations lui tournaient dans la tête. Il avait besoin de réfléchir, et donc de marcher. La nurserie était trop petite pour lui permettre d'y faire les cent pas. La pièce était si étroite qu'il n'aurait pu qu'y tourner en rond comme une toupie.

Aussi, repoussant le berceau dans un coin, il ouvrit la porte sans bruit. Veillant à ne réveiller personne, il gagna à pas de loup la cuisine, s'y servit un verre d'eau.

Alors qu'il déverrouillait les portes de la terrasse, il s'interrompit brusquement : il y avait deux petites plaques métalliques en haut des embrasses. Il ne les avait pas remarquées plus tôt. Il s'agissait d'une alarme. Apparemment, celle-ci était coupée puisqu'il avait pu sortir de la maison inspecter les fenêtres de Sandy et revenir sans déclencher une sirène assourdissante ni provoquer l'arrivée du shérif.

Avant de quitter la maison pour rejoindre La Nouvelle-Orléans, il lui faudrait s'assurer que tout fonctionnait bien et que les deux femmes savaient brancher le système.

Il se glissa dans le jardin avant de refermer le plus silencieusement possible les portes-fenêtres. L'air sentait la pluie et le vent s'était levé. Il faisait plus frais que dans la journée mais ce n'était pourtant qu'une impression : les températures dépassaient certainement les vingt degrés.

Il se mit à arpenter la terrasse tout en passant les doigts dans ses cheveux, en se frottant le visage ou en frappant son poing dans sa paume. Et, après un bon quart d'heure de réflexion, il parvint à recenser tout ce qu'il avait appris depuis qu'il était revenu à Bonne-Chance.

Finalement, une conclusion s'imposa à lui.

Pour Sandy, pour lui-même et pour Tristan, il n'était pas possible qu'il s'en aille le lendemain comme il en avait eu initialement l'intention. Il lui fallait prolonger son séjour de quelques jours.

Il s'assit sur la table du jardin et composa un numéro familier.

— La NSA, bonjour. A qui souhaitez-vous parler ?

Zach donna à l'opérateur le nom de son supérieur hiérarchique le plus proche.

— Un moment, monsieur.

De petits bips indiquèrent le transfert d'appel.

Zach s'étira. La journée avait été longue. A l'aube, il avait pris un avion à Fort Meade dans le Maryland pour La Nouvelle-Orléans. De là, il avait loué une voiture pour rouler trois bonnes heures jusqu'à Bonne-Chance. A peine arrivé, il avait appris les circonstances horribles de la mort de Tristan. Il s'était confronté à Madeleine Tierney puis il l'avait aidée quand Sandy s'était mise à crier. Il n'avait même pas eu le temps de goûter un morceau de tarte ou de croquer un sandwich. Et il devait être 1 heure du matin à Fort Meade. Bill dormait certainement à poings fermés.

La voix qui lui répondit fut en effet ensommeillée et vaseuse.

— Oui, grogna Bill.

— C'est Winter, j'ai besoin d'une faveur.

Il y eut des bruits de draps froissés à l'autre bout de la ligne. Bill était probablement en train de s'asseoir.

— Une faveur ? A 1 heure du matin ?

— J'aimerais que vous m'accordiez une semaine de congé.

— Des vacances ? Tu m'appelles au milieu de la nuit pour me demander des vacances ?

La voix de Bill n'était plus endormie mais en colère.

Zach hésita à révéler à son supérieur tout ce qu'il avait appris depuis son retour à Bonne-Chance, à lui faire part de ses soupçons. Mais il ne le fit pas. Il savait ce qui se passerait s'il faisait allusion à la Sécurité du territoire. Bill en informerait la NSA. Commencerait alors une guerre sans merci entre les deux services, une guerre fratricide qui n'aboutirait qu'au blocage de la situation. Aussi préféra-t-il donner à son supérieur une raison moins polémique.

— La femme de mon ami Tristan est enceinte et elle

a besoin de moi pour mettre de l'ordre dans ses papiers. Elle doit s'occuper des assurances, des impôts, vous voyez le genre de choses. J'avais prévu de quitter Bonne-Chance demain matin, mais je me demandais si vous seriez d'accord pour me donner quelques jours, disons une semaine, de congé…

— Oui, pourquoi pas. Envoie-moi un mail pour me le rappeler. Je ne suis pas certain que je me souviendrai de notre échange en me réveillant demain matin. Et pour une autre fois… Il aurait mieux valu que tu t'organises avant ton départ.

— Oui, monsieur.

— Bonsoir.

— Bonsoir, monsieur.

Bill raccrocha et Zach lui envoya aussitôt un mail pour lui demander officiellement une semaine de congé.

Maddy était fatiguée comme jamais. Elle avait pris une longue douche, laissé l'eau chaude glisser sur son dos, son cou et son visage. Une fois le ballon d'eau chaude vide, elle avait dû se résoudre à couper le robinet et à sortir de la cabine. Mais comme elle enfilait un peignoir, elle se sentit aussi molle qu'une poupée de chiffon. Ses paupières tombaient toutes seules.

Quand elle parvint à mettre son pyjama, elle dormait debout. Mais dès qu'elle posa la tête sur l'oreiller, son cerveau se remit en branle. Chaque fois qu'elle s'assoupissait, elle se remémorait la voix de Zach.

« Qui êtes-vous ? Pour qui travaillez-vous ? Qu'est-il arrivé à Tristan ? Que… »

Elle se redressa sur son lit et plaqua les mains sur ses oreilles mais, comme la voix provenait de l'intérieur de son crâne, cela ne changea rien. Pourquoi imaginait-elle Zach lui poser des questions qu'il n'avait en réalité jamais formulées ? Elle l'ignorait mais, dans sa tête, il se montrait implacable.

Elle se rallongea, ferma les paupières et se mit en boule. Mais cela ne l'aida en rien non plus. Non seulement la voix de Zach la hantait toujours, mais également celle de Brock. Son superviseur l'accablait de reproches.

« Vous n'êtes pas assez concentrée. Nous allons être obligés de vous retirer cette mission. »

— Taisez-vous ! murmura-t-elle en se relevant de nouveau.

Un bruit la sortit alors de ses divagations. Retenant son souffle, elle s'efforça de l'identifier. Une porte puis une autre s'ouvraient, se refermaient. Les portes-fenêtres de la terrasse. Il ne s'agissait certainement pas de Zach revenant du jardin après avoir inspecté l'herbe sous les fenêtres de Sandy. Il y était allé plus tôt, avant qu'elle ne prenne sa douche. Alors qui ? Sandy ?

Elle tendit l'oreille mais plus rien ne venait rompre le silence de la nuit. Si Zach ou Sandy étaient descendus se servir un verre d'eau, elle aurait entendu le gargouillement caractéristique des canalisations, non ? Sauf s'ils avaient utilisé les carafes du réfrigérateur.

Préférant en avoir le cœur net, elle se leva franchement et s'empara de son arme. Mais alors qu'elle s'apprêtait à sortir de sa chambre, un nouveau bruit l'arrêta : Zach se raclait la gorge. Puis il actionna le robinet.

Comme elle l'avait subodoré, il était allé prendre un verre d'eau. Vu la chaleur ambiante, il était sans doute vêtu d'un simple caleçon. Elle ne devait donc pas aller le rejoindre. S'il était en petite tenue, mieux valait rester dans son coin.

Elle se recoucha, la main sur le cœur dans l'espoir d'en calmer les battements précipités, et elle ferma les paupières. Qu'est-ce qui ne tournait pas rond chez elle ? Sa tête était pleine d'images de Zach Winter pratiquement nu en train de boire. Il se tournait vers elle, des gouttes d'eau coulaient sur son cou, sur son torse…

Avec un gémissement, elle se massa les tempes et s'efforça de sortir Zach de sa tête.

Brock n'avait pas tort : elle manquait de concentration. Et à la manière dont il le lui avait dit, il devait soupçonner Zach d'en être la cause.

Pestant contre elle-même, elle repoussa les couvertures et se leva. Avec un peu de chance, Zach serait retourné dans sa chambre et aurait fermé sa porte. Sinon, si elle tombait sur lui vêtu d'un simple caleçon ou pire, en tenue d'Adam, elle…

Elle secoua la tête, refusant de permettre à son imagination de vagabonder plus loin. Il n'était pas question de laisser le séduisant agent de la NSA la perturber. C'était sa première mission sur le terrain et elle avait la ferme intention de la mener à bien.

Malgré sa détermination, il lui fallut un moment pour oser ouvrir la porte et jeter un coup d'œil dans le couloir. La nurserie était fermée. Cela signifiait-il que Zach avait réintégré sa chambre en catimini ? Ou était-il toujours dehors ?

Elle se glissa jusque dans la cuisine et, à son tour, elle se remplit un verre d'eau.

Alors qu'elle buvait, une ombre dans le jardin attira son attention : elle allait et venait. C'était certainement Zach, songea Maddy. Mais elle resta parfaitement immobile jusqu'à ce que le clair de lune éclaire bel et bien le visage de Zach.

Elle poussa alors un soupir de soulagement. Puis, s'approchant des portes-fenêtres, elle les ouvrit sans bruit.

Zach n'était pas nu mais il avait ouvert sa chemise. Quand elle s'en aperçut, son cœur s'accéléra dans sa poitrine. Incapable de détacher les yeux de son torse velu et musclé, elle ne trouva rien de mieux à lancer qu'une méchanceté sournoise.

— Alors, Zach, on étale la marchandise pour appâter les femmes ?

Zach la fusilla du regard.

— Chez la veuve de mon meilleur ami ? Le jour de ses funérailles ?

— Oh ! gémit-elle. Je suis désolée. Je ne sais pas pourquoi j'ai sorti une telle bêtise. Mon côté diabolique sans doute.

— Vraiment ? Voulez-vous dire que jusqu'ici, vous montriez votre côté angélique ? Vous faites bien de le préciser, je ne l'aurais jamais deviné.

— Je ne l'ai pas volé, je le reconnais. Acceptez mes excuses et pardonnez-moi. Je ne pensais pas un mot de ce que je disais. Je voulais juste…

Sans achever sa phrase, elle haussa les épaules mais il insista.

— Juste quoi ?

— Bref, que faites-vous ici ? demanda-t-elle comme si elle n'avait pas entendu la question ou préférait changer de sujet.

— Je n'ai pas l'intention de vous le dire.

Elle sourit.

— Je ne peux pas vous le reprocher. Cela vous aiderait-il si je répondais aux questions que *vous* vouliez me poser ?

Il leva un sourcil étonné.

— Peut-être. Que faites-vous ici à cette heure-ci ?

Il promena ses yeux verts sur son pyjama. Le bout de ses seins se devinait à coup sûr sous le fin tissu et instinctivement elle croisa les bras sur sa poitrine.

Zach lâcha un petit sourire narquois et elle se félicita d'avoir mis un pyjama à jambes longues. Il ne pourrait la reluquer des pieds à la tête.

— J'avais soif, répondit-elle, faisant mine de ne pas remarquer son petit manège. Et je n'arrivais pas à dormir.

— Et compter les moutons ne vous a pas aidée à trouver le sommeil, dit-il en montrant ceux dessinés sur son pyjama.

Elle haussa les épaules.

— Non, pas vraiment.

Glissant son téléphone dans la poche de son pantalon, Zach se percha sur la table de la terrasse. Puis il se remit à observer Maddy. Elle était très sexy dans son pyjama. En outre, la lumière tamisée provenant de la cuisine dorait sa peau douce.

Il ferma les paupières. Il ne pouvait pas penser à elle de cette façon. Elle travaillait pour la Sécurité du territoire, elle était un agent du renseignement. Il voulait, il avait besoin de découvrir ce qu'il était arrivé à son meilleur ami. Il n'y avait pas de place pour le sexe, ni même pour un petit flirt.

De plus, tout ce qu'elle était lui déplaisait : trop assurée, trop confiante, trop directive. Et elle n'était même pas jolie.

D'accord, ce n'était ni juste ni vrai. Ses cheveux étaient superbes mais ses yeux étaient trop grands et son nez trop court et sa bouche trop… Trop fine, peut-être. Cela dit, malgré tous ses défauts, elle était très séduisante. Oui, elle avait vraiment quelque chose.

Il la reluquait sous toutes les coutures et s'en rendit enfin compte. Elle semblait rougir, tout en tapotant sa cuisse de la main.

Quand elle s'aperçut qu'il suivait le geste des yeux, elle serra les poings. Il s'efforça de ne pas sourire. Il l'énervait, manifestement, et cette idée lui plaisait.

— Vous êtes une personne intéressante, Maddy.

— On me l'a déjà dit. Pourquoi le pensez-vous ?

— Quel âge avez-vous ?

Elle poussa un gros soupir.

— Est-ce le genre de questions que vous vouliez me poser ? Alors je crois que, finalement, je vais retourner compter les moutons.

— Au cimetière, en vous voyant dans ces habits noirs, j'aurais dit trente ans.

Elle en resta bouche bée.

— Je suppose que je dois m'en féliciter, répondit-elle enfin.

— Vous en féliciter ?

— Je m'habille toujours de façon à paraître plus âgée, surtout quand je me rends sur une plate-forme pétrolière pour y mener une inspection. Tout se passe mieux quand les gars me croient vieille.

— J'imagine... mais là, avec votre pyjama, je vous vois plutôt comme une jeune étudiante, voire une lycéenne, ajouta-t-il, réprimant de nouveau un sourire.

— J'ai mon doctorat. Merci.

— Dans quoi ?

— Génie chimique.

Il hocha la tête.

— Et vous travaillez pour les renseignements.

— Oui, comme je vous l'ai dit.

— Pourquoi êtes-vous ici ? demanda-t-il en croisant les bras.

— Au départ, j'ai été envoyée en renfort auprès de Tristan, pour veiller sur lui, assurer ses arrières.

Les mots de Maddy le pétrifièrent. Il dut se les répéter avant de recouvrer son sang-froid.

— Assurer ses arrières ?

Elle pâlit.

— Je suis désolée, je ne voulais pas vous balancer l'information en pleine figure. Vous ne saviez pas que Tristan travaillait lui aussi pour la Sécurité du Territoire et les renseignements, n'est-ce pas ? Vous ignoriez que son poste sur la plate-forme n'était qu'une couverture et qu'en réalité il espionnait ce qui se passait sur The Pleiades Seagull. Il tentait d'intercepter les échanges entre le capitaine et l'extérieur. Pardonnez-moi, je n'aurais pas dû vous l'apprendre aussi brutalement.

— Tristan travaillait pour le gouvernement ? Je n'en reviens pas. Et je suis également surpris qu'il ait choisi d'opérer sur une plate-forme pétrolière. Il les a toujours détestées. Sandy sait-elle que vous êtes un agent du renseignement ? Et que Tristan l'était, lui aussi ?

— Non, je ne pense pas. Elle ne sait pas pour moi, je suis presque sûre qu'elle ne se doutait pas pour Tristan non plus. Je ne peux pas vous dire pourquoi il a décidé de travailler pour le gouvernement. Peut-être a-t-il été recruté parce qu'il vivait dans le coin et qu'il avait les qualités professionnelles requises. Ils préfèrent toujours embaucher des locaux pour infiltrer un milieu. Par discrétion, je suppose.

Elle soupira et souleva ses cheveux à l'arrière de son cou pour se rafraîchir.

Le geste troubla Zach et il reprit, plus sèchement.

— Vous avez dit que vous avez été envoyée ici pour veiller sur lui ? Pourquoi vous ? N'y avait-il donc personne d'autre de plus… de moins…

— Tout d'abord, je vous remercie de l'image particulièrement flatteuse que vous avez de moi, rétorqua Maddy avec ironie. En réalité, j'ai été envoyée essentiellement parce que je suis inspectrice de plates-formes pétrolières et que j'avais une très bonne excuse pour monter sur The Pleiades Seagull. En principe, j'ai le droit de mener mes investigations à tout moment. Cela dit, le capitaine de la plate-forme peut refuser ma visite s'il avance une bonne raison.

— Je suppose que le capitaine de Pleiades Seagull a refusé ?

Maddy hocha la tête.

— Il a prétendu qu'il était à court de personnel parce que plusieurs membres de l'équipage avaient contracté une gastro-entérite.

Zach contempla le golfe du Mexique plongé dans l'obscurité. Une lueur pâle perçait au loin. Elle émanait de la plate-forme pétrolière et des bateaux alentour.

— Pourquoi êtes-vous toujours dans le coin alors ? demanda-t-il.

— Parce qu'on m'a donné l'ordre, comme mission secondaire, de protéger Sandy. Quand Tristan avait réclamé des renforts, il avait également demandé une protection particulière pour sa femme.

Zach se retourna et attrapa le bras de Maddy.

— Une protection spéciale ? Il avait demandé que sa femme bénéficie d'une protection spéciale ? Cela signifie qu'il *savait* qu'il courait un danger. Il le *savait* ! Pourquoi ses supérieurs de la Sécurité du territoire l'ont-ils laissé se débrouiller seul face aux menaces dont il faisait l'objet ? S'ils étaient au courant que Tristan était en danger, pourquoi ne l'ont-ils pas exfiltré ? Il fallait interrompre sa mission, le sortir de là !

— Je me suis posé les mêmes questions. Mon superviseur, Brock, ne m'a pas répondu directement. Donc j'ignore ce qu'ils avaient prévu. Mais ils m'ont envoyée ici. J'étais censée rester avec Sandy et m'assurer qu'elle ne risquait rien. Je devais la protéger. Il me fallait également transmettre à Brock les renseignements que Tristan allait me donner. Je devais demeurer seule avec Sandy une semaine ou deux avant le retour de Tristan. Il serait resté quelques jours à terre. A ce moment-là, les Renseignements auraient fait le point avec lui et décidé de la suite.

La gorge de Zach se noua.

— Très bon plan ! On voit maintenant à quel point il a bien fonctionné, lâcha-t-il avec amertume.

5

Maddy releva le menton tandis que des larmes montaient à ses yeux et coulaient sur ses joues. Elle les essuya d'un revers de main rageur.

— Allez-y, montrez-vous ironique et sarcastique ! C'est si facile pour vous ! Et pour moi, cela ne fera aucune différence. Je ne vous ai pas attendu pour prendre conscience que Tristan a été tué alors que j'étais censée le protéger. Je ne me le pardonnerai jamais !

A ces mots, sa voix se brisa un instant.

— J'aurais dû comprendre que, seul sur cette plate-forme, il était dans une position trop vulnérable. J'aurais dû appeler nos responsables et leur demander de l'exfiltrer, d'interrompre cette mission.

— Ils vous auraient écoutée ?

— Je n'en sais rien.

— Tristan et vous, vous parveniez à échanger lorsqu'il se trouvait sur Pleiades Seagull ?

Elle secoua la tête.

— Non. Sandy ignorait que nous étions des agents, que nous travaillions pour la sécurité intérieure, et, par ailleurs, Tristan avait été surpris à deux ou trois reprises en train d'intercepter les communications du capitaine de la plate-forme. Nous ne pouvions pas courir un tel risque. J'essayais par contre d'écouter leurs conversations et de glaner ce que je pouvais. Tristan savait que nous avions posé un dispositif espion sur son téléphone. Nous pensions qu'il parviendrait à me glisser discrètement des renseignements tout en discutant de choses et d'autres avec Sandy lorsqu'il lui passait un coup de fil. Mais ce n'était pas simple, il faut le reconnaître. Si les mots qu'il employait étaient compréhensibles pour moi, ils avaient de grandes chances de l'être aussi pour le capitaine de Pleiades Seagull.

Zach ne desserrait pas les mâchoires.

— L'affaire ne semble pas avoir été très bien organisée.

— Elle a été organisée n'importe comment, oui ! s'emporta Maddy. Quand le capitaine a refusé de me laisser monter à bord, je ne pouvais plus rien faire, à part servir de garde du corps à Sandy. Je suis même retournée à la charge, trois semaines plus tard, pour lui redemander cette autorisation, espérant qu'il se montrerait plus coopératif. Mais il m'a de nouveau interdit l'accès de la plate-forme.

— S'il avait accepté dans les temps, croyez-vous que vous auriez pu sauver Tristan ?

— Je n'en sais rien. S'il y avait vraiment une sévère épidémie de gastro à bord, j'aurais peut-être dû l'obliger à évacuer la plate-forme et à faire hospitaliser l'équipage à La Nouvelle-Orléans. De cette façon, nous aurions pu au moins récupérer Tristan et le protéger du danger qui le menaçait. Au lieu de quoi, nous l'avons laissé tout seul en première ligne.

— Vos supérieurs ont-ils prévu d'envoyer quelqu'un d'autre pour remplacer Tristan sur la plate-forme ?

— Non, ils n'ont personne. Les compagnies pétrolières préfèrent toujours embaucher des locaux. Elles engagent ceux qui ont l'expérience du travail sur une plate-forme, bien sûr. Mais elles prennent des hommes qui ont toujours vécu sur les côtes de la Louisiane. A ce que j'ai compris, lorsqu'il a été approché par la Sécurité du territoire, Tristan travaillait déjà comme officier de communication sur Pleiades Seagull. Il avait donc le profil parfait pour une opération d'infiltration.

— Jusqu'au moment où il a été assassiné.

Sur ce, Zach se tourna vers le golfe du Mexique et resta à contempler la nuit un long moment.

Maddy n'osait pas relancer la conversation, elle se sentait si coupable. Zach lui en voulait certainement de la mort de Tristan, de cette mission improvisée, elle le comprenait très bien.

Finalement, elle poussa un lourd soupir.

— Bon, je vais retourner me coucher à moins que vous n'ayez d'autres questions.

— Attendez, dit-il d'une voix rauque.

Il se tourna vers elle, prit une grande inspiration.

— Ecoutez. J'étais censé retourner à Fort Meade dimanche mais j'ai demandé à mon supérieur de m'accorder une semaine de congé. Je ne sais pas pourquoi j'ai pris cette décision. Je n'ai aucune autorité pour agir. Tout ce que je ferai, je le ferai en tant que civil et non en tant qu'agent de la NSA.

Maddy eut du mal à cacher sa déception. Elle avait espéré convaincre Zach de l'aider à démasquer ceux qui avaient tué Tristan. Elle avait pensé qu'il en parlerait alors à ses supérieurs de la NSA et que ces derniers s'impliqueraient. Parce que, la concernant, la Sécurité du territoire ne lui demandait plus que de protéger Sandy. D'ailleurs, Brock ne lui avait pas caché qu'ils allaient bientôt mettre un terme à sa mission, la rapatrier à Washington.

Rien ne fonctionnait, décidément.

— Je ne comprends pas. Pourquoi avez-vous sollicité des vacances ? Pourquoi ne pas avoir raconté à votre supérieur ce qui se passait et lui demander de vous mandater sur cette affaire ? Cela aurait paru plus sensé.

Zach se frotta le visage.

— D'abord, parce que je ne peux pas prouver que la

mort de Tristan est d'origine criminelle. Deuxio, la NSA ne se charge pas des enquêtes pour meurtre. Et tertio, même s'ils décidaient de mener des investigations pour comprendre la mort de Tristan, mes supérieurs ne m'auraient certainement pas confié le dossier. Je n'ai encore jamais travaillé sur le terrain, je viens à peine de terminer ma formation. Et enfin et surtout, j'étais le meilleur ami de Tristan et cela m'aurait mis dans un conflit d'intérêts.

— Vous leur avez donc demandé une semaine de congé ? Pourquoi ? Vous avez l'intention de jouer les agents doubles, les traîtres ?

A cette idée, un fou rire s'empara de Maddy. Elle essaya de le contenir. En vain.

— Pardonnez-moi. C'est nerveux. Je suis tellement fatiguée.

Zach, lui, ne semblait pas d'humeur à plaisanter.

— Riez autant que vous voulez. Vous ne valez guère mieux que moi, permettez-moi de vous le dire. Vous jouez les baby-sitters avec Sandy. Remarquez, je vous suis très reconnaissant de veiller sur elle. Mais je ne comprends pas pourquoi vos supérieurs vous laissent ici. Cela ne va pas durer, n'est-ce pas ? Manifestement, vous n'obtiendrez jamais l'autorisation de monter sur la plate-forme pétrolière.

— J'ai l'intention d'en discuter avec mon superviseur dès demain matin. De toute façon, j'ai besoin de lui faire mon rapport sur les hommes que Sandy a vus derrière sa fenêtre.

— Cessez de vous illusionner, Maddy. A votre avis, combien de temps vont-ils vous demander de protéger Sandy maintenant que Tristan est mort ? Ils ne prolongeraient votre mission que s'ils avaient la preuve que…

Il s'interrompit brusquement.

— Qu'y a-t-il ? s'enquit Maddy.

Mais, d'un geste, il l'intima au silence, tendant l'oreille.

Il ressemblait à un chat repérant une proie. Il leva la tête comme s'il humait le vent.

Soudain, elle entendit, elle aussi. Quelqu'un se déplaçait furtivement dans les marais derrière la maison. Elle identifia des bruits de pas étouffés, des craquements discrets de brindilles, un léger mouvement de feuilles. Le tout était subtil et aurait pu la faire douter mais, de temps en temps, il y avait un bruit de succion de bottes se mouvant dans le gumbo, la boue collante de vase, typique des marécages du sud de la Louisiane.

Zach tira son arme de son holster et la tint entre ses deux mains, pointant le ciel.

— Planquez-vous sous la table…, chuchota-t-il en lui attrapant le bras.

Elle s'accroupit près de lui, troublée. Il émanait de Zach une telle intensité, une telle acuité. Il se tenait aux aguets, retenant son souffle.

Elle aussi. Elle attendait que celui qui s'approchait en catimini de la maison de Sandy apparaisse.

D'autres bruits prouvaient que quelqu'un se déplaçait dans les marais mais ils s'estompaient. L'inconnu s'éloignait, conclut Maddy.

— Lançons-nous à sa poursuite, murmura-t-elle.

Mais Zach secoua la tête.

— Inutile de nous attirer des ennuis. Restez par terre.

Lui était tendu, manifestement prêt à tout.

Maddy ne se tenait qu'à quelques centimètres de ses fesses musclées et un frisson la parcourut.

Décidément, elle perdait la tête. Depuis le tout premier instant où elle avait posé les yeux sur lui, son bon sens, son intelligence comme son intuition hors du commun avaient été balayés comme des akènes de pissenlit emportés par le vent. Alors qu'elle montrait en général une détermination inébranlable pour se consacrer corps et âme à une mission, elle réagissait là comme une adolescente avec son premier flirt.

Heureusement, sa formation et sa volonté avaient repris le dessus quand Sandy avait poussé un cri. Elle avait même plutôt bien réagi quand Zach avait mis la main sur son bras pour tenter de l'empêcher d'ouvrir la porte de la chambre. Son souffle chaud caressant sa joue et sa peau l'avait déstabilisée mais pas au point de la détourner de sa tâche qui était de protéger Sandy envers et contre tout.

En revanche, quand elle était descendue dans la cuisine et qu'elle avait vu Zach sur la terrasse, la chemise ouverte sur son torse velu, elle avait de nouveau été la proie de fantasmes d'adolescente. Sa réaction était d'autant plus ridicule qu'elle n'était clairement pas son type. Elle ne se faisait aucune illusion là-dessus. Il ne se passerait jamais rien entre eux.

Faisant appel à toute la détermination dont elle était capable, elle s'obligea à se comporter comme un agent responsable et non comme une gamine.

— De quoi s'agissait-il à votre avis ? demanda-t-elle. D'un chien ? D'un alligator ?

Il resta encore un long moment debout et silencieux, l'arme au poing, puis il rangea son revolver dans son dos.

— Les chiens ne se déplacent pas de façon furtive, sauf s'ils ont été entraînés à le faire. Quant aux alligators, ils sont encore moins discrets.

— Il semblait gros, en tout cas.

Zach lui jeta un regard de biais, l'air un peu surpris.

— Vous ne m'aviez pas dit que vous étiez originaire de La Nouvelle-Orléans ? Et que vous aviez été partout avec votre père, que vous le suiviez lorsqu'il visitait les plates-formes pétrolières ? Alors n'essayez de me faire croire que vous n'avez jamais mis les pieds dans les marais…

— Désolée de vous étonner mais je ne me suis jamais aventurée dans le bayou et je n'ai pas l'intention de le faire. En tout cas, pas si je peux l'éviter. Mais de quoi s'agissait-il selon vous ? Peut-être d'un opossum ?

Zach se mit à rire.

— Ou d'un ragondin, d'un coyote, d'un ours ou encore d'un lynx.

— Vous parlez sérieusement ? Les ours et les lynx se déplacent sans faire de bruit ?

— Peut-être pas l'ours.

Maddy poussa un gémissement.

— Super. Si je comprends bien, le bayou est une sorte de zoo dans lequel les animaux ne sont pas enfermés dans des cages mais errent en liberté.

Elle s'attendait à ce que Zach éclate de rire ou ricane mais il ne le fit pas.

— Les marécages sont peuplés d'êtres dangereux, qu'ils marchent à deux ou à quatre pattes. Il serait donc bien que vous gardiez votre arme sur vous en permanence.

Voilà, songea-t-elle, il l'avait sorti finalement. Ce petit reproche subtil qu'elle attendait depuis un moment. Elle était en mission et pourtant elle était sortie dans le jardin sans se munir de son arme. Elle avait fait preuve d'une imprudence coupable et, bien sûr, il le lui rappelait.

Malgré elle, son visage s'enflamma.

— D'accord, répondit-elle le plus froidement possible. Et maintenant, que fait-on ?

— Je vais aller me coucher. La journée a été longue.

Et là, il lui envoyait une autre pique, moins subtile. Elle aurait dû partir se coucher la première.

— Bien sûr. Moi aussi. Je suis très fatiguée.

Pivotant sur ses talons, elle entra à l'intérieur, sans attendre Zach.

Comme elle s'apprêtait à entrer dans la cuisine, il reprit la parole.

— Maddy ?

Elle s'immobilisa.

— Oui ? demanda-t-elle sans se retourner.

— Puis-je vous dire un mot avant que vous ne montiez vous coucher ? J'aimerais vous soumettre une idée...

Elle lui jeta un coup d'œil par-dessus son épaule.

— Maintenant ? s'enquit-elle en étouffant un bâillement. Cela ne peut pas attendre demain ?

— Non. Et fermez la porte. Je ne veux pas réveiller Sandy.

— Pourquoi ? Nous allons crier ?

Maddy ferma quand même la porte et se tourna vers lui, intriguée. Il se tenait devant elle, la chemise toujours ouverte. Ses abdominaux étaient semblables à des carrés de chocolat comme dans les publicités mettant en scène des hommes particulièrement virils. Elle s'était toujours demandé si les clichés n'avaient pas été retouchés.

Un nouveau frisson de désir la parcourut.

Bon sang, elle n'était pas son genre ! Combien de fois allait-elle devoir se le répéter ?

Mais il lui jeta un regard très explicite, prouvant qu'il avait lu dans ses pensées.

Encore une fois, elle rougit. Baissa les yeux.

Pour se donner une contenance, elle alla se servir un verre d'eau et en but lentement quelques gorgées. Il faisait si chaud !

Enfin, elle put lui faire face.

— Alors, qu'est-ce qui ne peut pas attendre demain ?

Il s'adossa au mur, croisa les bras, les jambes, nonchalamment. Cette attitude se voulait décontractée mais, après avoir passé quelques heures avec lui, Maddy le savait : rien chez Zach Winter n'était jamais décontracté. Sous son pantalon bien taillé, les muscles de ses jambes étaient à coup sûr tendus à l'extrême. S'il l'avait fallu, il aurait été capable de bondir en avant en une fraction de seconde et de dégainer son arme en même temps.

— Cela m'ennuie que Sandy reste ici, reprit-il.

— Quoi ? fit Maddy, désarçonnée. Pour quelle raison ?

— Elle serait certainement plus heureuse à Bâton-Rouge chez la mère de Tristan. Cela vaudrait mieux pour elles deux. Mme DuChaud pourrait lui changer les idées et Sandy serait installée plus confortablement là-bas.

— Depuis quand le confort de Sandy vous préoccupe-t-il ? Que se passe-t-il, Zach ?

Il secoua la tête, les yeux perdus dans le vague, avec l'air tranquille du fermier qui a engrangé les moissons.

Mais elle poursuivit.

— Allez, expliquez-vous ! Vous décidez de prendre une semaine de vacances ici et vous ne trouvez rien de plus pressé que d'envoyer Sandy ailleurs ! Ça n'a aucun sens. Qu'est-ce que vous avez en tête ?

Comme il ne répondait pas et restait muet, elle poussa un soupir.

— Bon. Je tombe de sommeil. Je ne suis pas encore au lit parce que vous m'avez dit que vous deviez me parler. Alors pourquoi vous ne dites rien ?

Zach enfonça les mains dans ses poches. Il considéra un instant ses pieds puis planta les yeux dans les siens.

— D'accord, lâcha-t-il. Je pense que Sandy est en danger. Voilà pourquoi je préférerais la savoir ailleurs. Elle est enceinte, en deuil et elle n'a jamais appris à se battre. Sa présence l'expose au danger et risque de nous gêner. Nous n'avons pas besoin de l'avoir dans les jambes.

— De l'avoir dans les jambes ?

— Sandy et vous avez le même âge, la même taille, la même silhouette et presque la même couleur de cheveux. Voilà ce que je vous propose. Répandons le bruit comme quoi le médecin aurait ordonné à Sandy de rester couchée jusqu'au terme de sa grossesse et que non seulement il vaut mieux qu'elle garde le lit, mais également qu'elle ne voie personne, qu'elle soit en quarantaine pour sa santé et celle du bébé.

Maddy fronça les sourcils.

— Je ne comprends pas.

— Je veux que Sandy quitte secrètement la ville et que vous vous installiez dans sa chambre en prétendant être elle.

— Vous voulez m'utiliser comme *appât* ?

Zach haussa les épaules.

— Je n'aurais pas utilisé ce terme, mais si c'est ainsi que vous le voyez…

— Vous voulez m'installer dans la chambre de Sandy, dans le lit de Sandy et faire croire que je suis Sandy. C'est la définition même de l'*appât.* Quand comptez-vous le faire ?

— Le plus tôt sera le mieux. Sandy ne va pas apprécier mais j'ai l'intention de lui en parler au plus vite.

— D'accord. En attendant, je vais me coucher. Je suis vraiment trop fatiguée. A plus tard.

— Où dormez-vous ?

Elle hésita à lui donner une réponse légèrement suggestive mais elle n'en trouva pas l'énergie. D'autant qu'une telle réplique se révélerait sans doute embarrassante comme chaque fois qu'elle cherchait à être drôle et sexy.

— Dans la chambre d'amis.

— Pourquoi ne pas partager la chambre de Sandy ? J'ai vu qu'il y avait un lit de camp.

— Pourquoi cette question ? Croyez-vous que…

Il hocha la tête.

— J'aimerais que l'un de nous deux reste avec elle… au cas où il se produirait quelque chose.

— Donc, finalement, vous pensez que les deux types qu'elle a vus derrière sa fenêtre n'étaient pas qu'un cauchemar ?

— Je pense surtout qu'il serait dangereux de prendre à la légère ce qu'elle nous a dit.

Il ouvrit la porte.

— Bon, alors à plus tard.

— A dans au moins trois heures, j'espère, dit-elle en bâillant.

A cet instant, un cri aigu venu de nulle part se fit entendre.

Maddy sursauta et Zach tira son arme de son holster.

— Allez chercher votre pistolet et retrouvez-moi ici. Soyez prudente.

Zach se précipita vers la chambre de Sandy. Etait-il capable de tirer sur un être humain ? Il l'ignorait. En tout cas, il se sentait prêt à le faire.

La main sur la poignée, il prit une profonde inspiration puis poussa la porte.

La pièce était plongée dans l'obscurité. Il resta parfaitement immobile, prêt à faire feu, à plonger ou à feinter, à réagir comme l'exigerait la situation.

Il chercha l'interrupteur à tâtons.

Quand la lumière jaillit, il resta un instant ébloui.

Sandy était assise dans son lit, les yeux écarquillés. Elle pressait sa gorge comme pour s'empêcher de hurler de terreur.

L'arme au poing, il traversa rapidement la chambre pour inspecter la salle de bains, le placard et pour jeter un coup d'œil par la fenêtre. Il n'y avait rien. Il tendit l'oreille. Mais là encore, en vain.

Comme Maddy surgissait à son tour dans la chambre, brandissant son Sig, Sandy se mit à crier.

— Maddy, Maddy ! Oh mon Dieu, Maddy ! Je l'ai vu !

Maddy se tourna vers Zach et, d'un regard, le laissa prendre la direction des opérations.

Il hocha la tête et rangea son arme dans son holster.

Maddy s'assit sur le bord du lit et prit Sandy dans ses bras.

— Qui as-tu vu, Sandy ? Les mêmes hommes que cet après-midi ?

Elle s'exprimait avec une grande douceur et il fut

soulagé de sa présence. Il n'aurait pas su aider la veuve de son meilleur ami, soulager sa peine, pas comme il l'aurait fallu. Contrairement à Maddy.

— Non ! cria Sandy. Je pensais que c'était eux au début mais je me trompais. Oh ! Maddy, c'était lui. Tristan. Il était là.

Il fallut du temps à Maddy pour la calmer.

Zach l'observa. Elle berçait Sandy en lui murmurant quelque chose à l'oreille. Il les contempla un moment jusqu'à ce que Maddy lui désigne la fenêtre.

Il acquiesça en silence. Elle avait raison. Il devait aller dans le jardin, inspecter les alentours.

Il sortit mais, de nouveau, sans résultat. L'herbe sous les fenêtres n'était même pas aplatie.

Lorsqu'il revint dans la grande chambre, Sandy pleurait moins fort. Maddy la serrait toujours dans ses bras.

— C'était lui, Maddy, répéta-t-elle en essuyant ses yeux avec son mouchoir. C'était vraiment lui.

— Sandy, il y avait des gens dans cette maison jusqu'à la tombée de la nuit. Tu les as sans doute entendus en t'assoupissant et tu as gardé ce bruit à la mémoire. Le médecin t'a donné quelque chose pour dormir ?

Elle secoua la tête et releva le menton. Zach connaissait bien ce geste. Elle n'avait pas l'intention de laisser Maddy ou qui que ce soit douter de la réalité de ce qu'elle avait aperçu.

— Je l'ai vu. Il avait une sale tête mais c'était lui.

S'écartant de Maddy, elle se tourna vers Zach.

— Pourquoi tout le monde raconte que Tristan est mort, Zach ? lança-t-elle, les yeux pleins de larmes. Il y a un instant, il était là. Je l'ai vu comme je te vois.

Zach s'approcha.

— Maddy, pouvez-vous aller lui chercher un verre d'eau ?

Maddy hocha la tête et gagna la salle de bains.

— Dans la cuisine, ordonna Zach.

Sandy se mit à sangloter.

— Zach... Il était là, en vie. Il me souriait. Il était trempé, il m'a semblé très pâle. J'ai tendu les bras vers lui mais il a disparu. Il se cachait sans doute parce qu'un autre homme a surgi devant mes fenêtres peu après. J'ai eu peur et j'ai crié.

— Commence par le commencement, Sandy. J'ai besoin de savoir exactement ce qui s'est passé. Qu'est-ce qui t'a réveillée ?

Sandy parut se détendre un peu.

— J'étais allongée dans l'obscurité mais je ne dormais pas. Je pensais aux funérailles. Je ne comprenais pas pourquoi le cercueil était fermé.

Elle regarda fixement ses mains. Une larme tomba sur son pouce.

Zach songea à faire quelque chose, mais quoi ? L'embrasser, la prendre dans ses bras, la rassurer ?

Finalement, il ne bougea pas et Sandy poursuivit son récit.

— Il se tenait là, indiqua-t-elle en montrant du doigt la fenêtre. Comme je te l'ai dit, il avait une sale tête.

Les larmes brûlèrent les paupières de Zach. Il fallait arrêter Sandy dans son délire : elle n'avait pas pu voir Tristan parce qu'il était mort. Mais il n'en avait pas le courage. Il parvenait à peine à se convaincre lui-même de la mort de Tristan. Comment aurait-il pu persuader sa femme, sa veuve, d'une réalité à laquelle lui-même refusait de croire ?

Mais s'il ne le faisait pas, qui le ferait ? Pas Maddy. Elle était une étrangère alors qu'il connaissait Sandy depuis toujours. C'était à lui de la réconforter, même s'il n'était pas très doué pour ça.

Rassemblant son courage, il s'assit au bord du lit. Il ouvrit les bras et Sandy vint se blottir contre lui.

Il l'étreignit.

— Sandy, ma chérie. Nous nous connaissons depuis toujours et je te considère comme ma petite sœur depuis toujours.

Sandy explosa en sanglots.

— Je sais et je t'aime comme un frère, Zach.

— Je dois te dire quelque chose que tu vas avoir du mal à entendre et je suis sûr que je ne vais pas savoir bien t'en parler mais il faut que tu sois forte.

Elle leva les yeux vers lui avec confiance.

— Va le chercher, Zach. Il n'est pas loin et il est trempé, frigorifié et épuisé. Peut-être même qu'il est blessé. Pars à sa recherche et ramène-le à la maison, s'il te plaît.

Maddy revint à cet instant précis avec un verre d'eau. Il lui adressa un signe pour qu'elle les laisse seuls.

Sans discuter, elle posa le verre sur la table de nuit et s'en alla.

Zach pressa les lèvres sur le front de Sandy, refoulant les larmes qui montaient à ses yeux.

— J'ai besoin que tu te montres courageuse.

Sandy se raidit et se mit à trembler.

— Je ne veux pas être courageuse, Zach. Je ne le veux pas.

— Je te soutiendrai.

— D'accord, dit-elle dans un murmure. J'essaierai.

Il l'attira à lui, terrifié qu'elle le regarde avec tant d'espérance. Jamais il n'avait eu quelque chose d'aussi difficile à faire. Il aurait préféré mourir que d'être obligé de lui raconter ce qu'il était arrivé à Tristan, les circonstances de sa mort. Mais elle méritait de le savoir.

Il prit une profonde inspiration.

— Laisse-moi t'expliquer ce qu'il est arrivé à Tristan.

6

Maddy resta derrière la porte. Elle ne pouvait se résoudre à s'éloigner sans avoir écouté ce que Zach allait dire. Mais ses mots comme la réponse de Sandy lui déchirèrent le cœur et, bouleversée, elle se précipita pour s'enfermer dans la chambre d'amis.

Elle y explosa en sanglots. Les larmes inondaient ses joues, son cou, le haut de son pyjama.

— Comment peut-on survivre à tant de souffrances ? se demanda-t-elle à voix haute.

Elle ne parlait pas uniquement de Sandy mais aussi de Zach. Imaginer leur chagrin, mesurer leur douleur l'empêchaient de respirer. Elle avait l'impression d'étouffer.

Sandy avait perdu son mari, son âme sœur, le père de son bébé à naître. Il était mort et elle devait pourtant continuer à vivre.

Comment allait-elle y arriver ? Peut-être y parviendrait-elle pour leur fils. Cet enfant lui apporterait de la joie, des soucis, du bonheur et de la tristesse. Il aurait besoin d'elle et il la raccrocherait à la vie, voulut se rassurer Maddy.

Elle connaissait Sandy depuis un mois : la jeune femme était forte, elle survivrait à cette épreuve. Oui, elle s'en sortirait, Maddy n'en doutait pas.

Séchant ses larmes, elle tenta de se ressaisir. Zach voudrait-il lui parler quand Sandy se serait rendormie ? Devait-elle rester debout — et préparer des litres de café pour réussir à garder les yeux ouverts ? Ou se coucher ?

Cette dernière option semblait préférable. Elle avait vraiment besoin de dormir et, de toute façon, Zach n'aurait sans doute aucun scrupule à la réveiller s'il avait envie de lui parler.

Elle se glissa sous les couvertures et s'empara de l'un des oreillers pour l'étreindre contre elle. A force de voir Zach à l'œuvre, elle le considérait autrement. Il faisait preuve d'un réel courage et d'une véritable abnégation, elle devait le reconnaître. Elle-même aurait été incapable de faire la même chose, même pour sa meilleure amie. Il était en train d'expliquer à la veuve de Tristan comment ce dernier avait perdu la vie.

A première vue, lui assener une telle vérité semblait cruel, d'autant que Sandy était non seulement enceinte et vulnérable mais déjà dévastée. Pourtant, Zach avait évidemment raison de lui parler vrai.

Autrefois, il avait été très proche de Sandy, aussi proche que de Tristan, songea Maddy. Et voilà pourquoi il comprenait qu'elle vive mal le fait de n'avoir pu voir le corps de son mari. Et personne, ni le médecin légiste ni le père Michael, n'avait eu le courage de lui dire pourquoi.

Les yeux de Maddy se remplirent de larmes en se remémorant l'expression de Zach tandis qu'il lui faisait signe de les laisser seuls. Il allait faire ce que tout véritable ami devait faire. Aider Sandy à comprendre et à accepter la situation.

L'agent de la NSA avait un côté tendre, un côté tendre qu'il ne voulait pas montrer, ce qui expliquait qu'il lui ait demandé de sortir. Il estimait sans doute que les hommes ne pleuraient pas. Pas même la mort de leur meilleur ami.

Mais s'il pensait qu'elle le méprisait parce qu'il était la proie d'un profond chagrin, il se trompait. Il ignorait qu'elle avait vu son père sangloter sur la tombe de sa mère. Elle avait alors huit ans. Elle savait depuis longtemps qu'un homme qui n'assumait pas ses émotions ne pourrait jamais devenir un chef.

Elle étreignit plus fort son oreiller. De nouveau, les larmes jaillirent de ses yeux et ruisselèrent sur son visage. Sandy avait beaucoup de chance d'avoir un ami comme Zach.

Une question la saisit en même temps que le sommeil : à quoi ressemblerait sa vie si Zach en faisait partie ?

Quatre heures plus tard, Maddy entra dans la cuisine. Elle s'était douchée, habillée d'un jean et d'un corsage à manches courtes. Mais ses yeux étaient encore boursouflés de sommeil et elle souffrait d'une insupportable migraine. Un petit déjeuner lui ferait le plus grand bien.

A sa grande surprise, le café était prêt et sentait délicieusement bon.

Zach se tenait sur la terrasse, assis devant la table du jardin. Un bol à la main, il regardait les marais, lui tournant le dos.

Elle se servit du breuvage, ajouta trois sucres et ouvrit les baies vitrées pour le rejoindre.

Ce matin, elle n'avait pas oublié son arme qu'elle avait glissée dans la poche arrière de son pantalon. Zach avait posé la sienne sur la table.

Sans un mot, Maddy s'installa à côté de lui. Elle savoura une gorgée de café.

— C'est un régal, commenta-t-elle.

Zach hocha la tête, vida son bol et se leva.

Maddy fut soudain prête à tout et à n'importe quoi pour le retenir. L'idée de rester assise toute seule avec ses sombres pensées lui était insupportable. Elle avait besoin de parler à Zach, qu'il la rassure sur l'état de santé de Sandy. Avait-elle supporté ce qu'il lui avait raconté sur Tristan ? Est-ce qu'elle acceptait de se rendre chez sa belle-mère dans les meilleurs délais ?

— Ne partez pas, supplia-t-elle piteusement.

— Je vais juste me resservir, répondit-il en brandissant son bol vide.

— Très bien, mais revenez ensuite, d'accord ?

— D'accord.

Tout en sirotant son café, elle se retourna pour admirer à son tour les oiseaux des marais.

Quand Zach revint, au lieu de se rasseoir à sa place, il s'installa sur la table, à côté d'elle, les pieds sur le banc. Il était vêtu d'un jean délavé et usé, de chaussures bateau, l'ensemble semblait confortable.

Maddy s'adossa à la table.

— Comment va Sandy ? s'enquit-elle.

— Ça va, répondit-il.

Et lui, avait-il bien dormi ? se demanda Maddy. Elle n'osa poser la question.

— Vous êtes resté avec elle toute la nuit, non ? J'imagine que vous m'auriez appelée si vous aviez eu besoin que je prenne le relais.

Elle ajouta dans la foulée.

— Vous êtes un merveilleux ami.

Il ne répondit pas.

— A-t-elle accepté d'aller chez sa belle-mère ? Pour y vivre quelque temps ?

— Sandy répondra elle-même à vos questions. Elle sera là dans un instant. Je l'ai entendue se lever.

— Alors je vais lui préparer un petit déjeuner. Elle aura besoin de se restaurer.

Elle croisa le regard de Zach. Comme elle, il avait les yeux rouges, injectés de sang, et les traits tirés.

Elle ferma un instant les paupières.

— Voulez-vous des œufs, des toasts ?

Il leva brièvement le nez.

— Vous êtes capable de cuisiner, maintenant ? Hier, vous arriviez à peine à mettre des glaçons dans les verres.

Elle le fusilla du regard.

— Sandy m'a appris plusieurs choses depuis mon arrivée. Comment confectionner du café ou des œufs brouillés, par exemple. Et je savais déjà me servir d'un grille-pain.

Il hocha la tête.

— Et sauriez-vous préparer des saucisses et du bacon ?

— Il n'y en a pas dans la maison. Sandy ne supporte pas l'odeur du graillon.

— D'accord. Alors va pour des œufs brouillés et des toasts. Merci, ajouta-t-il.

Maddy se leva pour gagner la cuisine.

— Vous souhaitez que je vous les apporte maintenant ? demanda-t-elle par-dessus son épaule.

Il avait sorti son téléphone portable de sa poche.

— Dès que j'aurai passé un coup de fil. Bon sang, qu'y a-t-il encore ? Je suis hors réseau. Pourtant, hier soir, j'étais connecté quand j'étais dans la nurserie.

— Tristan avait installé un appareil dans la maison pour permettre à tous les appareils portables d'être connectés. Vous aurez plus de chance à l'intérieur.

Maddy sortit des œufs et du pain du réfrigérateur. Depuis des années, elle ne mangeait rien le matin, se contentant de café jusqu'au déjeuner et parfois jusqu'au dîner. Mais depuis qu'elle était à Bonne-Chance, elle avait pris l'habitude de se nourrir davantage pour tenir compagnie à Sandy… jusqu'à la mort de Tristan qui avait ôté tout appétit à cette dernière.

Maddy brisa quatre œufs dans un saladier et se mit à les battre à l'aide d'une fourchette. Puis elle fit griller des tranches de pain. Zach en prendrait sans doute au moins trois. Les aimait-il avec du beurre et de la confiture de figues faite maison ? Devait-elle apporter le pot sur la table ?

Comme elle hésitait à ajouter un œuf supplémentaire dans son saladier, Sandy entra dans la cuisine. Elle marcha jusqu'au réfrigérateur, l'ouvrit et se servit un verre de jus. Elle prenait un jus de fruits tropicaux, le seul à ne pas la rendre malade.

— Bonjour, fit Maddy. Comment vas-tu, ce matin ?

— Ça va. Cela sent bon.

— Je prépare des œufs brouillés. Tu me sembles en meilleure forme. En tout cas, c'est la première fois depuis mon arrivée que je t'entends trouver que quelque chose sent bon.

— Ça va, oui, répondit Sandy en sirotant son verre de jus de fruits.

Zach glissa son téléphone dans sa poche et regagna la cuisine, humant les délicieuses fragrances qui y flottaient. Sandy lui sourit d'un air las. Elle venait manifestement de se doucher et elle s'était habillée d'une robe d'été blanche qui tombait souplement sur son ventre. Elle semblait fatiguée et jolie, un peu pâle peut-être.

— Comment te sens-tu ? demanda-t-il.

— Ça va… Non, ça ne va pas ! ajouta-t-elle soudain en posant brutalement son verre sur la table. Je ne veux pas m'en aller ! Je suis ici chez moi. C'était aussi la maison de Tristan. Mes amis, nos amis, vivent dans le coin, nous avons passé toute notre vie à Bonne-Chance. Je n'ai pas envie de partir.

Elle était clairement au bord des larmes et ses œufs brouillés refroidissaient dans son assiette.

— Et si…

Elle s'interrompit et elle explosa en sanglots.

Zach fixait ses pieds. Il n'avait jamais été à l'aise face aux larmes, sans doute parce qu'il ne savait pas quoi faire. Sa réaction instinctive était de tenter d'arranger les choses d'une façon ou d'une autre, mais sa longue expérience avec sa mère et avec quelques petites amies lui avait appris que lorsqu'une femme commençait à pleurer, rien ni personne ne pouvait l'arrêter. En général, il battait prudemment en retraite et il allait se réfugier dans sa chambre en attendant que ses larmes se tarissent. Mais avec Sandy, il ne pouvait réagir ainsi.

La veille au soir, lorsqu'elle avait fondu en pleurs, il l'avait prise dans ses bras. Il serait grossier et cruel de se sauver quelques heures plus tard. Surtout, il était à l'origine de son désespoir. Voilà pourquoi il devait rester là et assumer de jouer le rôle du méchant. Il n'avait pas le choix.

Il savait ce qu'elle avait failli dire. « Et si Tristan revenait ? »

Il avait espéré que la discussion qu'il avait eue avec elle la veille au soir lui aurait permis de comprendre que si les deux hommes aperçus derrière la vitre avaient peut-être une réalité, sa vision de Tristan avait forcément été un rêve. Mais sans doute était-il trop difficile pour elle de l'admettre, d'autant que le cadavre de Tristan n'avait pas été retrouvé.

Il s'en doutait : elle allait protester, pleurer, tempêter mais il était déterminé à l'éloigner de Bonne-Chance. Il ne laisserait personne faire du mal à Sandy ni à son bébé.

Que cela lui plaise ou non, elle irait à Bâton-Rouge, chez sa belle-mère.

— Mais je ne peux plus vivre ici, poursuivit Sandy. Je vois bien que les gens que j'aime et près desquels j'avais envie de vivre ne me laisseront jamais tranquille. Ils me harcèlent en permanence pour savoir comment je vais faire, comment je vais m'en sortir sans Trist…

Elle sanglota, prit son verre puis le reposa presque aussitôt.

— Sandy, écoute-moi, intervint Maddy en s'asseyant en face d'elle. Tu dois partir. Pour ta sécurité et celle du bébé. Tu as dit avoir vu des inconnus derrière ta vitre. Imagine ce qu'ils auraient pu faire s'ils avaient réussi à entrer dans la maison.

— J'ai *dit que je les avais vus* ? Qu'est-ce que cela signifie ? cria Sandy. Tu ne me crois pas ?

Elle les dévisagea tous les deux, puis reporta son attention sur Maddy.

— Tu insinues que j'ai rêvé ? Que j'ai tout inventé ?

Elle se tourna vers Zach.

— Je sais que toi, tu crois que j'ai rêvé, que j'ai imaginé avoir vu Tristan. J'ai bien compris tout ce que tu m'as raconté hier. Mais je t'en prie, ne me traite pas en prime comme si j'étais totalement folle.

— Sandy, ni Zach ni moi ne pensons que tu es folle, reprit Maddy. Mais le problème est que nous n'avons rien trouvé qui indique que quelqu'un se soit trouvé devant tes fenêtres. Nous n'avons pas vu d'empreintes de pas, ni de doigts, ni rien. Cela ne veut pas dire qu'il n'y a jamais eu d'hommes près de ta fenêtre, certainement pas. Mais qu'ils sont très forts pour effacer leurs traces. Et que tu n'es donc pas en sécurité dans cette maison.

— Vous êtes en train de manœuvrer pour que je m'en aille, pour me chasser de chez moi, je le vois bien. Comment allez-vous vous y prendre pour découvrir la vérité ? Tu espères te faire passer pour moi, Maddy, c'est ça ? Mais tu n'abuseras personne. Et vous n'empêcherez personne de parler non plus.

Zach secoua la tête.

— Sandy, ne t'inquiète pas de savoir comment nous allons nous débrouiller pour mener l'enquête. Nous y parviendrons et nous aboutirons, je te le garantis. Mais pour avoir le champ libre, j'ai besoin que tu ailles vivre quelque temps à Bâton-Rouge chez la mère de Tristan. Et je demanderai à un organisme privé de t'adjoindre un garde du corps vingt-quatre heures sur vingt-quatre pour être sûr que tu sois en sécurité.

— Un garde du corps ?

De nouveau, elle explosa en sanglots. Puis, d'un revers de main, elle balaya ses larmes.

— Ma belle-mère est au courant de ce projet ? A mon avis, elle ne va pas supporter longtemps la présence d'un garde du corps chez elle. Je ne sais pas pourquoi vous estimez que je ne suis pas capable de prendre soin de moi. Si vous doutez de ma capacité à gérer mes propres problèmes, c'est que vous me connaissez vraiment mal.

— Je sais que tu es tout à fait capable de prendre soin de toi en temps normal, Sandy, assura Zach. Mais là, tu es enceinte, très fatiguée et en deuil. Tu n'es pas en état de surmonter seule tous les problèmes. Laisse-nous, Maddy et moi, enquêter pour savoir qui vient rôder autour de ta maison et pourquoi.

Les mâchoires serrées, Sandy repoussa sa chaise et se leva. Elle contourna la table pour venir se planter en face de Zach.

— Ecoute-moi bien, Zach Winter. Tu te prends pour un agent extraordinaire et particulièrement doué, tu es persuadé que, grâce à toi, le monde sera sauvé ou en tout cas que, moi, je le serai. Et tu estimes que je dois te laisser faire parce que, contrairement à moi, tu sais ce qu'il convient de faire. Alors il est temps que tu comprennes ce que signifient pour moi les mots *agent de renseignement en opération d'infiltration*. Pour moi, cela veut dire un cercueil vide. Cela signifie aussi que le meilleur ami de mon mari se croit obligé de mettre son masque de super-héros et se persuade qu'il est indispensable à ma vie. J'ai toujours mené seule mes combats, Zach. Et je ne te demande pas de mener celui-ci à ma place. J'ai envie de me battre, ajouta-t-elle en serrant les poings.

Il ouvrit la bouche pour répondre mais Sandy n'en avait pas fini et elle poursuivit.

— Sauf que je ne le peux pas. Tu as peut-être envie plus que tout de me protéger mais moi, j'ai envie plus que tout de le protéger, lui, dit-elle en posant la main sur son ventre. Je suis donc obligée de te faire confiance et de faire confiance à Maddy, ajouta-t-elle en se tournant vers cette dernière.

Maddy parut surprise. Sandy lui décocha un petit sourire triste.

— Zach m'a tout raconté hier soir. Il m'a expliqué son travail et le tien. J'aurais préféré que tu m'en parles toi-même. Je partirai, Zach, ajouta-t-elle. Promets-moi seulement de tout faire pour que Tristan ne soit pas mort pour rien.

Quelques heures plus tard, vers midi, la mère de Tristan arriva à Bonne-Chance et Zach l'accueillit sur le perron de la maison. Puis il aida Sandy à monter dans la voiture, à l'arrière, sur la banquette. Elle s'y allongea pour que personne ne puisse la voir quitter la ville.

— Après une heure de route, tu pourras te relever, la rassura Zach. Vous serez loin, alors !

Sandy acquiesça mollement, puis la voiture démarra.

Maddy suivit peu après, dans son propre véhicule. Juste avant qu'elle ne parte, Zach récapitula leur plan.

— On est bien d'accord ? Tu roules une trentaine de kilomètres, jusqu'à Houma. Tu laisses ta voiture dans un parking souterrain et tu vas m'attendre dans un café que je te rejoigne.

Maddy hocha la tête.

— Et ensuite, tu me reconduis discrètement ici, à Bonne-Chance. A la tombée de la nuit.

Elle s'élança sur la route et Zach poussa un soupir. Il fallait que leur plan marche. C'était indispensable.

*
* *

Comme il avait une heure à perdre avant de rejoindre Maddy, il prit une douche, puis il quitta la maison lui aussi et se rendit au cabinet médical.

Une plaque annonçait :

James TRAHILL, médecin généraliste

Poussant la porte, Zach se retrouva devant la secrétaire, une femme d'une cinquantaine d'années à l'air revêche.

— Vous désirez ?

— J'aimerais voir le Dr Trahill.

Elle le dévisagea par-dessus ses lorgnons.

— Pour quelle raison ?

— Pour lui parler.

— Votre nom ?

— Zachary Winter.

— Winter, répéta-t-elle en tapotant laborieusement le clavier.

Elle lui posa une quinzaine de questions pour remplir une fiche à destination du médecin et, quand elle eut fini, elle leva enfin les yeux sur lui et répéta.

— Quel est le problème ?

— Je souffre de crises d'angoisse, répondit-il en serrant les mâchoires. Et là, maintenant, je sens les symptômes annonciateurs d'une crise imminente.

Elle hocha la tête puis lui désigna la salle d'attente.

— Allez vous asseoir.

Zach considéra la porte du médecin.

— Il est en consultation en ce moment ?

— Non.

Zach en profita pour contourner le bureau de la secrétaire.

— Non, attendez ! s'écria celle-ci. Il est…

Zach s'en fichait. Il ouvrit la porte derrière elle.

Le Dr Trahill, âgé d'une quarantaine d'années, était absorbé dans la lecture d'un dossier.

— Docteur Trahill ?

— Qui êtes-vous ? Avez-vous rendez-vous ? demanda l'homme en s'emparant de son agenda.

Zach secoua la tête.

— Non.

Il lui donna son nom, lui expliqua pour qui il travaillait et ce qu'il attendait de lui.

— Je ne sais pas, commença le Dr Trahill.

— Ecoutez, le coupa Zach en posant les poings sur son bureau. Je peux demander à mon superviseur de vous appeler et de vous expliquer à quel point il est important que vous coopériez avec nous. Cela prendra plusieurs heures et il vous demandera de signer plusieurs documents. Alors que ce que j'attends de vous est très simple. J'ai envie que les gens du coin pensent qu'une femme enceinte est malade, assez malade pour devoir garder le lit et éviter au maximum de recevoir des visiteurs, de voir des gens. Mais pas malade au point de devoir être hospitalisée.

Le médecin fronça les sourcils.

— Et pourquoi faire croire une chose pareille ? demanda-t-il d'un air suspicieux.

— Avez-vous entendu ce que je vous ai dit ? Je travaille pour la NSA. Et nous avons besoin que vous nous aidiez. Je suis sûr que vous avez envie d'être utile à votre pays, n'est-ce pas ?

Les lèvres serrées, le médecin tapota son stylo sur le bureau. Il finit par planter les yeux dans les siens.

— Elle pourrait souffrir d'un déficit immunitaire, avoir contracté un virus mettant en péril son système de défense immunitaire.

Cette hypothèse plut à Zach.

— Vous voulez dire qu'à cause de ce virus, elle risquerait d'attraper trop facilement les microbes que d'éventuels visiteurs pourraient lui transmettre, même s'ils étaient eux-mêmes porteurs sains, c'est bien cela ?

Le médecin hocha la tête.

— Exactement.

— Il vaudrait mieux que les gens se tiennent à distance d'elle pour ne pas risquer de l'infecter et de faire du mal au bébé ?

— En vérité, si une femme enceinte était vraiment atteinte d'un déficit immunitaire, je l'aurais fait transporter à l'hôpital, pour éviter de contaminer l'enfant qu'elle porte. Et je l'aurais mise à l'isolement.

Zach poussa un soupir impatient.

— Je comprends bien, docteur. Mais je ne peux pas la faire transporter à l'hôpital. J'ai besoin qu'elle reste ici, chez elle. A présent, j'aimerais que vous racontiez à votre secrétaire les problèmes immunitaires de Sandy DuChaud et que vous vous arrangiez pour que, dans l'heure qui suit, toute la ville soit au courant, d'accord ?

Le regard que lui lança le médecin suffit à convaincre Zach : il avait bien ciblé sa proie. La secrétaire médicale avait un réseau de pipelettes très étendu et elle se ferait certainement un plaisir de divulguer des informations médicales pourtant confidentielles.

— Mais cette histoire ne me plaît pas, poursuivit Trahill. Pourquoi la NSA a-t-elle besoin qu'une telle rumeur courre sur cette femme ?

— Faites-moi confiance, docteur. Moins vous en saurez, mieux cela vaudra pour vous et votre famille. Tout ce que je peux vous dire est qu'il s'agit d'une question de *sécurité nationale*. Comprenez-vous ?

Trahill opina d'un air nerveux.

— Et si vous révéliez à quiconque la teneur de notre échange, vous seriez traduit devant un tribunal pour haute trahison. Comprenez-vous ?

Le médecin hocha la tête. Sa pomme d'Adam monta et descendit tandis qu'il tentait de déglutir.

— Je jure, murmura-t-il en levant sa main droite, je jure devant Dieu que…

Avec un soupir, Zach tourna les talons. Puis, saisi d'une idée, il fit volte-face.

— Oh ! J'allais oublier. Nous avons mis sur écoutes tous vos appareils téléphoniques ainsi que ceux de votre secrétaire. Et de plusieurs autres personnes en ville. N'oubliez pas : la seule chose que vous devez dire et répéter est que Sandy est malade et ne peut voir personne. C'est bien compris, docteur ? Parce que la NSA écoutera tout ce que vous direz.

Zach souleva un chapeau imaginaire pour le saluer ainsi que la secrétaire médicale puis il quitta le cabinet. Avait-il raison de considérer le Dr Trahill comme un timide, féru des théories complotistes ? Il s'agissait d'un pari. S'il avait raison, le médecin serait ravi de faire partie d'une conspiration, de jouer un rôle dans une mission clandestine. Dans le cas contraire, il était, avec un peu de chance, patriote et garderait le secret.

De toute façon, ce qui était fait était fait et il n'était plus possible de revenir en arrière. Dans moins d'une heure, toute la ville parlerait de la pauvre Sandy obligée de rester couchée et en quarantaine chez elle sous les soins du meilleur ami de son mari défunt.

Tous ses voisins et amis allaient essayer de l'apercevoir au moins de loin, de lui faire parvenir un mot ou de lui parler pour qu'elle soit sûre que tous pensaient bien à elle.

Zach aimait la raison que le médecin avait fournie pour justifier cette mise en quarantaine. Une déficience immunitaire due à un virus. En clair, Sandy risquait d'attraper les virus et les microbes qui traînaient et de mettre ainsi son bébé en danger. C'était quelque chose qu'il fallait prendre au sérieux mais qui n'avait pas de symptôme visible. Aussi, si quelqu'un apercevait Maddy se faisant passer pour Sandy, il ne pourrait pas se douter qu'elle n'était pas malade.

7

A la nuit tombée, Zach revint à la maison avec Maddy. Il se gara le plus près possible de l'entrée afin de permettre à Maddy de se glisser à l'intérieur en s'exposant le moins possible à d'éventuels regards.

— Avez-vous pensé au colorant pour cheveux et aux corsages de grossesse ? demanda-t-il tandis qu'elle sortait de l'habitacle.

— Vous m'avez déjà posé la question au café et ma réponse n'a pas changé. J'ai tout ce qu'il faut. Je teindrai mes cheveux ce soir et je porterai des chemisiers de grossesse dès demain. Mais il ne me semble pas indispensable de mettre des pantalons de grossesse. Je serai plus à l'aise en jean.

— Bien sûr, répondit-il tout en surveillant la cour pour s'assurer qu'il n'y avait personne.

La maison des DuChaud était située en périphérie de Bonne-Chance, au fond d'une impasse. Zach n'avait pas repéré de voitures alentours mais il voulait être sûr à cent pour cent qu'il n'y avait personne. Il refusait de faire courir à Maddy un danger inutile.

Il avait d'abord pensé rester éveillé toute la nuit au cas où les hommes que Sandy avait vus reviendraient. Ses instincts protecteurs le poussaient à monter la garde seul en laissant Maddy dormir paisiblement à l'intérieur. Mais à bien y réfléchir, cette option n'en était pas une. Ils devaient se répartir le travail. Il n'avait pas fermé l'œil, la nuit précédente. S'il ne dormait pas un peu, il ne serait capable de rien le lendemain.

Au moment où Maddy ouvrait les portes-fenêtres et entrait à l'intérieur, un éclair de lumière derrière la maison attira l'attention de Zach.

— Maddy ! murmura-t-il.

Elle s'immobilisa et se retourna.

— Allez tout de suite vous réfugier dans la chambre de Sandy ! J'ai vu quelque chose. Entrez vite vous mettre à l'abri au cas où nos visiteurs essaieraient d'entrer !

Il sortit de ses poches son arme et une petite lampe.

— N'hésitez pas à tirer s'il le faut, ajouta-t-il tandis qu'elle refermait les portes-fenêtres.

Dos au mur, il longea la maison jusqu'à l'arrière et tendit l'oreille. Quelqu'un rampait sur l'herbe.

Zach s'avança avec précaution. Une ombre à peine moins sombre que les arbres se dessinait, une silhouette qui traversait la pelouse. Il ne s'agissait pas d'un animal, Zach en était certain. Mais était-ce un homme ? Une femme ? L'individu était-il armé ou pas ? Il n'aurait pu le dire.

Soudain, un étrange pressentiment le fit se retourner. Maddy était là.

— Un souci ?

— Quelqu'un est entré dans la chambre de Sandy, répondit Maddy. La pièce est sens dessus dessous.

Il jura mais un nouveau bruit retentit dans la nuit.

Zach ordonna à Maddy.

— Retournez à l'intérieur.

Elle secoua la tête.

— Pas question. Je reste avec vous. Vous ignorez combien ils sont.

— Bon sang, Maddy ! Quand compren… Avez-vous vu ? ajouta-t-il soudain.

— Cet éclair de lumière ? Oui. Le reflet d'une arme, non ?

— Peut-être, répondit-il.

Brandissant son pistolet, il cria en direction de l'intrus.

— Je suis agent fédéral et je suis armé ! Arrêtez-vous ou je tire !

Mais, au lieu d'obtempérer, l'individu prit les jambes à son cou.

Zach visa alors soigneusement et fit feu.

Avec un cri de surprise, le fuyard sauta de côté puis se pétrifia.

Zach alluma sa lampe de poche et le faisceau lumineux éclaira un visage sombre, étroit, dont les yeux brillaient.

L'homme se remit à courir vers les broussailles.

— Halte ! Je vais tirer encore ! menaça Zach.

Cette fois, son interlocuteur riposta. Plusieurs déflagrations résonnèrent. Zach attrapa Maddy par le bras et se jeta avec elle sur le sol. Elle poussa un faible cri.

Mais l'intrus s'enfuyait dans l'enchevêtrement de cyprès, de mangroves et de lauriers-roses des marais.

Zach bondit sur ses pieds pour se lancer à sa poursuite. Il était prêt à prendre de nouveau l'individu pour cible si nécessaire. Mais ses oreilles bourdonnaient et quelque chose de chaud coulait le long de sa joue. Il y passa les doigts qui revinrent pleins de sang. Le salaud lui avait tiré dessus !

— Zach, vous saignez !

Les grands yeux bleus de Maddy le dévisageaient avec angoisse. Elle tendit la main vers lui mais il l'empêcha d'un mouvement de tête de le toucher. D'instinct, il se remit au-dessus d'elle pour la protéger mais la position était suggestive et inconfortable. Gêné par les sensations qui le traversaient, il s'écarta d'elle.

Il cherchait dans l'obscurité un signe de la présence de l'homme — ou des hommes — sur la propriété.

Maddy roula sur le ventre et se positionna derrière lui. Il hocha la tête. Elle avait eu la bonne réaction. Elle était armée mais il avait la responsabilité de la manœuvre, il avait pris la direction des opérations et elle s'était placée en position de subalterne sans discussion ni contestation.

Elle serrait son pistolet comme si sa vie en dépendait, sans doute pour empêcher ses mains de trembler. Manifestement, le sang qu'il avait sur le visage l'avait ébranlée.

L'arme au poing, il s'avança vers l'endroit d'où était venu le bruit. Et il tenait sa lampe de poche, de façon à pouvoir l'allumer d'une simple pression si nécessaire. Parfaitement immobile, il pencha la tête pour écouter.

Maddy s'efforçait d'accorder son comportement à celui de Zach. Elle était tellement concentrée que le reste du monde semblait se mouvoir au ralenti, comme si Zach et elle étaient les seuls à bouger à un rythme normal.

Mais, manifestement, l'intrus — ou les intrus — s'éloignaient, s'enfuyaient. Les bruits devenaient de plus en plus lointains, étouffés.

Elle se tourna vers Zach. Il inclina la tête si faiblement qu'elle aurait pu ne pas le remarquer mais ils étaient manifestement connectés. A cette idée, un frisson la parcourut.

Ils étaient tellement synchronisés, tellement à l'écoute l'un de l'autre qu'ils ne formaient qu'une seule et même personne. Elle n'avait jamais partagé une telle osmose avec quelqu'un. Un sentiment à la fois grisant, puissant et incroyablement intime la gagna.

Pendant un instant, ils restèrent immobiles.

Puis, comme s'ils communiquaient par télépathie, ils se détendirent en même temps.

— Il est parti, murmura Zach.

Maddy recula d'un pas et Zach l'imita. Tous deux rentrèrent dans le salon, toujours parfaitement synchronisés. Dès qu'ils se retrouvèrent à l'intérieur, ils demeurèrent un moment sans bouger pour écouter, regarder, analyser l'environnement. La maison était vide, Maddy en était inexplicablement certaine. Zach hocha la tête, partageant apparemment son avis.

— La voie est libre, dit-il en baissant son arme.

— La voie est libre, répéta-t-elle en l'imitant.

Toujours sous l'influence de leur étroite connexion, elle se tourna vers lui. Ses yeux s'étaient habitués à l'obscurité et au loin les lumières de la plate-forme pétrolière combinées avec celles de la ville de Bonne-Chance prodiguaient un halo pâle qui lui permettait de deviner la silhouette de Zach devant elle.

— Que s'est-il passé ? murmura-t-il.

— Avec les intrus ? demanda Maddy, même si ce n'était évidemment pas ce à quoi il faisait allusion.

Visiblement, il était aussi troublé qu'elle par leur osmose mais elle n'osait pas aborder le sujet la première.

— Non, répondit-il en secouant la tête. Vous savez très bien de quoi je veux parler.

— Oui, murmura-t-elle.

Il fit un pas vers elle et ils se retrouvèrent face à face, à se toucher. Les yeux de Zach brillaient. Il la dévisageait avec tant d'intensité qu'un autre frisson la traversa, un frisson différent qui se nicha au creux de son ventre.

Il lui caressa la joue. Le contact de ses doigts imprégnés de sang la fit frissonner. Un instant, elle avait oublié sa blessure.

— Je vais vous nettoyer cette plaie. Je suis sûre qu'il y a un désinfectant quelque part dans la maison.

Mais il posa le pouce sur ses lèvres pour la faire taire.

— Plus tard, dit-il doucement en sortant un mouchoir de sa poche. Ce n'est qu'une égratignure, elle ne saigne déjà plus.

Et il l'embrassa. Sa bouche était douce, son baiser un peu hésitant. Maddy adorait les sensations que ses lèvres faisaient naître, le contraste entre leur dureté apparente et leur profonde douceur. Allait-il vraiment l'embrasser comme si elle était une fille du Sud belle et fragile ? Elle espérait que non.

Il releva la tête pour plonger les yeux dans les siens puis il captura de nouveau ses lèvres. Cette fois, il n'y eut rien de doux ou d'hésitant dans son geste. Ce fut un baiser exigeant et sensuel comme elle s'attendait à ce qu'il le soit. Il ouvrit ses lèvres pour s'engouffrer à l'intérieur et fouiller sa bouche.

Elle lui rendit ses baisers avec fièvre lui montrant autant de désir, de faim, qu'il lui en avait fait preuve.

Puis il changea de nouveau de jeu. Il lui mordilla doucement les lèvres, les joues, les lobes des oreilles. Cela la rendit folle.

Au moment où elle croyait ne plus pouvoir en supporter davantage, il souleva son visage d'un doigt et lui reprit la bouche pour, cette fois, un baiser violent. Il allait et venait dans sa bouche comme s'il mimait un acte sexuel.

Maddy lui donna autant qu'elle prit, lui rendant ses baisers, savourant sa langue et ses lèvres avec ses dents, enroulant sa langue autour de la sienne.

— Que nous arrive-t-il ? demanda-t-il dans un souffle.

Maddy s'écarta légèrement de lui pour pouvoir lui répondre. Elle n'avait pas à lui demander de quoi il parlait : elle le savait. Ils étaient toujours synchronisés, ils réagissaient toujours en harmonie parfaite.

— Je ne sais pas, murmura-t-elle. Un déclic. Nous étions parfaitement en phase. Connectés l'un à l'autre d'une manière qui nous dépassait. Ensemble. Nous n'étions pas deux individus en équipe. Nous ne faisions qu'un. Un peu comme un super-soldat, ajouta-t-elle en riant.

— Je le sens encore, dit-il en l'attirant à lui et en l'étreignant contre lui, enfouissant son visage dans ses cheveux.

— Moi aussi.

Levant la tête, il l'embrassa de nouveau.

— C'est comme si nous anticipions les moindres gestes de l'autre. Comme si nous connaissions les pensées de l'autre.

Un petit rire secoua la poitrine de Zach.

— Sais-tu à quoi je pense, là ?

— Oui, répondit-elle avec un petit sourire. Et je pense que c'est une merveilleuse idée.

A peine l'avait-elle dit qu'il se ferma nettement.

— Je n'en suis pas si sûr.

Maddy grimaça.

— Quoi ?

— Des types se sont introduits dans la maison. Nous devrions d'abord regarder ce qu'ils ont pris.

— Maintenant ? Ils sont partis. Ne brise pas le charme. J'ai tellement envie de toi. Je t'en prie, ne t'arrête pas maintenant.

Elle l'embrassa encore et encore, puis ouvrit sa chemise pour picorer son torse de baisers brûlants.

Zach se tendit, frottant son érection contre elle.

— Oui dit-elle. J'aime cela. Je t'en prie, Zach. Ne t'arrête pas, supplia-t-elle.

— Je ne le pourrais plus maintenant.

Maddy plaqua les mains sur ses fesses pour l'attirer plus étroitement contre elle.

— Zach ! cria-t-elle au bord de l'orgasme. C'est trop !

Mais il continua à la caresser ainsi jusqu'à ce que son corps fonde de plaisir. Quand la jouissance la foudroya, elle cria et elle finit par s'effondrer dans ses bras, pantelante.

Il l'étreignit contre lui, mordillant tendrement ses oreilles.

Elle tremblait de tous ses membres mais elle n'était pas rassasiée de ses baisers, de ses caresses.

— Penses-tu toujours que ce n'était pas une bonne idée ? demanda-t-elle en lui touchant le nez du bout du doigt.

Il planta les yeux dans les siens et hocha la tête.

— En fait, je…

— Non, ne le dis pas, ne dis rien, l'enjoignit-elle avant de l'embrasser avec ardeur.

Elle le fit tomber sur le canapé et se mit à califourchon sur lui. Lorsqu'elle fit glisser la fermeture Eclair de son pantalon, il poussa un gémissement mais il n'essaya pas de l'arrêter. En quelques instants, leurs vêtements volèrent aux quatre coins de la pièce. Dès qu'il fut nu, elle couvrit son corps viril de baisers brûlants.

Puis il la souleva au-dessus de lui et la pénétra, elle faillit hurler, tant sa jouissance fut immédiate et forte. Et, comme elle le craignait, une larme s'échappa de ses yeux. Il lui fit l'amour et elle connut un plaisir intense comme elle n'en avait jamais connu auparavant.

Il l'emmena au ciel plusieurs fois comme si la nuit ne devait jamais finir.

Un peu plus tard, tandis que leur passion s'apaisait et qu'ils se blottissaient tendrement dans les bras l'un de l'autre, Maddy eut encore envie de pleurer. Elle n'avait jamais aimé pleurer. C'était une perte d'énergie et elle trouvait laid d'avoir le nez et les yeux rouges. Aussi s'obligea-t-elle à réprimer ses larmes et s'interdit-elle d'exploser en sanglots.

Si Zach lui avait demandé pourquoi ses pleurs, elle n'aurait su quoi lui répondre. Que faire l'amour avec lui avait été l'expérience la plus merveilleuse de sa vie et qu'elle était sûre que cela venait de la synchronicité avec laquelle ils fonctionnaient ?

Oui, il aurait sans doute compris.

Sinon, cela voulait dire qu'ils n'étaient en phase, en parfaite harmonie, que lorsqu'ils étaient confrontés au danger.

Elle ne put retenir quelques larmes. Avec un peu de chance, il ne s'en était pas rendu compte.

Finalement, elle se tourna vers lui.

Il dormait à poings fermés.

8

Lorsque Maddy se réveilla, le lendemain, elle était allongée près, tout près, de Zach. Pratiquement sur lui, en fait. Son long corps mince et musclé était collé à son ventre et, dans son dos, les coussins du canapé lui rappelaient où ils avaient fait l'amour.

Elle subissait encore le délicieux contrecoup des multiples orgasmes qu'il lui avait donnés durant la nuit. Comblée, alanguie, elle flottait sur un petit nuage. Elle admira ses muscles d'athlète, fermes et développés, mais au repos, relâchés. Même dans son sommeil, il bandait ses pectoraux, remarqua-t-elle. Et pas uniquement ses pectoraux, d'ailleurs…

Mais l'audace dont elle avait fait preuve la veille au soir s'était évaporée à la lumière du jour. Elle se sentait intimidée. Aussi s'écarta-t-elle de lui d'un coup de reins. Ou du moins, essaya-t-elle de se lever. Parce que comme elle tentait de quitter le canapé, le bras de Zach s'enroula autour de sa taille.

Il ouvrit les yeux.

— Aïe ! cria-t-il avec une grimace de douleur.

— Désolée, dit-elle en se tortillant pour se libérer.

Dans la manœuvre, elle lui avait piétiné le ventre, ce qui ne devait pas être très agréable. En revanche, au cours de la nuit, elle était parvenue à remettre son pyjama, constata-t-elle, soulagée.

Il poussa un soupir.

— Fais attention à tes genoux, tu pourrais blesser quelqu'un.

— Désolée, répéta-t-elle. J'ai été surprise de me réveiller ici, dit-elle en désignant aussi bien Zach que le canapé.

— Es-tu en train de prétendre que tu as oublié ce qui s'est passé entre nous hier soir ?

— Non, non, je me rappelle très bien ce qui s'est passé entre nous hier soir, répondit-elle en rougissant. Mais pas m'être endormie ni avoir remis mon pyjama.

— Tu te souviens au moins l'avoir retiré ? demanda-t-il, un petit sourire aux lèvres.

Elle se mit à rire.

— Si ma mémoire est bonne, quelqu'un me l'avait retiré…

— Et pour ma part, je me rappelle m'être ensuite couché. Tu t'es blottie contre moi. Et ensuite, plus rien jusqu'à ce que tu me donnes des coups de pied sur le…

— D'accord, le coupa-t-elle. J'ai compris. Je suis raide ankylosée, ajouta-t-elle en bâillant.

Zach se leva à son tour avec un grognement.

— Oui, moi aussi.

De nouveau, le visage de Maddy s'embrasa et, écarlate, elle sortit à la hâte du salon pour gagner la chambre de Sandy et prendre une douche.

Une demi-heure plus tard, quand elle en ressortit, elle faillit heurter de plein fouet Zach qui, lui, avait fait sa toilette dans la cabine de douche près de la lingerie. Vêtu d'une simple serviette nouée autour de sa taille, les cheveux encore humides, il était particulièrement séduisant avec sa peau dorée perlée de gouttes d'eau. Ses yeux émeraude brillaient à l'ombre de ses épais cils bruns.

Il sourit.

— Désolé. Je pensais que tes ablutions dureraient des heures, comme celles de toutes les femmes.

— Ne généralise pas ! répondit-elle en rabattant plus

étroitement contre elle les pans de son peignoir. Je suis une adepte des douches rapides.

Elle le contourna pour se rendre dans la chambre d'amis.

— Hey ! la rappela Zach.

Elle fit volte-face, mais la serviette que Zach portait à la taille avait un peu glissé et semblait prête à tomber à tout moment.

Maddy s'obligea à détourner le regard.

— Oui ?

— Dès que nous aurons fini notre petit déjeuner, je descendrai au débarcadère pour jeter un coup d'œil alentour. J'aimerais inspecter les marécages qui bordent la propriété. Il a plu dans la nuit mais j'espère trouver des indices prouvant que quelqu'un s'y est promené hier et s'est servi du vieux ponton des DuChaud dernièrement. Peut-être que je pourrai repérer des traces de passages ou au moins des empreintes de pas. Au pire, je pourrais discuter avec un ou deux vieux pêcheurs.

— Je t'accompagnerai, dit-elle.

— Non, sûrement pas. Tu es censée être enceinte, couchée et en quarantaine. Pas question pour toi de quitter la maison.

Les lèvres serrées, elle le fusilla du regard, ce qui aurait mieux fonctionné si ses yeux avaient été de véritables lasers.

— Tu veux vraiment que je reste clouée au lit ? Je pensais que tu t'étais arrangé pour que le médecin raconte cette fable à toute la ville pour crédibiliser ma couverture. Mais je n'imaginais pas que tu allais me demander de passer réellement mes journées allongée.

— Et pourquoi ne pas convenir d'un compromis ? Tu n'es pas obligée de rester au lit mais seulement dans la chambre. Et peut-être que tu pourrais en profiter pour ranger le bazar laissé par les intrus. Pour tenter de comprendre ce qu'ils étaient venus chercher.

Elle leva les yeux au ciel.

— D'accord, je crois que je peux faire ça, oui. Et qu'en est-il du shérif ? Nous ne l'avons pas prévenu hier. Devons-nous l'appeler maintenant pour signaler le cambriolage ?

Zach lui jeta un regard de biais.

— Qu'en penses-tu ?

— En tout cas, à en juger par ton expression, tu estimes, toi, que ce ne serait pas une bonne idée. Oublions donc le shérif. Je vais voir si je peux trouver quelque chose qui nous mettrait sur une piste. Ne t'inquiète pas pour moi. Cela ne m'ennuie pas du tout de ranger.

— Ecoute, poursuivit-il. Il y a autre chose que j'aimerais que tu fasses. Pourrais-tu téléphoner au capitaine de la plate-forme pétrolière ? Je voudrais que tu lui demandes une nouvelle fois l'autorisation de monter à bord pour effectuer cette inspection. Insiste pour qu'il te donne le feu vert. Dis-lui que tes supérieurs te mettent la pression, que c'est important. Tu es d'accord pour l'appeler ?

Maddy resserra les pans de son peignoir contre elle. Mais, manifestement, Zach n'avait pas l'intention de remonter sa serviette sur ses reins. Elle ne savait plus où poser le regard.

— Ce sera une perte de temps totale, répondit-elle. Il ne va certainement pas m'autoriser à inspecter sa plate-forme, actuellement. Et il a une très bonne excuse pour justifier son refus. Il lui suffit de dire qu'il est en plein milieu d'une enquête, suite à la mort de l'un de ses employés. Il sera alors couvert. Personne ne pourra le forcer à me faire monter à bord, il est certain de ne pas être inquiété.

— Nous pourrions essayer de nous y rendre en catimini, non ?

Maddy le dévisagea en secouant la tête.

— Tu espères vraiment pouvoir monter en cachette sur la plate-forme ? Oublie, c'est impensable. Il y a des caméras de surveillance partout. Et les images sont visionnées en permanence par des agents de sécurité. Il est très probable qu'ils nous canarderont d'abord et poseront des questions ensuite.

Comme Zach haussait les épaules, sa serviette se mit à glisser. Il s'en rendit compte, la rattrapa à temps et décocha à Maddy un sourire penaud.

— Je vais m'habiller et je reviens, dit-il.

Peu de temps après, Zach joignit par téléphone le Dr Trahill. Il voulait lui rappeler leur pacte secret. Le médecin semblait s'en souvenir parfaitement et être aussi obéissant que la veille. Mais Zach ajouta tout de même avant de raccrocher.

— Si vous en parlez à qui que ce soit, les conséquences seraient dramatiques pour le pays, et cette trahison vous coûterait très cher…

Zach téléphona ensuite au médecin légiste.

— Avez-vous du nouveau à propos des restes de Tristan ?

— Les gardes-côtes ont mis fin à leur recherche au petit matin, répondit le Dr Bookman. Mais j'ai récupéré le contenu des estomacs de deux requins et je les envoie au labo pour voir s'ils trouvent des correspondances d'ADN.

Les paroles du légiste accablèrent Zach qui eut du mal à déglutir.

— Pourrez-vous appeler Mme DuChaud et la tenir au courant des résultats de ces analyses ? J'apprécierais beaucoup.

Le médecin donna son accord.

Zach s'équipa ensuite pour se rendre aux marais. Dans les bayous de Louisiane, la terre mêlée à la vase devenait une boue collante appelée le « gumbo ». Gorgé de pluie, ce gumbo était aussi dangereux que des sables mouvants. Zach enfila donc des cuissardes de pêche. Il prit également des jumelles puis se dirigea vers le petit embarcadère que le grand-père de Tristan avait bâti autrefois pour y attacher son bateau et sa pirogue. Comme il fallait s'y attendre, le sol était très boueux dans les marécages.

Empruntant ce qui ressemblait à un chemin perdu au milieu des mauvaises herbes, Zach parvint jusqu'aux abords du marais. Il sauta sur l'ancien embarcadère qui avait bien résisté aux années et aux intempéries. Les planches craquaient sous ses pas. Il resta là un moment, les yeux perdus dans l'étendue du golfe du Mexique, s'efforçant de se repérer non seulement géographiquement mais aussi dans le temps.

Combien d'après-midi avait-il passés autrefois sur ce ponton avec Tristan à regarder la mer ? Tous deux rêvaient alors de devenir pirates ou ils s'imaginaient embarquer comme passagers clandestins sur des bateaux en partance pour des contrées lointaines, certains d'y vivre des aventures extraordinaires.

Une profonde tristesse s'abattit sur lui tandis qu'il contemplait les mêmes flots, les mêmes cieux et peut-être les mêmes arbres qu'à cette époque.

— Ah, Tristan, murmura-t-il. Pourquoi et pour qui as-tu été te faire tuer ? J'ai toujours pensé que je reviendrais, vieux. Mais je suis désolé de n'être pas revenu à temps pour t'aider, ajouta-t-il en secouant la tête. Pour empêcher cette tragédie.

Après un long moment, Zach se frotta les yeux et observa les marais. L'eau était brune près du rivage mais, un peu plus loin, elle commençait à refléter le bleu du ciel. Les deux se mêlaient à l'horizon et il n'était alors plus possible de délimiter le ciel de la mer.

Lorsqu'il était jeune et se tenait sur cet embarcadère, Zach avait l'impression qu'un monde s'étendait devant lui, un monde riche et mystérieux, un monde à la fois magnifique et périlleux, capable d'engloutir dans ses flots des ennemis mais aussi des êtres chers.

Pour protéger ses yeux du soleil, il mit la main en visière. Un minuscule point noir se dessina alors sur l'eau.

Il s'empara de ses jumelles et grossit l'image : c'était en fait un bateau de croisière, qui entrait ou sortait du port de La Nouvelle-Orléans.

Pouvait-il également distinguer la Pleiades Seagull ? Cette plate-forme était l'une des plus proches du rivage. D'après Maddy, elle était ancrée au-dessus d'un canyon sous-marin, prolongement du Mississippi, plus profond que ce à quoi on était en droit de s'attendre si près des côtes.

Une curieuse émotion saisit soudain sa poitrine et, abaissant ses jumelles, il prit une inspiration pour tenter de calmer la douleur dont il était la proie.

— Hey, vous ! cria une voix dans son dos. Que faites-vous ici ?

Un instant, Zach crut reconnaître les intonations de Tristan quand il imitait l'accent cajun de son grand-père et de son père.

Il se retourna. En réalité, un vieil homme le menaçait d'un fusil de chasse.

Il se pétrifia. Il s'agissait d'un calibre 12. Une arme ancienne, pratiquement une antiquité, qui fonctionnait manuellement.

Le vieillard rechargea et pointa le canon sur lui.

Zach leva les mains en l'air tout en examinant son interlocuteur. L'homme lui disait vaguement quelque chose, son visage ne lui était pas inconnu. Il l'avait sans doute rencontré autrefois, lorsqu'il explorait avec Tristan les chemins qui serpentaient dans les marais. Mais il n'en était pas sûr. Cela remontait à longtemps et le Cajun était déjà très âgé à l'époque. Comment s'appelait-il déjà ? Woodrow ou Boudreau ?

— Boudreau ? lança-t-il, un peu au hasard.

Surpris, l'homme regarda Zach d'un œil noir comme du charbon.

— Qui êtes-vous ?

— Zach Winter. J'étais un ami de Tristan.

Les yeux du vieillard parurent lancer davantage d'éclairs.

— Tristan ?

Il prononçait son prénom à la française, en accentuant la seconde syllabe.

— Qui êtes-vous donc ? reprit-il. Tristan n'est plus là. Vous savez ce qui lui est arrivé, non ? Alors n'essayez pas de me rouler dans la farine.

La bouche du vieil homme ne bougeait que d'un côté quand il parlait et son œil gauche s'ouvrait moins bien que le droit. De même, sa main droite, qui tenait le fusil, tremblait et il devait la soutenir de l'autre.

Avait-il été victime d'un AVC ? se demanda Zach.

En tout cas, il préférait ne pas donner à ce vieillard plus d'informations que nécessaire. Aussi décida-t-il de répondre à chaque question par une autre question.

Secouant la tête, il dit.

— Je ne cherche pas à vous duper. Vous ne savez pas ce qui s'est passé ?

Boudreau le dévisagea un long moment en silence. Un trop long moment, jugea Zach.

— Vous êtes un menteur, le plus grand des menteurs, lâcha finalement l'homme. Vous essayez de me berner. J'ai peut-être un petit vélo rouillé dans la tête mais je ne suis pas un mauvais bougre. Et je sais reconnaître le diable quand il croise ma route. Je ne peux pas vous regarder, ajouta-t-il en mettant la main en visière. Parce que nul ne peut regarder le diable.

— Je ne suis pas le diable, Boudreau. Je suis l'ami de Tristan, Tristan était mon copain à l'école.

— Vous n'êtes pas l'ami de Tristan. Vous êtes le diable.

Il souleva son fusil, sa main tremblait de plus en plus.

— D'accord, d'accord, Boudreau…

— Ne me parlez pas ainsi, compris ? rétorqua le

vieil homme. Appelez-moi « monsieur Boudreau » pour commencer.

— Monsieur Boudreau, avez-vous vu des gens traîner par ici, des gens qui n'avaient rien à y faire ? Par exemple, des employés de la plate-forme pétrolière ou des types venus d'une autre ville ?

— Des employés de la plate-forme pétrolière ? Vous venez de cette plate-forme ? Vous êtes donc bien le diable. Il faudrait les brûler, ces plates-formes, ce sont les œuvres du diable. Elles répandent leur poison dans les marais, elles souillent l'eau et tuent les poissons.

Boudreau hocha la tête. Comme il continuait à la dodeliner un temps infini, Zach le crut endormi, les yeux ouverts. Le canon de son fusil s'abaissa un peu, de plus en plus…

Zach voulut en profiter pour faire demi-tour, rebrousser chemin et regagner sa voiture.

Mais Boudreau sortit de sa torpeur et redressa son fusil.

— Attendez, je n'ai pas encore décidé ce que j'allais faire de vous.

— Monsieur Boudreau, dit Zach d'un ton respectueux. Je me demandais si vous aviez vu quelqu'un rôder par ici, quelqu'un qui n'avait rien à y faire. Quelqu'un qui vous aurait dérangé ou qui vous aurait réveillé la nuit, par exemple.

Un instant, les yeux de Boudreau perdirent leur lueur enflammée et devinrent presque opaques.

— Nan, répondit-il enfin. Il y a des sales types qui traînent parfois dans les bois mais ils ne m'approchent pas. Ils n'ont pas intérêt, croyez-moi. Maintenant, reprit-il de nouveau avec colère, vous, vous allez partir d'ici et vite fait. Vous n'avez rien à voir avec les DuChaud, vous n'avez rien à faire sur leurs terres. Je ne vous connais pas, personne ne vous connaît dans le coin et vous ne ressemblez à personne que je connaisse.

Le vieux Cajun se tenait farouchement debout, serrant son fusil d'une main, l'autre étant prise de tremblements.

Zach ne bougea pas pour autant.

Boudreau le mit alors en joue.

— Monsieur ? réessaya une nouvelle fois Zach.

— Foutez le camp ! Laissez-nous tranquilles. Les gens ont besoin de cicatriser. Ils n'ont pas besoin de gars comme vous pour les énerver.

Zach céda et regagna sa voiture, tout à fait conscient du fusil pointé dans son dos.

Sur le chemin du retour, Zach appela le prêtre.

— Duff ?

— Oui ? répondit celui-ci d'un ton légèrement réprobateur. Qui est à l'appareil ? C'est toi, Zach ?

— Oui, Duff. Je voulais dire, oui, père Michael.

— Cesse de te compliquer la vie avec mon nom. Appelle-moi Duff. Que puis-je faire pour toi ?

— Le vieux Boudreau traîne toujours dans le coin ? Tu sais, le vieillard qui vivait dans les marais, au fond de la propriété de Tristan, quand nous étions gosses.

Il y eut un petit silence. Manifestement, le prêtre réfléchissait.

— En fait, je n'en sais rien. Je n'ai pas entendu prononcer son nom depuis des années. Je ne suis pas certain qu'il soit toujours de ce monde. Quel âge aurait-il maintenant ?

— Aucune idée. Lorsque nous étions jeunes, Tristan et moi, nous pensions qu'il était déjà plus vieux que Mathusalem. Mais maintenant que j'y songe, il ne doit pas avoir plus de soixante-dix ans. Qu'en penses-tu ? A quand remonte la dernière fois où tu l'as vu ?

— A très, très longtemps. Pourquoi ?

— Parce que je crois que je viens de tomber sur lui. J'étais sur le débarcadère de Tristan. Boudreau m'a viré en m'expliquant que je n'avais rien à faire sur la propriété des DuChaud. Il ne m'a pas dit son nom mais il m'a menacé de son fusil, un calibre 12. Comme celui que le vieux Boudreau possédait autrefois. Par contre, il n'avait pas de chien. Mais j'imagine que le corniaud galeux qui le suivait il y a quinze ans a dû mourir depuis longtemps.

— Boudreau t'a viré de la propriété de Tristan ? Je n'en reviens pas, je pensais qu'il était mort. Qu'est-ce qu'il a fait depuis toutes ces années ? En tout cas, il ne vient jamais — mais vraiment, jamais — en ville. Je ne sais même pas où il fait ses courses.

Tout en téléphonant, Zach s'engagea sur le chemin de terre qui menait à la maison de Tristan et se gara devant la terrasse.

— Je me souviens que ce type fascinait Tristan. Il me racontait que Boudreau se nourrissait de pissenlits et broyait des racines de chicorée pour se faire du café. Qu'il se nourrissait d'alligators, de lapins et parfois de sangliers qu'il chassait dans le bayou. Tristan aurait bien aimé partager ses repas, vivre de chasse et de pêche comme lui.

— Où habite-t-il exactement ? demanda Duff.

— Je n'en suis pas très sûr. Autrefois, quand je suivais Tristan dans les marais, nous nous rendions souvent jusqu'à la maison sur pilotis de Boudreau. Mais j'aurais été incapable d'y retourner tout seul à l'époque et encore moins maintenant… Je crois qu'il est un peu fou. Je lui ai posé quelques questions mais ses réponses ne semblaient pas très cohérentes. Pour tout te dire, il tenait des propos sans queue ni tête. Du grand n'importe quoi.

— Il a été victime d'un AVC il y a quelques années, précisa Duff. Tristan l'avait emmené chez le médecin mais Boudreau avait refusé de se faire conduire à l'hôpital. Zach, que cherches-tu exactement ? Pourquoi fouines-tu par ici ?

— Je cherche juste à aider Sandy. Je lui donne un coup de main avec les papiers de Tristan.

Duff ne répondit pas. De toute évidence, il n'en croyait pas un mot, songea Zach. Il prit une profonde inspiration, cherchant quoi dire pour convaincre le prêtre, mais Duff parla le premier.

— Ne te mêle pas de tout ça, Zach. Suis le conseil de quelqu'un qui sait de quoi il parle. Oublie cette histoire. Crois-moi, cela vaut mieux.

Duff ne faisait pas allusion à la mort de Tristan, comprit Zach, mais à celle de Fox Moncour, bien des années plus tôt.

— Ne t'inquiète pas, Duff. Tout roule pour moi. Je peux gérer l'affaire.

Il le remercia et raccrocha, puis repensa aux propos du prêtre à propos de Boudreau. Celui-ci avait peut-être été victime d'un AVC mais il s'exprimait d'une voix forte et ses yeux lançaient des éclairs. Le vieux Cajun était fou, Zach en aurait mis sa main au feu. S'il le recroisait, Boudreau n'hésiterait probablement pas à lui tirer dessus.Arrivant devant la maison, Zach retira ses bottes pleines de boue.

— Maddy ? Le système d'alarme est branché ?

Maddy sortit de la chambre de Sandy, ses cheveux encore humides de colorant. Elle repoussa une mèche en arrière.

— Non, je ne l'ai pas branché. La matinée a été très tranquille. J'ai regretté de ne pas avoir de MP3 ou de télévision.

— Ils n'ont pas de télé ? s'exclama Zach, surpris.

— Pas dans la chambre, en tout cas.

— Est-ce qu'il manquait quelque chose ?

— Non. Par contre, j'ai découvert une empreinte de pied partielle sous la fenêtre.

— Dans la chambre ? J'ai regardé, il n'y avait rien.

Maddy sourit.

— Tu n'as rien vu parce qu'il s'agissait surtout d'eau avec un peu de boue. C'était presque totalement sec. J'ai examiné le sol avec une lampe de poche. Bien sûr, je n'avais pas le matériel pour l'étudier correctement. Cette empreinte pourrait provenir des bottes portées par les employés sur la plate-forme mais, même si nous pouvions faire un moulage ou une photo, il y a plus de quatre cents types qui travaillent sur cette plate-forme et qui sont chaussés de bottes, sans parler des hommes de la ville, trois ou quatre fois plus nombreux, qui en portent aussi.

Zach grimaça.

— Pas d'empreintes de doigts non plus ?

— C'est pareil, je n'ai pas l'équipement nécessaire pour en chercher. J'ai entendu parler de méthodes naturelles comme la cire de bougies ou de la poudre de maquillage ou encore du film cellophane mais je n'ai jamais essayé.

— Essaie. Je ne suis pas chaud pour appeler le shérif et lui expliquer que nous avons envoyé Sandy loin d'ici mais tu pourrais demander à ton contact de la Sécurité du territoire d'imprimer le truc, non ? Si ta méthode marche, nous photographierons l'empreinte et nous l'enverrons à ton labo.

— Bonne idée. Je vais en parler à mon superviseur.

9

— D'accord. Euh… merci, Brock.

Sonnée, Maddy raccrocha d'une main tremblante et s'assit sur le bord du lit, tentant de se résumer mentalement tout ce que Brock venait de lui dire. Sans doute avait-il voulu la mettre en garde mais elle ne croyait pas à un véritable danger.

— Maddy ?

Zach l'appelait de la nurserie où il avait branché l'ordinateur portable de Sandy. Il cherchait quelque chose, n'importe quoi, qui les mettrait sur une piste, qui les aiderait à comprendre pourquoi Tristan avait été tué et pourquoi la vie de Sandy était menacée.

— Oui ? répondit-elle.

— Maddy !

Le bruit de ses pas résonna sur le parquet et, un instant plus tard, il apparut sur le seuil de la chambre.

Elle ne put s'empêcher de lui sourire. Il était si sexy. Elle ne se lassait pas de promener les yeux sur son séduisant visage, sur son corps mince et musclé, si viril.

— Viens voir un instant, veux-tu ? dit-il. J'aimerais te montrer quelque chose.

Elle opina.

— Bien sûr.

— Maddy ?

— Oui ?

— Qu'est-ce qui ne va pas ?

— Pardon ?

— Qu'est-ce qui ne va pas ? répéta-t-il.

Elle n'avait pas vraiment suivi ce qu'il lui disait. Elle était encore sous le choc de ce que venait de lui apprendre Brock.

— Mais rien. Tout va bien !

— Alors pourquoi es-tu encore assise ? Viens voir quelque chose sur l'ordinateur portable de Sandy.

Docilement, elle se leva et le suivit à la nurserie. Dès qu'elle entra dans la pièce, son regard se posa sur le mobile qui se balançait au-dessus du berceau. Sandy l'avait acheté quelques semaines plus tôt, en sortant d'une échographie. Le médecin lui avait annoncé un garçon.

— Regarde ça et dis-moi si ça te dit quelque chose, reprit Zach.

— Que dois-je regarder ? demanda-t-elle en s'asseyant devant l'écran.

— Le nom de ce dossier. Il s'agit d'un raccourci d'un dossier audio.

— Celui-ci ? Appelé « SD » ? Tu l'as écouté ?

Zach secoua la tête.

— Impossible, il ne se trouve pas sur l'ordinateur. Il n'y a que le raccourci. Il a été ouvert à partir d'un support amovible, d'une clé USB, sans doute.

— Il y a une sauvegarde ou une trace de cet enregistrement quelque part sur le disque dur ? s'enquit Maddy.

— Non, je n'en ai pas trouvé, répondit-il en frappant du poing l'accoudoir de son fauteuil.

— Il est sans doute quelque part par là.

— Pas forcément, non. Tristan aurait pu cacher cette clé USB dans des millions d'endroits différents. N'importe où dans cette maison, dans sa voiture ou dans celle de Sandy. Ou même ailleurs, quelque part dans la ville. Il aurait également pu la dissimuler sur la plate-forme pétrolière.

— Tu crois que les types qui sont entrés dans la maison cherchaient ce dossier ? Cette clé USB ?

— Je n'en ai aucune idée. Savaient-ils que Tristan avait enregistré quelque chose ? Et s'ils étaient au courant, se doutaient-ils qu'il l'avait mis sur une clé USB ? Ou quelqu'un leur a-t-il demandé de fouiller la maison, au cas où ?

Maddy poussa un soupir.

— Et d'ailleurs, comment affirmer que le dossier a bien été enregistré par Tristan et le concernait, lui ? *SD* désignent sans doute les initiales de Sandy DuChaud. Peut-être que Sandy y avait mis des berceuses sympas pour le bébé à venir. Ou qu'elle s'était enregistrée en train de chanter ses tubes préférés en karaoké. Ou peut-être aussi qu'elle tenait un journal sonore pour raconter son quotidien à Tristan pendant qu'il était en mer ?

Zach se leva brutalement, envoyant sa chaise valser contre le berceau.

— Tu as raison. Nous ne savons pas s'il s'agit d'un dossier de Tristan. Nous ne savons rien, d'ailleurs.

— Pour moi aussi, toutes ces impasses sont frustrantes, terriblement frustrantes, reconnut Maddy. J'aimerais pouvoir t'en dire davantage mais, en réalité, Sandy n'a jamais fait la moindre allusion devant moi à ce genre de choses. Elle ne m'a jamais dit qu'elle enregistrait des berceuses ou son journal. Et elle n'en a jamais parlé non plus quand elle avait Tristan au téléphone. Il est donc probable que la clé USB appartenait bien à Tristan.

— Ce qui ne nous aide pas beaucoup puisque nous n'avons pas la moindre idée de l'endroit où il a pu la cacher. Bon, j'ai préparé du café, si tu en veux une tasse, ajouta-t-il en quittant la pièce.

Maddy aurait préféré ne pas avoir à lui répéter ce que Brock venait de lui apprendre mais elle le devait. Alors autant le faire sans tarder et en finir.

Elle suivit Zach dans la cuisine où il remplissait deux mugs. Quand il lui en tendit un, elle y ajouta trois sucres, comme à son habitude. Elle s'assit à la table, en face de lui.

Ils sirotèrent un moment leur café en silence puis elle s'éclaircit la gorge.

— Zach, j'ai eu mon superviseur en ligne il y a quelques instants.

— Oui ? dit-il en levant les yeux vers elle. Est-ce qu'il a fait analyser les empreintes pour nous ? Est-ce qu'il avait des résultats à te communiquer ?

— Je n'ai pas pu lui poser la question, Zach. Il m'a retiré l'affaire.

Sa voix se brisa sur ce dernier mot.

Zach serra les mâchoires, prit une autre gorgée de café puis se leva et jeta le reste dans l'évier.

— Est-ce qu'ils vont te remplacer ? demanda-t-il d'un ton posé comme si la seule chose qui l'intéressait était de savoir s'il pouvait compter sur quelqu'un pour l'aider.

— Brock ne m'a rien dit à ce sujet. Il m'a seulement informée de la décision de ses supérieurs. Ma présence ici n'est plus jugée nécessaire. Mais non, ajouta-t-elle avec un gros soupir. Je ne pense pas qu'ils vont me remplacer, je ne pense pas qu'ils vont envoyer quelqu'un d'autre.

Posté devant les portes-fenêtres, Zach considéra un moment les marais puis consulta sa montre.

— Je vais retourner au débarcadère mais à pied, cette fois. Je n'ai pas pu examiner les lieux à fond, tout à l'heure. Je suis tombé sur un vieux Cajun qui vit depuis toujours au milieu des marécages pas loin de la maison de Tristan.

Il posa la main sur la poignée.

— Zach, attends. Je voulais te dire que je n'avais pas l'intention de m'en aller. Je vais également prendre des vacances pour rester ici. Je ne serai plus officiellement sur cette affaire mais je peux peut-être être utile, malgré tout.

Il se tourna vers elle et fronça les sourcils.

— Quoi ? Mais pourquoi ?

La question la surprit.

— Pourquoi ? Parce que je veux rester ici, je veux aider à découvrir ce qui est arrivé à Tristan.

— Non.

Ce simple mot la mit en colère. De quel droit lui parlait-il sur ce ton ? D'ailleurs, il n'avait aucune autorité pour lui imposer ce qu'elle devait faire.

Les mâchoires serrées, elle se leva, contourna la table pour venir lui planter un doigt sur le torse.

— Je suis l'invitée de Sandy. Je n'ai pas besoin de ton autorisation pour rester et tu n'as rien à dire.

— Je viens pourtant de le faire, répliqua-t-il avec calme.

— Tu as peut-être essayé mais cela n'a pas marché parce que tu n'as pas le droit de me dicter ma conduite. Je n'ai pas à t'obéir. Je reste ici, que cela te plaise ou non. Je veux comprendre la mort de Tristan. Je me sens responsable de sa fin tragique et je ne m'en irai pas tant que…

Zach lui prit le poignet.

— Ce n'est pas de ta faute s'il est mort, Maddy. Si quelqu'un en porte la responsabilité, c'est la Sécurité du territoire, qui ne l'a pas retiré de la plate-forme pétrolière à temps. Toi, tu as effectué ton travail et apparemment, très bien. Alors cesse de battre ta coulpe et retourne à La Nouvelle-Orléans où tu ne courras plus aucun danger. Je vais régler cette affaire. Ce n'est plus ton problème.

— Ah oui ? J'aimerais voir ça. Tu es venu ici alors que personne ne te demandait rien, tu t'es mis en travers de mon chemin et tu m'as…

Elle s'interrompit. Elle ne pouvait lui dire tout ce qu'elle avait sur le cœur, elle ne pouvait lui avouer la vérité : elle était devenue dépendante de lui en deux jours, elle se sentait terriblement bien avec lui.

— Et je t'ai … quoi, Madeleine Tierney ? Je me suis mis en travers de ton chemin et je t'ai … quoi ?

Elle secoua la tête.

— Rien.

— Rien ? répéta-t-il d'un ton moqueur. Rien ?

Il se rapprocha d'elle et la regarda de haut.

— Es-tu certaine que tu ne voulais pas ajouter autre chose ? Comme ça, par exemple ? dit-il en soulevant du doigt son menton.

Il se pencha vers elle et captura sa bouche. Ses mains glissèrent sur ses joues, se posèrent sur sa nuque pour la retenir. Il l'embrassa, gentiment au départ puis de plus en plus profondément, encore et encore, jusqu'à ce que tous deux en perdent le souffle. Il semblait habité par une sorte de rage et se servait de sa langue comme d'une arme pour la rendre folle de désir et d'excitation.

Zach regretta d'avoir commencé ce petit jeu. Désormais, rien ni personne ne pourrait l'empêcher d'aller jusqu'au bout. Il aimait tellement embrasser Maddy. Il aurait pu passer sa vie à le faire. Il n'avait jamais goûté de bouche plus sensuelle, plus délicieuse.

Il s'interrompit un instant pour caresser ses lèvres du bout des doigts, puis y colla de nouveau les siennes pour un long et langoureux baiser.

Quand elle poussa un gémissement de gorge, il faillit sourire. Il aimait la déstabiliser tout en gardant, lui, le contrôle jusqu'à ce qu'il n'y parvienne plus. Il adorait la contempler tandis qu'elle s'abandonnait au plaisir qu'il lui donnait.

Il voulait mener la danse, maîtriser la situation, la dominer. Il avait envie de la mettre à genoux, de la bouleverser, de lui faire perdre ses repères.

Dès qu'il avait pris conscience de son désir pour elle, il s'était promis de lui offrir tout ce qu'une femme est en droit d'attendre romantiquement. Tous les clichés amoureux, il allait les lui faire vivre, un par un. Du « les contraires s'attirent » au conte de fées « ils vécurent heureux jusqu'à la fin des temps ». Parce qu'il en était certain : Madeleine Tierney ne s'autorisait pas souvent à vivre de tels clichés. Elle traçait son chemin, un chemin qu'elle serait toujours la première à emprunter et qu'elle suivait sans se soucier de l'opinion générale ni des convenances.

Cette femme était un étrange mélange d'audace et de vulnérabilité et il n'en ferait probablement jamais le tour, il ne percerait jamais complètement tous les mystères de Maddy Tierney. Mais il serait heureux de consacrer les cinquante ou même les cent prochaines années à essayer.

Perturbé par ses propres pensées, il avait du mal à se maîtriser. Au moment où il s'apprêtait à ralentir le rythme, Maddy renversa les rôles et reprit les rênes. A son tour, elle captura ses lèvres pour un baiser passionné, plus profond et plus intime qu'il n'en avait jamais donné ou reçu.

Il l'attira à lui, moulant son corps contre le sien, de nouveau surpris de leur osmose. Ils s'emboîtaient merveilleusement bien, se complétaient à la perfection.

Il mourait d'envie de continuer, de lui voler sa bouche avant de savourer ses joues, ses oreilles, son cou, mais il devait se ressaisir, garder la maîtrise de lui-même.

Il s'écarta et Maddy poussa un gémissement de frustration, serrant sa chemise entre ses poings, tentant de le retenir.

— Ne t'arrête pas, supplia-t-elle. Ne t'arrête pas maintenant !

Il ne parvenait pas à recouvrer son souffle mais elle aussi avait du mal à respirer. Le visage rouge, elle repoussa ses cheveux en arrière.

Posant les mains sur sa taille, il la souleva pour l'asseoir sur la table de la cuisine. Puis il se glissa entre ses jambes, tout en caressant ses cuisses à travers son jean. Aussitôt, elle l'étreignit plus étroitement contre elle, se cambrant pour l'encourager.

Il laissa sa langue se promener sur sa nuque puis, écartant

son chemisier, s'aventura sur ses seins. Maddy ne portait pas de soutien-gorge. Il se mit à exciter ses pointes pour les faire se dresser puis les prit dans sa bouche et se mit à les téter avec délice.

Son désir d'elle devenait impérieux.

Elle serra sa tête entre ses mains.

— Encore, gémit-elle. Encore !

Très vite, n'y tenant plus, il déboutonna son jean et le lui retira, tandis qu'elle s'agrippait à son ceinturon pour le déshabiller à son tour.

Mais soudain, au moment où il allait se fondre en elle, s'enfoncer dans sa douceur de femme, quelque chose heurta violemment la baie vitrée.

Aussitôt, il s'écarta de Maddy et se retourna. Dans le même mouvement, il tira son arme du holster, le tout en une fraction de seconde.

— Qu'est-ce que c'est ? balbutia Maddy.

Zach balaya le jardin des yeux à travers les vitres.

— Je n'en sais rien. Je ne vois rien.

Ouvrant les portes-fenêtres, il sortit, l'arme au poing. Puis quelque chose sur la terrasse attira son attention.

— Oh non, gémit-il. Un oiseau s'est cogné contre les vitres.

Il s'approcha du malheureux volatile, le caressa doucement. Il s'agissait d'un petit rouge-gorge.

— Je crois qu'il est seulement étourdi.

Il le prit dans ses mains et l'examina, puis le déposa avec précaution sur l'herbe. L'oiseau se redressa, hésitant à reprendre son envol, mais il finit par s'élancer.

Zach le suivit un instant du regard puis retourna à l'intérieur.

— Il était terrifié mais, dès qu'il a compris que je n'allais pas lui faire de mal, il s'est détendu et a pu voler de nouveau.

Il parlait pour ne rien dire et en était conscient. Mais il

ne savait plus comment se comporter avec Maddy. Cinq minutes plus tôt, il avait été à deux doigts de craquer.

C'était une chance que cet oiseau ait heurté la fenêtre à cet instant précis. Chaque heure qu'il passait avec Maddy, il ne l'employait pas à chercher qui avait tué Tristan. Il avait de plus en plus de mal à lui résister. Elle l'attirait comme aucune femme n'avait jamais réussi à le faire.

Or, il ne pouvait se permettre de tomber amoureux d'elle. Il avait besoin de se focaliser sur l'enquête, de mettre toutes ses forces, toute son intelligence à comprendre qui avait tué Tristan et pourquoi. Il n'avait pas le droit de s'écarter de sa mission pour s'adonner à des plaisirs égoïstes.

Il se tourna vers Maddy, songeant à ses propos quelques instants plus tôt.

— Tu m'as dit que je me mettais en travers de ton chemin, que j'étais plus gênant, encombrant, qu'autre chose, lui rappela-t-il.

Maddy le dévisagea avec surprise.

— J'étais en colère…

— Qu'allais-tu dire d'autre ? Que je me mettais en travers de ton chemin et que je t'avais embrassée ? Que je me mettais en travers de ton chemin et que je t'avais fait l'amour ? Tu penses sans doute que tout cela n'était pour moi qu'une façon agréable de me distraire.

Il fronça les sourcils.

— Mais tu sais quoi ? Tu t'es mise en travers de mon chemin, toi aussi. Crois-tu que je sois heureux de prendre du bon temps avec toi au lieu d'enquêter sur la mort de Tristan ? Songer que son assassin se promène en liberté me rend malade. A la fin de la semaine, je devrai repartir chez moi, reprendre mon travail, et je n'ai pas avancé d'un pouce depuis mon arrivée. Je ne fais que spéculer mais je n'ai rien de concret.

Tout en s'emportant ainsi, son désir pour elle ne faisait

que croître, impérieux. Il s'obligea à devenir vexant. C'était la seule issue.

— Cela m'arrange que ton superviseur t'ait retiré cette affaire. En fait, j'en suis intensément soulagé.

— Soulagé ? Tu en es intensément soulagé ? répéta-t-elle. C'est ce que tu viens de dire ?

— Oui, fit-il en se tournant vers les portes-fenêtres.

Le téléphone portable de Maddy retentit alors. Elle prit l'appel.

— Rebonjour, Brock. Merci de me rappeler.

Elle écouta un moment.

— Oui, bien sûr, c'est logique. J'y serai.

Et elle raccrocha.

— Maddy ? demanda Zach. De quoi s'agissait-il ?

— Ils rejettent ma demande. Je ne peux pas rester. Ils m'ont réservé une place sur un vol pour Washington demain. Je dois me rendre dès ce soir en voiture à La Nouvelle-Orléans pour ne pas rater l'avion.

Et ainsi, il pourrait se débarrasser d'elle sans effort, songea-t-il. Il n'aurait plus à lui mentir et à la blesser inutilement.

Elle eut un rire nerveux.

— Sauf que je n'ai pas de voiture.

— Tu n'auras qu'à conduire la mienne et tu la laisseras à l'aéroport.

10

Une heure plus tard, Maddy sortit, en larmes, de sa chambre. Ses affaires étaient prêtes.

Apparemment, Zach en avait profité pour quitter la maison. Sans doute était-il descendu au débarcadère comme il le lui avait dit plus tôt, comme il le lui avait dit avant de la rendre folle de plaisir avec ses caresses, puis folle de douleur en lui répétant qu'il préférait qu'elle s'en aille.

Mue par une subite impulsion, elle décida de se rendre sur le ponton, elle aussi. Qu'y avait-il de si intéressant à voir là-bas ?

Bien sûr, Zach lui avait demandé de rester à l'intérieur mais il n'avait pas d'ordres à lui donner et elle n'avait pas à lui obéir. Il n'avait rien à dire.

Sauf à propos de son départ.

Elle se dirigea vers le chemin qu'elle l'avait vu emprunter l'autre jour. En réalité, il ne s'agissait pas vraiment d'un chemin. Envahi d'herbes folles et de broussailles, le sentier qui serpentait dans les marécages devenait invisible par endroits. Elle n'avait pas menti en lui disant qu'elle n'avait jamais été se promener dans les marais. Tout en marchant, elle nota des bruissements de feuilles, des craquements de brindilles et d'autres bruits, sans doute d'origine animale. Ces bruits, amplifiés par son imagination, la rendaient nerveuse. Mais elle était déterminée.

Finalement, alors qu'elle s'était aventurée profondément dans le sous-bois et que, de plus en plus angoissée, elle était sur le point de renoncer et de rebrousser chemin, une clairière apparut.

Soulagée, elle s'en approcha. Puis soudain, s'immobilisa. Comment réagirait Zach en la voyant ?

Lui reprocherait-il de l'avoir suivi ? Se montrerait-il de nouveau méchant avec elle ?

De toute façon, il était trop tard pour faire marche arrière. Elle était là. Elle parcourut les quelques mètres qui la séparaient du ponton.

En arrivant, elle resta un instant interdite, émerveillée. L'endroit était magnifique. Jusqu'alors, elle n'avait jamais prêté beaucoup d'attention à la beauté des vieux cyprès et des lauriers-roses. Mais le charme mystérieux qui émanait du vieux débarcadère aux planches vermoulues la séduisit d'emblée. Enfoui sous un enchevêtrement de plantes terrestres et aquatiques aux multiples couleurs, il semblait sorti d'une toile impressionniste. Et les fragrances des fleurs accentuaient encore la magie des lieux.

Maddy fit quelques pas sur les lattes patinées par les intempéries et elle s'accroupit au bord du ponton pour observer la vase. Un bateau avait récemment laissé des traces. Il n'y avait pas beaucoup d'espace, de part et d'autre de l'appontement. L'embarcation qui y avait été amarrée devait donc être de petite taille. En revanche, loin du quai, les marais étaient assez profonds pour accueillir un bateau à moteur.

Elle se redressa et, la main en visière, promena les yeux sur le golfe du Mexique, songeant à la plate-forme The Pleiades Seagull, située à une trentaine de miles au large. L'eau était peu profonde à cet endroit-là mais les foreuses creusaient loin les fonds sous-marins pour atteindre les couches d'hydrocarbure.

Elle observa ensuite la boue près du rivage, manifestement plus sèche que celle qui se trouvait au milieu du marais. Pourrait-elle supporter son poids ?

Si elle pouvait y marcher et s'éloigner de quelques mètres de la rive, elle aurait une meilleure vue du débarcadère et elle pourrait se faire une meilleure idée des traces laissées dans la vase par les bateaux. La plate-forme pétrolière y avait certainement amarré un de ses canots de sauvetage. Le vieux débarcadère était discret et, à la fois proche de Pleiades Seagull et de Bonne-Chance, il avait une position stratégique parfaite. Le lieu idéal pour abriter des trafics.

Si elle voulait en avoir le cœur net, il lui fallait observer le ponton de bois depuis les marais et non du rivage.

Elle s'assit donc sur le bord du débarcadère et commença à dénouer les lacets de ses baskets.

— Si j'étais vous, je ne ferais pas ça, grommela alors une grosse voix dans son dos.

Maddy sursauta et tourna la tête. Un vieillard, en haillons et coiffé d'un chapeau de paille, s'approchait. Il tenait à la main un vieux fusil comme ceux qui étaient exposés dans les musées.

— Qui… qui êtes-vous ? balbutia-t-elle.

— Cela n'a pas d'importance. Vous feriez mieux de laisser vos chaussures tranquilles et de quitter ce ponton. Les gens qui vivent près des marais savent qu'il ne faut pas s'y aventurer à pied. Le gumbo est traître. Il vous engloutit comme des sables mouvants et vous ne pourriez pas en sortir, croyez-moi. Je suis sûr que vous n'êtes pas du coin.

L'homme parlait de façon empâtée mais il n'avait pas l'air d'avoir bu. Il ne bougeait qu'un seul côté de la bouche. Sa main tremblait sur son fusil et son œil gauche était presque totalement fermé. Il avait dû être victime d'un AVC, songea Maddy.

Elle se leva.

— En effet, je ne vis pas ici et je ne connais pas bien les dangers des marais, reconnut-elle en s'efforçant de garder son calme.

Il la menaçait toujours de son arme.

— Je l'avais deviné. Alors que faites-vous ici et pourquoi aviez-vous envie de vous éloigner des rives au risque de vous faire aspirer par le gumbo ?

— J'étais descendue au débarcadère pour examiner les traces laissées par un bateau qui a dû être amarré ici, sans doute il y a deux jours, expliqua-t-elle en désignant la boue.

— Trois, rectifia-t-il.

— Pardon ?

— C'était il y a trois jours ou plutôt trois nuits. Le Zodiac s'est embourbé dans la vase. Il a fichu son moteur en l'air, je vous le garantis, ajouta-t-il en ricanant.

Puis une quinte de toux le fit taire.

— Je vois bien qu'il s'est embourbé, enchaîna Maddy. La vase a été profondément remuée à cet endroit-là. Savez-vous à qui il appartenait et ce que fabriquaient ses occupants par ici ?

— Nan, nan, répondit-il. Moi, je n'avais jamais vu ces gens avant. Mais je peux vous dire qu'ils ne connaissaient rien aux marais et pas grand-chose non plus aux fonds marins du golfe.

Elle hocha la tête, sourit et se remit à examiner le sol. Un épais tapis d'herbes longeait les bords des marécages et il n'était pas facile d'y repérer des empreintes de pas.

— Vous ne verrez rien ici, lâcha le vieil homme. Avez-vous suivi une formation, vous ?

— Je m'y connais un peu en matière de bateaux. Vous disiez que ces hommes ne savaient rien des marais ?

— Exactement. Je les entendais pousser, tirer et grogner pour parvenir à sortir de leur Zodiac des gros sacs et les mettre dans le chariot. Les sacs sont tombés dans le gumbo et ils ont eu bien du mal à les récupérer. Ils les ont ensuite traînés sur l'herbe. Ils parlaient entre eux tout le temps, ils n'étaient pas à la fête et ne cessaient de se plaindre.

— Des sacs ? Quels sacs ? Et de quoi parlaient-ils ?

— De gros sacs de toile, vert bouteille. Un peu comme des sacs mortuaires, vous savez ? Du costaud.

Elle hocha la tête.

— Oui, je vois très bien. Et de quoi parlaient-ils ?

— De tout. Ils disaient quelque chose à propos d'un « ballon d'essai », d'un ballon d'essai sur l'eau, répéta le vieux Cajun en riant comme s'il ne comprenait pas le sens de l'expression. Ils disaient que tout s'était bien passé, que le capitaine serait content et qu'ils viendraient à bord de deux Zodiac, ou peut-être davantage, la prochaine fois. L'un d'eux a dit que ce serait à la nouvelle lune. L'autre type prétendait que les loups-garous sortaient les nuits de nouvelle lune, à la faveur de l'obscurité. Son copain se moquait de lui et l'encourageait à pousser le chariot plutôt qu'à dire des bêtises.

— Quel genre de chariot ?

— Un chariot, quoi, un chariot normal ! Regardez le chemin. La végétation est si dense par ici qu'il n'est plus possible à un camion d'y passer comme autrefois. Alors ces hommes ont été obligés de tirer leurs gros sacs sur tout le sentier dans un chariot. Traîner leur chargement au milieu des ronces, ça n'était pas simple et ils ont perdu une partie de leur butin en route.

— Une partie de leur butin ? Quel butin ? Qu'y avait-il dans ces sacs ?

Maddy avait beaucoup de mal à ne pas laisser percer son excitation dans sa voix. Le Zodiac venait-il de la plate-forme pétrolière, comme elle le soupçonnait, et le vieillard avait-il vu le contenu des sacs ?

— Ils étaient lourds, je vous le garantis. Les gars étaient malins d'utiliser des sacs mortuaires. Il n'y a rien de plus costaud. Je les voyais s'enfoncer dans la boue. Ils en avaient jusqu'en haut des cuisses, les pauvres. Mais ils ont réussi à s'en sortir.

— Avez-vous ramassé quelque chose qui serait tombé des sacs ? demanda Maddy, essayant d'attirer l'attention du vieil homme sur ce qui l'intéressait sans le mettre en colère.

— Pour sûr, pour sûr. J'ai pris ce qui était tombé. Et vous ne devinerez jamais ce qu'ils transportaient !

— Je n'ai en effet aucun moyen de le savoir.

Elle retint son souffle. Allait-il lui dire ce que trafiquaient ces types ?

L'homme baissa le canon de son fusil pour fouiller dans ses poches. Il en sortit une arme de poing.

Maddy en eut le souffle coupé. De là où elle se tenait, elle ne reconnut pas la marque mais elle n'avait jamais vu d'arme comme celle-ci auparavant. La crosse était plus longue que celle d'un pistolet classique. Et quelque chose en sortait. Pour permettre d'y glisser des projectiles supplémentaires ? Elle s'efforça de mémoriser ce qu'elle voyait.

— C'est le seul que vous ayez ? s'enquit-elle.

— Nan, j'en ai pris trois.

— Accepteriez-vous de m'en laisser un ? demanda-t-elle d'une voix tremblante.

Si elle parvenait à mettre la main sur l'une de ses armes, elle pourrait comprendre ce que Tristan avait découvert et la raison pour laquelle il avait été tué.

Le vieil homme la regarda, se tournant sur le côté pour voir de son bon œil.

— Que voulez-vous en faire ? Pourquoi une fille s'intéresserait-elle à un flingue ?

— Je suis capable de tirer. Je suis même assez douée et j'adorerais avoir une arme de poing comme celle-ci. Avez-vous déjà tiré avec ?

Il secoua la tête.

— Nan, je n'avais pas de balles. Vous en avez, vous, des balles ?

— Non, mais si vous m'en confiez un, je peux essayer de trouver des projectiles adaptés. Nous pourrions alors nous exercer sur des cibles, vous et moi. Cela vous plairait ?

Il haussa les épaules.

— Je n'aime pas trop les petits pétards, je préfère les fusils.

Maddy lui sourit de nouveau.

— Je peux vous trouver des balles pour votre fusil aussi, si vous voulez.

— Ah oui ?

Il parut y réfléchir un moment.

— Ce serait sympa, je pense.

Il regarda un moment le pistolet qu'il avait tiré de sa poche et le lança finalement aux pieds de Maddy.

Elle se pencha pour le ramasser. Puis elle l'examina rapidement sans parvenir à identifier sa marque, mais l'arme était lourde et mal équilibrée.

Le vieillard hocha la tête.

— Faites attention à ne pas vous tirer une balle dans le pied, ma fille.

— Sans projectile, ça ne risque pas d'arriver.

Comme elle s'apprêtait à tourner les talons et à s'en aller, il la héla.

— Hey.

Elle s'immobilisa.

— Vous ne m'avez même pas dit ce que vous étiez venue faire sur ce vieux ponton ? Comment êtes-vous arrivée jusqu'ici, d'ailleurs ? Vous cherchiez quelque chose ?

Maddy observa l'homme avec attention avant de répondre avec sincérité.

— J'essaie de découvrir pourquoi Tristan DuChaud a été tué.

Le vieillard recula d'un pas et redressa son fusil.

— Les filles n'ont rien à faire dans les marais. Imaginez que vous tombiez sur un nid d'alligators et que la maman alligator vous attaque pour défendre ses petits. Que feriez-vous ? Vous comprenez ?

Non. Mais Maddy acquiesça quand même.

— Oui, monsieur.

— Maintenant, ramassez ce pétard et filez. Partez d'ici et n'y revenez pas. Une jolie fille comme vous pourrait se blesser si elle n'y prend pas garde.

Il semblait en colère mais abaissa son arme.

— Allez !

— Oui, monsieur, répéta-t-elle.

Et moitié marchant, moitié courant, elle sortit du sous-bois et se hâta vers la maison. Elle courut tout le long du chemin sauf lorsque les broussailles l'en empêchaient. Et quand elle arriva, elle ferma à clé les portes et les fenêtres, le cœur battant.

Elle prit une longue douche chaude. A son grand désarroi, elle avait trois tiques accrochées sur sa peau qui pompaient déjà consciencieusement son sang.

Elle s'enveloppa ensuite dans un peignoir rose et blanc.

De délicieuses fragrances chatouillèrent alors ses narines, des fragrances qui lui donnèrent l'eau à la bouche. Elle n'avait rien mangé depuis le début de la journée et mourait de faim.

Dans la cuisine, Zach sortait un plat du four et elle s'approcha.

— Du jambalaya, non ? demanda-t-elle en humant l'air avec délice. J'adore ça !

Il posa le plat sur la table et se tourna vers elle.

— Où étais-tu ?

— Sous la douche.

— Non, grommela-t-il. Je voulais dire avant. Tu es partie plus de deux heures.

— Je suis descendue jusqu'au vieil embarcadère. Le coin m'a paru vraiment magnifique. Mais des tiques ont décidé de pique-niquer sur mes mollets, ajouta-t-elle avec une petite moue.

— Je t'avais dit de ne pas quitter la maison. Quand je ne t'ai pas trouvée, je me suis demandé si tu n'étais pas partie définitivement mais j'ai vu tes valises dans ta chambre et tes vêtements.

— Tu as dû être en colère en constatant que je ne t'avais pas obéi, dit-elle benoîtement.

Il la fusilla du regard.

— Je me demandais surtout si tu avais été kidnappée ou si tu gisais, blessée, quelque part.

Elle secoua la tête.

— Non, j'étais juste en train d'explorer les alentours. Et j'ai rencontré un homme.

— Un homme ? Quel homme ?

— Je ne connais pas son nom, il ne me l'a pas donné. C'est un vieux Cajun armé d'un fusil. Il m'a parlé du gumbo et des sables mouvants. Il m'a conseillé de ne pas me promener dans les marais. Il m'a expliqué que si je tombais dans la vase, je ne pourrais sans doute pas en sortir.

— Tu as discuté avec Boudreau ? demanda Zach d'un air incrédule.

— C'est son nom ? Il m'a raconté plusieurs choses très intéressantes et j'en ai découvert d'autres encore plus intéressantes, toute seule.

Zach lui tourna le dos et reporta son attention sur son plat.

Maddy jeta un coup d'œil par-dessus son épaule pour savoir de quoi il s'agissait.

— Le jambalaya est l'un de mes plats préférés.

— Je l'ai confectionné à partir d'un mélange. Ce n'est pas la vraie recette.

— Je m'en moque. Ça sent délicieusement bon.

Du dos de la cuillère, il frappa le couvercle, le remit en place et se tourna vers elle.

— Alors ? Vas-tu me dire ce que tu as découvert ?

— Très bien.

Elle s'approcha de la table de la cuisine, s'obligeant à ne pas penser à ce qu'ils avaient fait dessus la veille et elle s'empara de sa tablette.

— Je viens de consulter les cartes marines du golfe du Mexique dans ce coin.

— Oui ? fit Zach.

— Autour du débarcadère de Tristan, l'eau est peu profonde parce que la zone se trouve au-dessus d'un long plateau sous-marin. L'aire de débarquement ne permet donc pas d'accueillir de grandes embarcations.

— Tu ne m'apprends rien. J'ai grandi près de ce vieux ponton, nous jouions et faisions du bateau autour.

— Oui et apparemment, les Zodiac de Pleiades Seagull peuvent facilement rejoindre le rivage par ce biais avec un ou deux passagers à bord.

— Comment le sais-tu ? Et que veux-tu dire exactement ?

— Je le sais parce que je suis inspecteur de plates-formes pétrolières, que j'ai déjà vu les canots de sauvetage des Pleiades Seagull et que je suis capable de lire des cartes marines.

— D'accord, dit-il d'un air un peu perdu. Et cela signifie…

— Cela signifie qu'un canot, chargé de sa cargaison, se serait échoué si quelqu'un avait voulu l'emmener vers le rivage.

— Un bateau s'est échoué la semaine dernière, si j'en crois ce que j'ai constaté moi-même sur le ponton, dit-il, semblant soudain plus intéressé.

Il commençait manifestement à comprendre ce qu'elle avait découvert.

Elle opina.

— Je le pense aussi.

— Tu crois qu'il avait une cargaison ?

De nouveau, elle hocha la tête.

Il goûta sa préparation puis éteignit le gaz.

— Nous allons pouvoir passer à table dans un instant. J'aimerais bien savoir ce qu'ils transportaient et pourquoi ils ont utilisé le débarcadère de Tristan pour amarrer et décharger.

— Vraiment ? Rien de plus simple. Il suffit de me poser la question. J'ai la réponse.

11

Maddy savourait l'instant et fit mariner Zach quelques secondes de plus.

— Qu'attends-tu pour tout me raconter, Maddy ? Si tu sais quelque chose qui pourrait aider à comprendre ce qu'il est arrivé à Tristan, dis-le-moi.

— Je vais le faire. Boudreau s'est confié à moi.

Zach fronça les sourcils.

— Boudreau ? Tu as rencontré Boudreau ? Alors tu t'es certainement rendu compte qu'il n'a pas toute sa tête.

— Il ne m'a pas du tout donné cette impression.

— Quand je l'ai croisé l'autre jour, il parlait tout seul. Et lorsqu'il a finalement répondu à mes questions, ses propos n'avaient aucun sens. Il divaguait complètement. Par ailleurs, il a la moitié du visage paralysé, tu l'as bien sûr remarqué. Du coup, il a du mal à articuler et il a un œil fermé. D'après Duff, Boudreau a été victime d'un AVC.

— Pourquoi ne pas écouter ce qu'il m'a raconté à moi ? Ensuite, tu te forgeras une opinion, tu verras si son récit te paraît dément ou sensé. Boudreau m'a dit que des types qu'il ne connaissait pas avaient accosté sur le ponton de Tristan mais que leur Zodiac s'était embourbé dans la vase. Ils ont dû sauter dans la boue pour transbahuter des sacs depuis l'embarcation jusqu'à la terre ferme. Et ils ont eu bien des difficultés à se dépêtrer du gumbo.

— Il les a vus à l'œuvre ?

— C'est ce qu'il m'a dit. D'après lui, ils ont finalement

réussi à traîner leur chargement jusqu'au rivage puis à l'entasser dans un chariot.

Zach se mit à arpenter le salon. Quand il en eut fait trois fois le tour, il s'arrêta et demanda.

— Il t'a décrit ces sacs ?

— Il m'a dit qu'ils avaient l'air lourds et bien remplis. Et aussi qu'ils ressemblaient à des sacs mortuaires.

— Il a une idée de ce qu'ils contenaient ?

Maddy se leva pour aller chercher l'arme que lui avait confiée Boudreau. Comme elle s'emparait du petit sac où elle l'avait rangée, sa gorge se serra. Elle s'apprêtait à montrer à Zach la raison pour laquelle Tristan avait été tué.

— Voilà. Voilà ce qu'ils trafiquent, dit-elle d'un ton grave en lui tendant le pistolet.

A son expression, il voyait très bien de quoi il s'agissait.

Il la dévisagea un instant puis s'empara de l'arme pour l'examiner sous toutes les coutures.

— C'est un automatique, grommela-t-il.

Maddy hocha la tête.

— J'ai vu, oui.

— Je sais.

— Comment Boudreau se l'est procuré ?

— Il m'a dit qu'il était tombé du chariot. A ce que j'ai compris, il en a récupéré trois. Il a donc accepté de me laisser celui-ci.

Zach considéra l'arme un long moment. Il réfléchissait. De temps en temps, il s'éclaircissait la gorge. Finalement, il regarda Maddy en face.

— Il te l'a donné ? Savait-il qui tu étais ?

— Oui, il me l'a donné et, non, il ne savait pas qui j'étais.

— Comprends-tu ce que cela signifie ?

Elle hocha la tête, refoulant les larmes qui brûlaient ses paupières.

— Oui.

— Voilà pourquoi Tristan a été tué. Parce qu'il avait

découvert ce trafic d'armes automatiques. Pourquoi n'en avait-il parlé à personne ?

Du poing, il frappa la table.

— Bon sang, Tristan, pourquoi n'as-tu rien dit ?

Plus tard dans l'après-midi, tandis que Maddy s'affairait dans sa chambre, Zach était assis à la table du jardin. Il ressassait ce qu'il venait d'apprendre. Que devait-il faire ? Qui devait-il prévenir ?

La sonnerie de son téléphone le tira brutalement de ses réflexions.

Le numéro de Bill, son patron, apparut sur l'écran et il prit l'appel.

Sans lui laisser la possibilité de placer un mot, Bill commença par l'accabler de reproches. Mais la liaison au réseau étant très imparfaite dans le bayou, Zach manqua le début de sa tirade.

— … Si j'avais imaginé un instant ce que tu fabriquais, Winter, jamais je ne t'aurais donné mon feu vert ! Dès que je raccroche, j'envoie un hélicoptère te chercher et, crois-moi, tu vas regretter d'avoir un jour appartenu à la NSA.

Zach soupira *in petto*.

— De quoi parlez-vous, Bill ?

— Tais-toi et écoute-moi bien.

Il y eut de la friture sur la ligne et Zach craignit de perdre une nouvelle fois la connexion téléphonique.

— Bill ! Bill ! Ne coupez pas ! Il n'y a qu'un endroit dans cette maison où il est possible d'être relié à un réseau, ne raccrochez pas !

Il se dépêcha de rentrer à l'intérieur et de gagner la nurserie.

— Voilà, d'ici, je vous entends mieux. Je n'ai pas compris ce que vous m'avez dit après m'avoir demandé de me taire.

— Ecoute-moi bien, Zach. Je veux que tu te rendes immédiatement chez le shérif. Il te transmettra tout ce que tu dois savoir.

— Et quoi ?

Bill poursuivit comme si Zach n'avait rien dit.

— J'ai été au téléphone toute la journée, d'abord avec les gardes-côtes, puis avec le shérif, et enfin avec la Sécurité du territoire.

Zach grimaça. Depuis des années, Bill — et donc la NSA — était en conflit avec l'un des responsables de la Sécurité intérieure. Il ignorait l'origine de cette rivalité mais elle était profonde. Zach n'avait pas parlé de Maddy à Bill. Alors qui l'avait fait ? Sans doute quelqu'un de la Sécurité du territoire cherchant à lui damer le pion.

Mais Bill continuait.

— La prochaine fois que tu auras envie de prendre des vacances et de coucher avec la Sécurité territoriale, aurais-tu l'obligeance de m'en informer ?

— De coucher avec la Sécurité territoriale ? répéta Zach.

Il fut instant déstabilisé par la métaphore, puis comprit : Bill parlait au second degré, à un niveau professionnel.

Sauf que Zach mit un peu trop de temps à enchaîner et là, Bill eut un doute.

— Zach ! Ne me dis pas que tu as…

— Bill ! le coupa Zach. Parlez plus clairement. Je ne comprends rien à ce que vous me racontez.

Il y eut alors, à l'autre bout de ligne, un bruit de briquet qui allume une cigarette. Tant mieux, songea Zach, cela ferait le plus grand bien à Bill.

— Reprenons, lança celui-ci. Voilà des mois que nous interceptons des conversations téléphoniques émanant des plates-formes pétrolières du golfe du Mexique. En marge de leurs activités officielles, certaines mènent des trafics clandestins en lien avec des groupes terroristes, mafieux ou encore avec le crime organisé. Au moins l'une de ces plates-formes écoule des armes automatiques, Zach. Et rends-toi compte de la catastrophe si ces flingues inondaient la Louisiane, voire plusieurs Etats voisins. D'après nos indics, ils sont déjà dans les rues, entre les mains des gosses.

— Oui, répondit Zach avec un soupir.

Bill continuait.

— Il y a quelques mois, la Sécurité territoriale a commencé à s'intéresser de très près à Pleiades Seagull. Ton ami DuChaud avait intercepté des échanges concernant des livraisons d'armes, des conversations prouvant que The Pleiades Seagull était la plaque tournante de ces trafics.

— Je sais.

— Tu le savais ! cria Bill. Est-ce toi qui as contacté les gardes-côtes ? Est-ce toi qui les as mis au parfum anonymement ? As-tu trouvé des preuves de ces trafics d'armes chez DuChaud ? Qu'as-tu…

— Bill…, l'interrompit Zach.

— Je ne marche pas, Zach. Tu aurais dû m'en parler, me demander de te mandater sur cette mission. Tu n'aurais pas obtenu cette autorisation parce que tu te serais alors retrouvé dans un conflit d'intérêts. Mais, en tant qu'agent de la NSA, tu devais m'informer de ce que tu avais découvert. Pourquoi tu ne l'as pas fait ? J'ai…

— Bill, hurla Zach. Taisez-vous !

— Je… quoi ?

— Taisez-vous un instant et laissez-moi parler. Avant toute chose, non, je n'ai pas téléphoné aux gardes-côtes. Je ne savais rien sur rien. Et je n'ai entendu parler d'un possible trafic d'armes qu'il y a deux heures à peine. J'ai appris que quelqu'un avait vu un bateau accoster sur le rivage chargé de deux gros sacs contenant apparemment des armes. Et, oui, il s'agit d'automatiques. D'après ce qu'on m'a raconté, des centaines, peut-être des milliers, d'armes de ce type ont été livrées. Mais pour le moment je n'ai aucune certitude. J'ignore d'où venait l'embarcation et où ont été transportés les sacs. En fait, j'ai une petite idée de leur provenance mais je n'ai encore rien pu vérifier parce que je viens de l'apprendre !

— D'accord, d'accord. Qui t'a donné cette information ? Et sais-tu qui a prévenu les gardes-côtes ? Es-tu sûr de n'être au courant de rien à ce sujet ?

— J'ai été tuyauté par…

Au dernier moment, Zach préféra ne pas donner le nom de la Sécurité du territoire ni celui de Maddy. Pas encore, pas avant d'y être obligé. Bill ne devait pas apprendre que sa métaphore était littéralement exacte.

Depuis quelques heures, les événements semblaient s'accélérer. Or il avait besoin d'un peu temps pour faire le tri entre les faits et les spéculations. Aussi s'en tint-il à des explications génériques, sans livrer de noms.

— Je tiens ces renseignements d'une femme que je connais depuis quelques jours et qui me répétait les paroles d'un vieux Cajun, très âgé et sans doute rescapé d'un AVC. Son témoignage n'est donc pas fiable à cent pour cent. Je n'en ai pas parlé aux gardes-côtes ni au shérif, d'une part parce que je viens donc d'être informé de cette histoire et d'autre part, parce que je n'ai aucune preuve de la réalité des faits. Et à ce stade, j'ignore toujours si Tristan est tombé accidentellement de la plate-forme pétrolière ou s'il a été poussé.

Il y eut un grand silence que Bill occupa à tirer sur sa cigarette.

— Mais si tu n'enquêtes pas sur ces trafics d'armes, que fais-tu là-bas, Winter ? Pourquoi avais-tu tellement besoin de prendre une semaine de vacances ?

— Parce que j'avais envie de découvrir la vérité, de comprendre dans quelles circonstances Tristan avait trouvé la mort.

Comme il levait les yeux, Maddy apparut à la porte.

— Ça va ? articula-t-elle.

Il hocha la tête et se détourna.

— Alors que vas-tu faire, maintenant ? demanda Bill.

— Aller trouver le shérif, comme vous me l'avez demandé. Parlez-moi du coup de fil qu'il a reçu.

Bill poussa un soupir.

— Tu ne peux pas lui poser directement la question ? J'ai déjà…

— Bill !

— D'accord, d'accord. L'appel émanait d'un téléphone portable jetable, anonyme. Mais l'émetteur du coup du fil se trouvait près de Bonne-Chance. Sais-tu combien de bornes-relais sont localisées dans le coin ?

— Ne m'en parlez pas ! Il n'y en a qu'une, apparemment. Je suis dans le seul endroit de ce côté de Bonne-Chance où il est possible de se connecter à un réseau. Mais vous disiez que l'appel provenait d'ici ?

— Sauf qu'il n'a pas été possible de le localiser avec précision et je doute que nous découvrions un jour l'identité de ce correspondant à moins qu'il ne se manifeste. Bien sûr, tous les échanges vers la NSA sont enregistrés et examinés. S'ils représentent une menace potentielle pour la sécurité nationale, ils sont signalés.

— Je sais, dit Zach en serrant les mâchoires. Je travaille pour eux.

Maddy se tenait toujours sur le seuil de la porte. Si elle avait l'oreille fine, elle entendait sans doute ce que disait Bill, pesta Zach. Il avait une voix si puissante qu'il était impossible d'avoir avec lui une conversation privée.

— L'appel a été passé vers 8 heures, ce matin. Je vais te le faire écouter. Tends l'oreille, l'enregistrement n'est pas parfait.

— Branche le haut-parleur, murmura Maddy.

Trop irrité pour discuter, Zach pressa le bouton.

Après plusieurs clics et quelques fritures, une voix

rauque et basse s'éleva. Une voix qui ressemblait à celle de Boudreau, teintée du même accent, mais qui émanait manifestement d'un homme plus jeune et doté de toutes ses facultés mentales.

« Ne raccrochez pas, j'ai un renseignement à vous communiquer, un renseignement qui risque de vous intéresser. Il s'agit d'une plate-forme pétrolière… The Pleiades Seagull. Elle sert de base à des trafics d'armes. Une livraison est prévue bientôt, le capitaine a tout organisé. Je ne peux pas dire avec précision ni quand ni où il va livrer les calibres mais l'opération est proche. Il faut l'empêcher, les arrêter. Sinon des gens vont mourir, beaucoup de gens sont déjà morts. »

Puis la communication fut coupée.

— Alors ? demanda Bill.

— Alors quoi ?

— Sais-tu de qui il s'agit ?

— La voix me fait penser à celle du vieux Cajun dont je vous parlais mais c'est un fou, il n'est pas responsable de ses actes. Il y a quelques années, il a été victime d'un AVC. Il n'est pas possible de se fier à ce qu'il raconte.

— Ce n'est pas vrai ! cria Maddy.

Zach leva la main et la dévisagea.

— Je présume que la Sécurité du territoire est dans les parages, lança Bill d'un ton persifleur.

Zach ne fit aucun commentaire.

— Bon, alors, que comptes-tu faire ?

— Bill, vous êtes mon patron. Que voulez-*vous* que je fasse ?

— Je veux que tu ailles trouver le shérif puis que tous les deux vous mettiez au point un plan d'action avec les gardes-côtes. Essayez de savoir si les armes sont encore sur la plate-forme pétrolière et, dans cette hypothèse, où et quand elles doivent être livrées, pour quelles destinations finales. Et je veux évidemment que vous les arrêtiez !

Zach hocha la tête. Il serrait les mâchoires depuis si longtemps qu'il en avait des crampes.

— Pas de problème, patron. J'y vais de ce pas. Je suppose que je ne suis plus en vacances.

Et il raccrocha.

Maddy se jeta alors sur lui.

— Boudreau n'est pas fou ! As-tu oublié ce que je t'ai raconté sur les armes et sur les bateaux ? Il avait raison. Pourquoi tu n'as pas dit à ton patron que Boudreau pense que les armes vont être livrées ce soir ?

— Parce que Boudreau dit n'importe quoi. J'ai discuté avec lui. Ses propos n'avaient ni queue ni tête.

— Alors, d'après toi, où a-t-il trouvé ces automatiques ?

— D'abord, rien ne dit qu'il en a effectivement plusieurs, et ensuite, il est possible qu'il l'ait ramassé non loin du ponton. Toi et moi savons que quelqu'un a accosté dernièrement à cet endroit.

— Ce qu'il m'a dit était tout à fait sensé, insista Maddy.

— Je ne peux pas me fier aux propos d'un vieillard sénile. Il m'a menacé de son fusil, il m'a assuré que j'étais le diable incarné et il ne me reconnaissait pas. Il m'a répété plusieurs fois qu'il ne m'avait jamais vu. Non, c'est un vieux fou qui ne sait pas ce qu'il raconte.

— Qui est la personne qu'on entend sur l'enregistrement ?

— Je n'en ai aucune idée. Comme je l'ai dit à Bill, j'ai reconnu l'accent de Boudreau, mais d'un Boudreau jeune, sain de corps et d'esprit.

— Alors qu'a-t-il dit ? Ton patron ?

— Tu l'as entendu comme moi, non ? Il m'a parlé de l'appel reçu ce matin, c'est l'élément essentiel. Quelqu'un a prévenu la Sécurité du territoire de l'existence d'un trafic d'armes, de l'imminence d'une livraison et a dénoncé le capitaine de Pleiades Seagull. Apparemment, ses hommes ont déjà commencé à livrer ces pistolets, ce qui explique que Boudreau ait pu t'en donner un. Une sorte de ballon d'essai. Durant des mois, nous avons intercepté des échanges concernant des trafics d'armes. Ils ont en tête de les distribuer à grande échelle, à des individus engagés dans le crime organisé mais aussi à des gamins, à tout le monde et à n'importe qui. Imagine les dégâts à La Nouvelle-Orléans, Galveston ou Houston si ces flingues étaient effectivement disséminés alentours. Dans les quartiers pauvres, ce serait une catastrophe. Je vois ça d'ici. Des adolescents se tirant dessus, des enfants innocents victimes de balles perdues, le sang dans les rues…

— Ce serait une catastrophe, oui, répéta Maddy. Zach, as-tu une idée du nombre d'armes que pourrait contenir un sac ? Boudreau m'a dit qu'ils avaient l'air très lourds, que les hommes avaient du mal à les traîner sur le rivage. Chaque sac renfermait sans doute une cinquantaine d'automatiques, peut-être davantage.

Maddy était pâle, Zach savait pourquoi, ce qu'elle éprouvait. Cinquante pistolets par sac, deux sacs par Zodiac et combien de canots de sauvetage utilisés ? Si cet arsenal se répandait sur le territoire, le niveau de violence aux Etats-Unis augmenterait certainement de façon spectaculaire. Les délinquants n'auraient aucun mal à se procurer des armes.

Il secoua la tête.

— Il faut absolument empêcher cette livraison.

— Mais comment ? Nous devons prendre les contrebandiers sur le fait, en flagrant délit.

Zach acquiesça.

— Le type sur l'enregistrement précisait que le capitaine de la plate-forme pétrolière The Pleiades Seagull était impliqué.

— Tristan le pensait aussi. Il a surpris des conversations entre le capitaine et la compagnie pétrolière, des conversations qui ne laissaient pas de place au doute. Il était convaincu de l'implication du capitaine mais aussi de certains dirigeants de Lee Drilling.

— Et Boudreau aurait entendu ce que se racontaient ces hommes en déchargeant les armes ?

— Oui, ils disaient que si le ballon d'essai se passait bien et que le capitaine était satisfait du déroulement des opérations, ils reviendraient pour livrer l'essentiel des cargaisons sur deux Zodiac ou peut-être davantage. Ils avaient prévu de revenir pendant la prochaine nuit de nouvelle lune, c'est-à-dire ce soir. Nous devrions lui parler. Boudreau peut se promener dans les marais sans faire de bruit. Il a sans doute vu ou entendu quelque chose.

Zach redressa la tête.

— *Nous* ne faisons rien. *Je* m'en occupe. Et *toi*, tu t'en vas, tu rentres à Washington, Maddy.

Ce fut comme une gifle pour Maddy. Elle avait pensé que Zach changerait d'avis, qu'il lui demanderait de rester. Qu'elle était donc naïve ! Elle avait cru qu'il l'aimait, qu'il se souciait d'elle. Mais il n'en était rien. Rien du tout !

Les hommes comme Zach ne tombaient pas amoureux de femmes comme elle. Pour lui, elle n'avait été qu'un passe-temps commode, voilà tout.

— Oh ! Ne t'inquiète pas, je vais m'en aller, répondit-elle avec raideur. Je suppose que tu vas te rendre chez le shérif et parler aux gardes-côtes.

Il se mordilla les lèvres, remarqua-t-elle : un geste qu'il avait chaque fois qu'il réfléchissait ou hésitait.

— Peut-être, lâcha-t-il.

— En tout cas, dit-elle en frottant les mains sur son jean, merci, Zach.

— De quoi ? demanda-t-il, l'air surpris.

Elle haussa les épaules.

— Pour tout.

Puis elle tourna les talons pour gagner sa chambre. Comme elle en poussait la porte, elle jeta un coup d'œil par-dessus son épaule : Zach prenait les clés de la voiture de Sandy.

— Sois prudent, ajouta-t-elle.

Il hocha la tête, esquissant un sourire.

— Bien sûr.

Il traversa le hall puis se retourna.

— Maddy ? Toi aussi, fais attention à toi.

Puis il quitta la maison.

Maddy resta là, immobile, jusqu'au moment où il y eut un bruit de moteur, qui disparut ensuite dans le lointain.

Maddy ferma les paupières.

Il n'était pas question de pleurer. Zach Winter ne méritait pas ses larmes. Personne ne les méritait. Alors pourquoi se sentait-elle anéantie à ce point ?

Parce que tu sais bien que cet homme est valable, qu'il te donne congé et que tu ne recroiseras pas de sitôt quelqu'un comme lui.

Repoussant cette petite voix dérangeante, elle retourna dans la chambre d'amis et considéra les valises posées sur le lit. Elle devait s'en aller. Zach lui avait demandé de partir.

Elle promena les yeux autour d'elle, cherchant ce qu'elle aurait pu oublier. Ah, si ! Elle avait laissé son shampoing dans la salle de bains de la chambre principale.

Comme elle poussait la porte de la chambre de Sandy, elle se retrouva nez à nez avec un inconnu. Il tenait un pistolet à la main.

Lorsque Zach entra dans le bureau du shérif, Baylor Nehigh — ou plutôt Barley, son surnom d'autrefois — secoua la tête comme un professeur considérant un mauvais élève d'un œil contrarié.

— Zach, nous nous connaissons depuis longtemps, toi et moi. J'étais dans la même classe que ta sœur, Zoe, quand tu étais encore un gamin. Je me souviens que, quoi que tu fasses, tu cherchais toujours à faire mieux que les autres. Manifestement, tu n'as pas changé sur ce point. Comment se fait-il que ce soit ton patron qui m'ait appris pour qui tu travaillais … et non toi ?

— Il t'a sûrement expliqué que je suis revenu ici pour les funérailles de Tristan. Je n'étais pas en mission, ni envoyé à titre officiel.

— Tu estimes donc que tu n'avais pas à me mettre au courant ?

Zach soupira.

— Non, je ne dis pas ça. Depuis mon retour, je n'ai fait que chercher si Tristan était tombé accidentellement de la plate-forme ou pas. Tant que je n'avais rien trouvé, à quoi bon t'en parler ?

— Très bien. Et qu'as-tu découvert ?

— Pas grand-chose. Mais je suis persuadé que Tristan n'est pas tombé accidentellement.

— Tu peux le prouver ?

— Non, malheureusement.

— Alors que savais-tu de ce que ton patron m'a appris ?

— Rien. Enfin, presque rien. J'ai découvert il y a peu que des conversations téléphoniques avaient été captées émanant des plates-formes pétrolières. Apparemment, la Sécurité du territoire …

Barley leva la main.

— Moi, j'ai découvert il y a peu que Madeleine Tierney et Tristan travaillaient pour la Sécurité du territoire. Je suis déçu que Tristan n'ait pas jugé utile de m'en informer, lui non plus. Je me plais à penser que, s'il l'avait fait, j'aurais sans doute pu faire quelque chose pour l'aider.

— Tu as pu t'entretenir avec les gardes-côtes ? demanda Zach. Est-ce qu'ils ont interpellé le capitaine de la plate-forme ou commencé l'évacuation de la plate-forme ?

— Elle est imminente. Il y a une heure, j'ai reçu un

coup de fil de l'un de mes hommes m'avertissant que le capitaine était introuvable. Je suppose qu'il a quitté le site. D'autant qu'il manque également un canot de sauvetage. Mais, apparemment, personne ne l'a vu ou entendu partir. Personne.

Zach ferma les yeux.

— Le capitaine n'est donc plus sur la plate-forme. Nous devons absolument le retrouver. D'après Maddy, Tristan avait surpris ou enregistré au moins un mail et, peut-être, plusieurs échanges téléphoniques entre le capitaine et un des dirigeants de la compagnie pétrolière qui apparemment lui donnait des ordres à propos de la livraison d'armes.

Barley hocha la tête.

— Si je comprends bien, cette Mlle Madeleine et Tristan savaient que le capitaine était impliqué dans des trafics d'armes et ils ne sont pas venus m'en parler ?

Zach poussa un soupir exaspéré.

— Qu'y a-t-il, Barley ? Pourquoi tu ne cesses de te plaindre que personne ne soit venu te trouver ?

— Ecoute, Winter. Je suis plus que disposé à donner un coup de main dans cette histoire. Mais tu ne dois pas oublier que Bonne-Chance est une petite ville. Je n'ai qu'un adjoint et, aujourd'hui, il est parti pour Houma. Il nous fallait leur faire parvenir des documents. Je sais ce que tu penses. Mais si je ne peux pas leur envoyer de mail, le problème vient d'eux, pas de nous. A Houma, personne ne semble à l'aise avec un ordinateur.

Zach s'approcha du shérif.

— Je me moque de vos soucis informatiques. Seuls deux sujets me préoccupent. Primo, que font les gardes-côtes ? Et deuxio, quand les contrebandiers vont-ils livrer d'autres armes ? Maddy pensait que ce serait peut-être cette nuit.

— Cette nuit, vraiment ? Et quel est le plan de la Sécurité du territoire ?

— Mon patron m'a dit qu'ils envoyaient deux personnes pour nous aider mais ils n'arriveront sans doute pas avant demain.

— Demain ? Pourquoi si tard ? Quel est le problème ?

— Ils vont emprunter un vol commercial. Ils auraient pu les faire venir plus vite à bord d'un hélicoptère mais cela aurait coûté plus cher.

— Ils préfèrent que leurs agents se fassent tuer pour faire des économies ?

— Non, bien sûr que non, répondit Zach qui avait pourtant pensé la même chose. La Sécurité du territoire doit prendre beaucoup d'éléments en considération, pas uniquement la vie d'un agent. Comme tu le sais, ils sont responsables de la sécurité générale du pays. Ecoute, Barley, je vais de ce pas sur le ponton de Tristan. Si la livraison d'armes se fait cette nuit, elle se fera via cet embarcadère. Il est tout près de la plate-forme et tout près de l'entrepôt de fruits de mer.

— Quel rapport avec le reste ? Je ne comprends pas.

— Cet entrepôt me parait l'endroit idéal pour y dissimuler les armes avant de les expédier ailleurs. Ils pourraient avoir un véritable arsenal caché là et personne ne s'en douterait. Qui est ton contact chez les gardes-côtes ?

Barley consulta son téléphone portable.

— Le capitaine David Reasoner. S'il n'est pas en mer, tu peux le joindre sur son téléphone portable.

— Merci. Ne parle à personne de cette histoire de trafic d'armes.

— Je n'ai pas besoin que tu me le précises, répliqua Barley, d'un air vexé.

Tout en retournant à la maison de Tristan, Zach composa le numéro du capitaine Reasoner.

L'homme décrocha à la première sonnerie.

— Reasoner.

Le ton était brusque, impatient.

Zach lui expliqua qui il était et ce qu'il voulait savoir.

— Si vous le souhaitez, dit-il, vous pouvez appeler mon supérieur hiérarchique à la NSA, Bill Wetzell. Il vous confirmera que…

— Inutile, je lui ai déjà parlé, répondit Reasoner. Nous avons contacté par radio Pleiades Seagull ce matin vers 8 heures. J'ai demandé à parler au capitaine Poirier juste pour voir comment les choses se passaient, la routine quoi. D'après son second, le capitaine n'était pas disponible. Quand j'ai demandé s'il y avait un problème, on m'a répondu qu'il y en avait eu un hier soir, que le capitaine s'en était occupé toute la nuit et qu'à présent, il dormait.

Zach ne l'interrompit pas, se contentant d'écouter.

— Un de mes hommes m'a dit qu'il manquait un canot de sauvetage. J'en ai parlé au second qui m'a soutenu que cette absence était liée à l'incident d'hier. Le Zodiac aurait été abîmé et mis de côté pour que personne ne l'utilise en cas d'urgence.

— Qu'en pensez-vous, capitaine ? intervint finalement Zach.

— Je ne pense pas que le capitaine soit à bord. Je ne pense pas non plus que le canot de sauvetage ait été endommagé. J'ai hésité à demander où il était pour pouvoir examiner ce Zodiac, et puis j'ai préféré m'abstenir pour ne pas leur mettre la puce à l'oreille pour le moment. Cela dit, j'aimerais monter sur la plate-forme pour jeter un coup d'œil par moi-même sur le site. Pour me faire une opinion. D'autant que leur expert en communication a trouvé la mort la semaine dernière. Votre supérieur hiérarchique, Bill Wetzell, m'a dit que Pleiades Seagull a été ciblée comme plaque tournante de trafics d'armes.

— C'est également ce que j'ai entendu dire. En fait, plusieurs éléments me poussent à penser qu'une livraison d'armes est prévue ce soir en provenance de la plate-forme. Vous pourriez mettre à ma disposition des hommes pour prendre ces types sur le fait ? En flagrant délit ?

— Avec plaisir, agent Winter.

12

Maddy voulut hurler, mais aucun son ne sortit de sa bouche. Son agresseur lui serrait la gorge. Elle tenta de le repousser.

— Qui êtes-vous ?

— Fermez-la, répliqua le type en la frappant violemment au visage.

Maddy tomba sur le côté avec un cri de douleur et d'indignation. Mille étoiles dansèrent devant ses yeux, ses joues étaient en feu. Mais, dans le même temps, une puissante colère la submergea et elle trouva la force de se relever.

— Qui êtes-vous et que faites-vous dans cette maison ?

Comme l'homme ne répondait pas, elle se rapprocha de lui et l'observa avec attention.

— Attendez, je vous reconnais. Vous êtes le capitaine de Pleiades Seagull, le capitaine Poirier ! Que faites-vous dans cette maison ? Sortez, sortez immédiatement. Vous vous trouvez sur une propriété privée et vous n'avez pas le droit de …

De nouveau, il leva la main pour la faire taire. Maddy s'écarta pour éviter le coup mais il l'atteignit au menton. Elle rugit de colère.

— Arrêtez ! Cessez de me frapper !

— Alors taisez-vous, répliqua-t-il en la menaçant du poing.

Maddy n'en avait pas l'intention.

— Que faites-vous ici ? Et pour commencer, comment avez-vous réussi à…

Comme elle reculait, elle comprit : les baies vitrées étaient ouvertes. Il les avait forcées en passant la main par un trou que les intrus avaient découpé dans la vitre, quelques jours plus tôt.

— C'est vous qui les aviez envoyés, non ?

— Je vous ai dit de…

— Je sais, répondit-elle en souriant, même si ses joues la brûlaient. Je me tairai mais, je vous en prie, ne me frappez plus.

Ou je serais obligée de vous faire mal, ajouta-t-elle *in petto.*

Elle hésitait encore entre deux options : assommer ce type ou lui parler, le convaincre de la laisser partir.

— Capitaine, y a-t-il quelque chose que je puisse faire pour vous ? demanda-t-elle tout en promenant les yeux dans la pièce pour trouver un objet qui pourrait lui servir d'arme.

Mais il fondit soudain sur elle, avant qu'elle n'ait eu la possibilité d'anticiper l'attaque et de la parer.

Il lui tordit le bras, l'obligeant à se mettre à genoux.

— Maintenant, soit vous la fermez, soit je vais vous bâillonner.

Comme il accentuait son emprise pour la faire souffrir, elle poussa un hurlement.

Elle était à sa merci, comprit-elle.

Fouillant dans ses poches, il en sortit une fine corde de Nylon et s'en servit pour lui nouer les poignets.

— Pas d'entourloupes. Si vous essayez de m'échapper, je vais vraiment vous faire mal. C'est compris ?

Maddy hocha la tête. Si elle avait eu son arme sur elle, une paire de ciseaux ou même une simple lime à ongles, elle aurait pu se défendre et sans doute aurait-elle réussi à se sauver.

Mais elle n'avait rien, conclut-elle, accablée, tandis qu'il lui ligotait les mains dans le dos.

— C'est trop serré, protesta-t-elle.

— Je vous ai dit de la fermer ! cria-t-il en la secouant violemment. Dans quelle langue faut-il vous parler ?

Il la traîna vers la cuisine.

— Où sont les clés de votre voiture ?

— Les clés de ma voiture ? répéta-t-elle.

Poirier se retourna et lui envoya un coup de pied dans le ventre si brutalement qu'elle tomba sur le sol avec un gémissement. Les mains attachées dans le dos, elle ne pouvait plus se relever. Elle resta donc à terre en position fœtale, craignant qu'il ne la bourre de coups de pied. Elle tremblait de tous ses membres et des haut-le-cœur secouaient son estomac.

Sans ménagement, Poirier la souleva par les bras.

— Arrêtez ! cria-t-elle en larmes. Arrêtez, vous me faites mal !

— Alors cessez de jouer les idiotes. Je sais que vous êtes moins bête que vous ne cherchez à le faire croire. Vous comprenez ce que je dis ?

Maddy ignorait ce qu'il attendait d'elle. Devait-elle lui répondre ou se contenter de hocher la tête sans un mot ?

Mais il poursuivit.

— Regardez-moi. Mon ceinturon est orné d'une grosse boucle et croyez-moi, si je vous frappe avec, vous le sentirez passer. Voilà comment j'ai éduqué mes enfants et comment j'ai l'intention de vous dresser. Pigé ?

Elle opina.

— Je n'aime pas la violence, continua-t-il. Mais parfois elle est nécessaire. Maintenant, j'espère que vous allez m'obéir, conclut-il en se redressant pour ajuster sa veste comme s'il s'agissait d'un smoking. Où sont vos clés de voiture ?

Maddy avait encore du mal à respirer. Son corps était

secoué de spasmes, provoqués par la douleur et l'humiliation. D'une main tremblante, elle lui désigna la table de la cuisine. C'était la voiture de Zach, pas la sienne, mais elle n'allait pas épiloguer.

Poirier s'empara des clés.

— Allons-y. Vous venez avec moi. Vous voyagerez dans le coffre.

Elle tenait à peine sur ses jambes mais elle le suivit.

Quand il déverrouilla à distance la berline à l'aide de la télécommande, elle s'efforça de réfléchir. Dans les voitures modernes, les coffres s'ouvraient aussi de l'intérieur, non ?

Elle détourna les yeux pour que Poirier ne devine pas ce qu'elle avait en tête. Mais quand il l'attrapa par le bras pour la pousser devant lui, il éclata de rire.

— Vous ne pensiez quand même pas que j'allais vous installer dans le coffre sans avoir vérifié au préalable que vous ne pourriez pas en sortir et vous enfuir ?

A l'aide de la crosse de son fusil, il brisa la petite pièce de métal qui permettait l'ouverture intérieure. Puis il ordonna à Maddy.

— Couchez-vous là-dedans.

Comme elle ne s'exécutait pas immédiatement, il la menaça de son arme.

— Vous avez remarqué le flingue que je porte ? Non, je suis sûr que non. Ce n'est pas une arme comme les autres. Il s'agit d'un pistolet automatique. Un automatique, pas un semi-automatique. Avez-vous une idée des dégâts que je ferais si j'appuyais sur la détente ?

Elle hocha la tête, mais ne se pressa pas pour autant.

Poirier la poussa donc à l'intérieur.

Brutalement projetée dans le coffre, Maddy heurta une boîte à outils et poussa un cri. Elle souffrait de partout. Ses poignets étaient ficelés dans le dos, les nœuds trop serrés, ses jambes lui faisaient mal mais elle avait surtout peur. Elle ignorait où Poirier l'emmenait mais, parvenu à destination, il la tuerait très certainement. Et elle n'avait pas envie de mourir.

Elle avait envie de vivre. Elle regretta d'avoir si facilement abdiqué quand Zach lui avait dit qu'il ne voulait plus d'elle. Elle aurait aimé remonter dans le temps, se confronter de nouveau à lui. Elle se serait alors battue pour pouvoir prolonger son séjour à Bonne-Chance. Si tout était à refaire, elle aurait dit à Brock qu'elle voulait prendre des vacances et elle serait restée avec Zach jusqu'à ce qu'il reconnaisse qu'il y avait quelque chose entre eux, un lien, une alchimie.

Tous deux auraient alors pu unir leurs forces et faire tomber Poirier. Elle sourit en s'imaginant se battre avec lui, en harmonie totale, en osmose. Deux jours plus tôt, elle ne connaissait même pas Zach Winter et voilà qu'elle le regrettait déjà. Ils étaient plus efficaces à deux que séparément. Lorsqu'ils étaient ensemble, leurs forces ne s'additionnaient pas : elles se décuplaient. Ils devenaient invincibles. Elle le savait. Et lui aussi.

Traversée par une crampe, elle essaya de bouger sa jambe, mais elle n'avait pas assez d'espace pour l'allonger. Elle mesura soudain l'absurdité de son raisonnement.

A quoi bon penser à ce qu'elle aurait dû dire ou faire ? A quoi bon réécrire l'histoire ? Zach aurait-il finalement accepté qu'elle reste ? Elle n'avait aucun moyen de le savoir. De toute façon, il n'était plus possible de faire marche arrière. Au bout de cette promenade en voiture, sa vie allait sans doute prendre fin.

Zach composa le numéro de portable de Maddy mais elle ne répondit pas. Et elle avait pris la voiture, constatat-il en arrivant à la maison. Il consulta sa montre. Si elle s'était douchée et lavé les cheveux avant de quitter les lieux, elle n'était sans doute pas partie depuis longtemps.

Elle ne devait pas être bien loin. Cela dit, elle lui avait expliqué qu'elle prenait toujours des douches rapides, se souvint-il. Avec un sourire, il recomposa son numéro.

— Allez, Maddy, réponds.

Peut-être qu'elle respecte le Code de la route et s'interdit de téléphoner au volant. Comment le lui reprocher ?

Cette fois, il laissa un message.

— Appelle-moi dès que tu peux, Maddy. Et si tu n'es pas trop loin, fais demi-tour et reviens. Apparemment, tout va se jouer cette nuit et je… j'aimerais que tu sois là, avec moi. Rappelle-moi.

Il glissa son téléphone dans sa poche. Un instant, il hésita à rentrer dans la maison pour l'attendre au cas où elle le rappellerait immédiatement. Il était si compliqué d'être connecté à un réseau dans le coin. Mais il n'avait pas beaucoup de temps devant lui. Il devait retrouver Boudreau et lui poser quelques questions sur ce qu'il avait vu. Il avait également besoin de téléphoner au capitaine Reasoner pour mettre au point un plan avec lui avant la tombée de la nuit. Aussi se dirigea-t-il vers le débarcadère.

Parvenu au ponton, il promena les yeux autour de lui en appelant Boudreau mais l'homme ne semblait pas être dans les parages.

Zach examina alors le sol avec attention. A certains endroits, là où la végétation laissait place à un sentier boueux, des traces récentes de roues se dessinaient. Des roues fines, peut-être métalliques.

Il en prit des photos à l'aide de son téléphone portable, veillant à les dater et à les étiqueter avec soin. Les tribunaux étaient toujours très pointilleux avec les clichés numériques.

Comme il passait en revue ces images, il remarqua autre chose : le flash avait fait apparaître une empreinte de pas, invisible à l'œil nu, près de celles des roues. Il prit d'autres photographies.

Il décida ensuite de suivre ces traces. Très vite, il quitta le sous-bois et se retrouva près de l'entrepôt de l'usine de fruits de mer.

Il hocha la tête. C'était bien ce qu'il avait pensé. A en juger par ce que Maddy lui avait répété des propos de Boudreau, deux hommes avaient poussé le chariot à travers les broussailles de l'embarcadère jusqu'à l'entrepôt. Le vieux Cajun avait été certain qu'ils se rendaient là. Il avait vu juste.

Zach fit le tour du bâtiment, sans cesser d'examiner le sol.

Effectivement, les traces de roues métalliques se dirigeaient vers la porte arrière. Il s'accroupit : quelques brins d'herbe s'étaient coincés dans les gonds. Comme ils étaient encore verts et frais, il était probable qu'ils avaient été arrachés récemment, au cours des deux ou trois derniers jours.

Satisfait d'avoir réuni assez d'éléments pour pouvoir convaincre le capitaine Reasoner et les gardes-côtes qu'une vaste opération avait été programmée par les trafiquants dans les heures à venir, Zach rappela le capitaine. Ce dernier lui proposa aussitôt un plan, un plan très proche de ce que Zach avait en tête.

— Trois gardes-côtes vont nous aider, agent Winter. J'ai également demandé qu'une ambulance et une équipe médicale soient prêtes à intervenir, si nécessaire. De même, un hélicoptère pourra décoller à tout moment.

— Parfait. On se retrouve à la tombée de la nuit, conclut Zach.

Il retourna ensuite à la maison et, en chemin, tenta une nouvelle fois de joindre Maddy. Au bout de quatre sonneries, elle ne répondait toujours pas.

Il attendit d'être sorti du sous-bois, de s'éloigner des marais pour essayer encore.

Il laissa un deuxième message, en restant parfaitement immobile pour ne pas perdre la connexion.

— Maddy, rappelle-moi. Je voudrais m'assurer que tout va bien pour toi. Essaie de me rappeler avant la tombée de la nuit, d'accord ? Nous espérons coincer les trafiquants ce soir. Les gardes-côtes vont me donner un coup de main.

Il s'interrompit, se mordillant les lèvres. Il l'avait profondément blessée en lui disant qu'il n'avait pas besoin d'elle et qu'il ne voulait pas l'avoir dans les jambes. Il le savait pertinemment. Il savait aussi autre chose : c'étaient deux énormes mensonges.

En réalité, il avait eu envie de l'éloigner pour ne pas l'exposer au danger. Il préférait qu'elle ne soit pas mêlée à cette opération parce qu'il se souciait d'elle, de sa sécurité. Bien sûr, elle était un agent du renseignement et elle avait été entraînée pour faire face à ce genre de situation. Mais il avait eu peur qu'il lui arrive malgré tout quelque chose. Il ne s'en remettrait pas.

Contre toute logique, il ajouta pourtant.

— En vérité, je me sentirais mieux si tu étais ici avec moi. Nous formons une bonne équipe, tous les deux.

Il raccrocha mais resta sur place un moment, fixant son appareil.

Rappelle-moi, Maddy. Je sais que c'est idiot mais ton silence finit par m'inquiéter.

Maddy avait du mal à respirer. Sa situation n'était pas très brillante. Elle était ligotée, enfermée dans le coffre d'une voiture, elle avait mal partout et était terrifiée.

Un sanglot déchira sa poitrine et elle se reprocha aussitôt cette faiblesse.

Pourquoi fallait-il toujours qu'elle fonde en larmes pour un oui ou pour un non ? Pleurer ne servait à rien. Il s'agissait d'un réflexe d'enfant, remontant à l'époque lointaine où elle n'avait pas alors d'autres moyens d'attirer l'attention pour être nourrie ou changée. Mais là, pleurnicher n'avait aucun intérêt et ne faisait que compliquer les choses. En plus, chaque fois qu'elle reniflait, elle respirait de la poussière, des fibres de la moquette du coffre, ce qui n'arrangeait rien.

Elle n'avait sans doute plus que quelques instants à vivre et elle ne pensait qu'à se moucher !

Elle s'interdit de laisser des pensées angoissantes envahir son esprit. Il lui fallait se concentrer. Quand la voiture s'arrêterait à un feu rouge ou à un stop, elle donnerait des coups de pied dans la carrosserie pour attirer l'attention des passants. Elle avait vu aux informations qu'un jeune homme kidnappé avait ainsi réussi à être libéré. Sauf qu'elle ne parvenait pas à bouger les jambes… Elle manquait d'espace, confinée dans ce coffre. La légère claustrophobie qui l'envahissait depuis que son agresseur avait refermé le hayon sur elle se mua en panique.

A cet instant précis, la voiture s'immobilisa.

Une décharge d'adrénaline traversa Maddy, un mélange de soulagement et de terreur. Mais qui provoqua un réflexe de survie. Soudain, elle était en alerte et concentrée. La petite fille pleurnicharde avait disparu.

Son expérience, sa formation et ses instincts lui donnèrent la détermination dont elle avait besoin. Pour survivre et neutraliser Poirier, elle devait très vite mettre au point une stratégie.

Ses mains étaient attachées dans son dos et, quand elle essaya de les bouger, une douleur fulgurante les traversa.

La portière de la voiture claqua alors bruyamment.

Il ne fallait plus songer à s'échapper. Il était trop tard.

Poirier ouvrit le coffre. La lumière vive brûla les yeux de Maddy. Où était-elle donc pour être éblouie à ce point ? D'où venait cette luminosité ?

Plissant des paupières, elle comprit : un grand bâtiment ou un mur immense réfléchissait la lumière du soleil, d'où son éblouissement.

Poirier la saisit par les bras pour la tirer hors du coffre et la mettre debout. Elle se raccrocha à l'aile de la voiture pour ne pas perdre l'équilibre.

— Allons-y, grommela Poirier. Je ne veux pas risquer que quelqu'un nous voie. Si vous essayez de crier, d'appeler à l'aide, je vous assomme. Compris ?

Maddy hocha la tête. Ses yeux s'adaptaient à la luminosité : elle se trouvait devant une haute façade métallique, striée.

Poirier ouvrit une porte.

— Venez, ordonna-t-il.

Elle se hâta à sa suite, ne voulant surtout pas le mettre en colère. Il n'hésiterait probablement pas à la frapper de son ceinturon si elle le contrariait.

A l'intérieur, une odeur horrible la prit à la gorge, une odeur de poisson pourri, de crevettes et d'iode qui lui donna la nausée. Ils se trouvaient sans doute dans l'entrepôt de fruits de mer. Boudreau avait été certain que des centaines d'armes étaient stockées là. Il ne s'était pas trompé.

Ses yeux la brûlaient, des haut-le-cœur soulevaient son estomac mais elle fit de son mieux pour oublier cette puanteur et se concentrer afin de tout mémoriser.

La première chose qu'elle remarqua fut le chariot que Boudreau lui avait décrit. Il contenait deux grands sacs. Certainement remplis d'armes.

Poirier ouvrit la porte d'un réduit aussi minuscule que sombre. Des toilettes. Il la poussa à l'intérieur et donna deux tours de clé dans la serrure.

Plongée dans l'obscurité, Maddy déglutit. Elle était de nouveau prisonnière, piégée dans un espace étroit. Mais sa situation était pire que dans le coffre de la voiture. Non seulement il y faisait nuit noire mais l'odeur était très désagréable et la chaleur ambiante insupportable.

Avec les mains dans le dos, elle ne pouvait rien faire,

elle n'était pas capable de se libérer. Elle s'efforça de ne pas tousser pour ne pas risquer de vomir.

Un bruit de moteur s'approcha alors : Poirier entrait la voiture de Zach dans l'entrepôt, sans doute pour la dissimuler aux regards. L'odeur des gaz d'échappement était si forte qu'elle supplantait les autres.

Le silence retomba et un long moment passa.

Puis il y eut des bruits de pas, des bruits de pas qui venaient vers elle. Elle se figea, terrifiée.

De qui s'agissait-il ?

Les pas s'arrêtèrent devant la porte du réduit où elle était enfermée et Maddy attendit, retenant son souffle.

Puis une clé tourna dans la serrure.

13

Zach poussa un soupir de lassitude. Quand il était jeune, il savait où vivait Boudreau. Tristan l'y avait emmené tant de fois. Mais là, il n'en était plus très sûr. Il promena les yeux autour de lui dans la clairière, essayant de se remémorer cette époque, de remonter dans le temps. Le débarcadère était derrière lui, le sentier qui menait à la maison de Tristan partait sur sa gauche et, à un kilomètre environ devant lui, se dressait l'entrepôt de fruits de mer. Logiquement, la cabane sur pilotis de Boudreau devait donc se trouver sur sa droite.

Mais il avait déjà étudié le sol dans cette direction. Il était tapissé de broussailles et de mauvaises herbes et rien n'indiquait un chemin ou une piste. Il n'avait rien remarqué non plus sur les troncs d'arbres alentours, qui indiquerait que quelqu'un était passé par là, dernièrement.

La façon dont Boudreau était apparu, comme surgissant de nulle part, prouvait pourtant qu'il s'était frayé un passage dans les fourrés. Mais comment parvenait-il à se mouvoir dans l'épaisse végétation du bayou sans laisser de traces, sans casser de branches ?

Zach frissonna. Il était vêtu d'une chemise à manches courtes. Toute la journée, il avait fait chaud mais le soleil déclinait et l'air se rafraîchissait.

Il s'enfonça dans les marais, certain d'y trouver la cabane de Boudreau. Il lui fallait cheminer dans les ronces et les orties mais, s'il voulait retrouver Boudreau et lui demander son aide pour coincer les trafiquants d'armes, il n'avait pas le choix.

A quelques mètres de la clairière, l'enchevêtrement des branches et des arbustes parut s'éclaircir et Zach finit par découvrir un sentier. Il ne ressemblait pas exactement à celui dont il avait gardé le souvenir mais c'était manifestement la bonne direction.

Il poursuivit sa marche jusqu'à une petite maison sur pilotis complètement enfouie sous la végétation et entourée de tous côtés par les marécages. Il promena les yeux autour de lui, cherchant un signe qui lui indiquerait qu'il se trouvait bien chez Boudreau mais il n'y avait pas de nom écrit sur la porte, pas de boîte aux lettres.

Comme il s'avançait, le bruit d'un fusil qu'on arme le fit tressaillir.

— Boudreau ? appela-t-il, levant les mains en l'air. C'est moi, Zach, l'ami de Tristan. J'aimerais vous parler. Juste vous parler. J'ai besoin de votre aide.

Il s'approcha encore mais, soudain, un coup de feu claqua. Une balle vint s'écraser devant ses pieds, soulevant de la poussière. Zach recula de quelques pas, les mains toujours en l'air.

— Je ne bouge pas, Boudreau. Je suis désolé de vous déranger mais j'ai besoin de vous. Pour Tristan.

La porte de bois s'ouvrit enfin et le visage de Boudreau apparut. Il pointait toujours son fusil sur la poitrine de Zach, d'un air sombre et furieux.

— Vous êtes bien imprudent d'être venu jusqu'ici, vous.

— J'ai besoin de votre aide, Boudreau. Pour arrêter les hommes qui ont tué Tristan. Puis-je vous parler un instant ?

— Un instant ? Il vous faudra plus d'un instant, rétorqua le vieil homme. En plus, vous avez dû traverser la propriété de M. Tristan pour arriver jusqu'à chez moi.

Vous n'avez pas le droit d'être ici et vous n'aviez pas le droit de pénétrer chez lui non plus.

— Vous avez raison, reconnut Zach, les mains toujours en l'air. Je n'aurais pas dû venir. Ecoutez, pour vous dédommager, je travaillerai pour vous, je vous paierai pour le temps que vous me consacrerez. Je ferai ce que vous voulez mais tout ce que je vous demande est de m'écouter un inst… cinq minutes.

Il y eut un long silence. Boudreau observait Zach tout en grommelant quelque chose dans sa barbe.

Zach s'inquiétait de son état mental. La dernière fois qu'il l'avait croisé, le vieux Cajun avait tenu des propos incohérents et il ne lui avait pas paru jouir de toutes ses facultés.

— Boudreau ?

— Allez-y. Dites-moi votre problème. Je vous donne cinq minutes.

— Je sais que vous avez rencontré Maddy et que vous lui avez dit que vous pensiez que les contrebandiers allaient revenir cette nuit, à la nouvelle lune. Je le crois aussi. Lorsqu'ils débarqueront, j'aimerais que vous m'aidiez. Il faut absolument les arrêter et les empêcher de répandre ces armes sur le territoire américain. Vous comprenez ? Les gardes-côtes seront là en renfort.

— Les gardes-côtes ? répéta Boudreau. Pourquoi avoir demandé le soutien des gardes-côtes ? Ils vont tout foutre en l'air.

Il grommela une ribambelle d'insultes, puis déclara d'une voix plus aiguë.

— Je ne veux pas de gardes-côtes. Pas question.

— Nous n'avons pas le choix. Nous ne pouvons pas arrêter seuls ces types, Boudreau. Et nous devons agir cette nuit. C'est la dernière nuit de nouvelle lune, vous le savez.

— Vous ne m'apprenez rien.

— Acceptez-vous de venir avec votre fusil, pour m'aider ?

Boudreau hocha la tête et retourna dans sa cabane. Zach attendit. Après un moment, comme Boudreau ne revenait pas, il commença à s'inquiéter. Le vieux Cajun l'avait-il oublié ? Ou avait-il changé d'avis ?

Finalement, l'homme réapparut avec son fusil.

Zach portait l'arme que lui avait donnée la NSA mais il avait aussi dans sa poche le petit pistolet automatique que lui avait remis Maddy. Et un chargeur rempli de balles.

— Etes-vous prêt à y aller ? demanda-t-il à Boudreau.

— Oui, oui, répondit le vieillard. Cela ne me plaît pas à moi. Je n'aime pas tuer. Ni les animaux ni les hommes. Mais si c'est ce qu'il faut faire pour empêcher ces calibres d'envahir le pays, de répandre la mort et le malheur, alors oui, il faut le faire.

Quand tous deux parvinrent à la clairière, la nuit tombait, il commençait à faire sombre.

— Je ne sais pas à quelle heure ils débarqueront ni combien de temps nous devrons guetter leur arrivée, dit Zach. Mais il faut essayer de réunir le maximum de preuves contre eux. C'est important pour la suite. Nous attendrons donc qu'ils chargent les sacs dans le chariot et le poussent jusqu'à l'entrepôt. Pour les prendre sur le fait. En flagrant délit, vous comprenez ? Ensuite, nous pourrons les neutraliser. Ils se croiront alors à l'abri et ils ne se méfieront pas.

— A l'abri, répéta Boudreau. A l'abri après leur ballon d'essai. Mais leur ballon s'est envolé.

Zach réprima un gémissement. Jusque-là, Boudreau avait paru à peu près rationnel, en comparaison avec sa façon de se comporter lors de leur première rencontre. Mais de nouveau, il semblait raconter n'importe quoi comme un vieux fou.

— Ecoutez-moi, Boudreau. Le capitaine Reasoner

sera là. Il nous indiquera ce que nous devrons faire. Cela vous va, Boudreau ? Reasoner est un type bien. Il est au courant de la livraison d'armes prévue pour ce soir et il est décidé à tout faire pour l'empêcher. Nous pouvons compter sur lui pour coincer ces types.

— Le capitaine ? Fait-il partie des capitaines qui se relaient sur la plate-forme pétrolière ?

Zach secoua la tête.

— Non.

— Tant mieux, répondit Boudreau. Parce que le capitaine de la plate-forme sur laquelle travaillait M. Tristan, j'aurais déjà pu l'arrêter. Quand il est venu ici à bord d'un Zodiac, ce matin. Il avait l'air méchant.

— Quoi ? De quoi parlez-vous ?

— Je parle du capitaine de la plate-forme pétrolière, Pleiades Seagull. Il y a quelques heures, il a débarqué ici. Il a laissé son canot de sauvetage partir à la dérive comme s'il ne valait rien, comme s'il s'en moquait. Le Zodiac doit être perdu dans les joncs et les broussailles à présent, là où personne ne peut le voir. Ce n'est pas bien de laisser une embarcation se perdre ainsi.

Zach eut brusquement le tournis. Le capitaine de la Pleiades Seagull avait donc débarqué sur le ponton de Tristan ? Et il avait laissé dériver son canot de sauvetage pour que personne ne se doute de sa présence ? Le ventre de Zach se noua.

— Où est allé le capitaine ?

— Je n'en sais rien, moi. Je ne suis pas resté à l'espionner. Mais je sais qu'il n'est pas revenu aujourd'hui, je n'ai pas recroisé son chemin.

Les propos du capitaine Reasoner revinrent à la mémoire de Zach. Il pensait que le capitaine s'était enfui à bord d'un Zodiac. Mais pourquoi ? Le capitaine Poirier avait tout mis au point pour décharger dans la nuit les sacs d'armes sur le vieux débarcadère de Tristan. Alors pour quelle raison ce type serait-il revenu traîner seul à cet endroit précis ?

— Je dois contacter le capitaine, grommela Zach.

— Quel capitaine ? Et où ? cria Boudreau, l'air paniqué. Pas question qu'il vienne traîner par ici près de... près de moi, reprit-il d'un ton bougon comme un collégien réprimandé.

— Je parle du capitaine Reasoner, au cas où vous l'auriez oublié... Il sera accompagné des gardes-côtes, Boudreau. Ce sont des gentils.

— Les gardes-côtes ne sont pas des gentils. Je n'aime pas les gardes-côtes. Ils viennent tout le temps par ici, ils font peur au poisson avec leurs bateaux et ils vidangent leurs moteurs dans les marais. Ils empoisonnent l'eau.

— Mais vous êtes d'accord pour que Reasoner nous donne un coup de main, nous montre où nous cacher jusqu'à ce que les hommes débarquent avec les sacs d'armes, n'est-ce pas ?

Si Boudreau leur faisait faux bond, Zach craignait le pire. Il avait besoin du vieil homme et de sa capacité à traverser les marais sans bruit pour repérer les bateaux et avertir les autres qu'ils étaient en train d'approcher.

— Nous devons arrêter ces types et les empêcher de répandre ces armes sur le territoire.

Boudreau cracha par terre.

— Croyez-vous vraiment que je me soucie de ces armes et de ces types ? Pensez-vous vraiment que je me soucie de ces trafiquants ? Nan. Je m'en moque complètement. Je me fiche de l'endroit où finiront ces armes, entre quelles mains. Cela ne me concerne pas. La seule chose qui m'importe est que l'eau reste propre et que personne n'abîme les terres de M. Tristan. C'est tout.

Zach observa le vieux Cajun.

— Je n'en crois rien. Vous avez dit que vous n'aimiez pas tuer.

Du pied, Boudreau frappa un caillou.

— Je tue quand j'y suis obligé mais quand rien ne m'y force, je ne tue pas. Je n'aime pas tuer pour le plaisir. Alors qu'allons-nous faire quand ces types débarqueront ? Les tirer comme des lapins ?

— Non, pas du tout. Les gardes-côtes les attendront à l'extérieur de l'entrepôt pour les attraper dès qu'ils commenceront à décharger leur cargaison d'armes.

— Oui, c'est bon. Je ne veux pas tirer sur quelqu'un, un homme ou un animal, sans avoir une bonne raison de le faire, conclut Boudreau en hochant la tête.

La clé jouait dans la serrure et Maddy regretta de ne pouvoir s'éloigner de la porte. Le réduit dans lequel elle était enfermée était vraiment minuscule.

Le capitaine Poirier apparut.

— Allons-y, dit-il.

Elle s'avança, vacillant sur ses jambes, terrorisée.

— Je ne me sens pas bien. Je n'arriverai pas à marcher avec les mains attachées dans le dos.

Il la saisit par le bras et l'attira vers lui.

— Obéissez.

Elle essaya de mettre un pied devant l'autre mais elle n'y parvint pas. Elle ne lui avait pas menti. Les odeurs qui flottaient dans l'usine lui donnaient la nausée. Elle avait le tournis.

Mais Poirier s'en moquait. Il la poussa vers un tonneau posé sur le sol.

— Asseyez-vous ici.

Levant les yeux, elle découvrit un semi-remorque qui tenait à peine dans la pièce.

— Que comptez-vous faire avec ce camion ?

— Ne vous inquiétez pas de ce que je vais en faire. Inquiétez-vous plutôt de ce qui va vous arriver si vous ne vous taisez pas. Vous voulez que je vous bâillonne ou que je vous fasse taire autrement ?

Il lui posa le canon de son arme sur les lèvres.

— Ouvrez la bouche !

Il souriait d'un sourire diabolique.

Il s'efforçait de prendre le contrôle, de la dominer, comprit-elle. Et si elle cédait, si elle obéissait et le laissait faire, il saurait qu'elle n'était pas forte. Pas de la façon dont le sont les gens courageux. Il devinerait qu'elle était prête à tout pour rester en vie.

Aussi serra-t-elle les lèvres en secouant la tête. Elle devait garder le silence même si ce n'était pas dans sa nature. Elle avait toujours dit ce qu'elle pensait, ce qu'elle avait sur le cœur mais elle ne s'était encore jamais trouvée dans une situation de vie ou de mort.

— Je vous ai dit d'ouvrir la bouche !

Elle baissa la tête, refusant d'obtempérer.

Pendant un moment, une éternité, aucun des deux ne bougea.

Puis, finalement, Poirier détourna le canon de son automatique avec un grognement écœuré. Il consulta sa montre et commença à arpenter la pièce. Il tenait toujours son arme au poing.

Maddy attendit, s'interdisant de parler. Ses mains étaient engourdies et moites. Elle avait des crampes à force d'avoir les poignets attachés dans le dos.

Elle essaya de bouger ses doigts mais ils étaient à peine sensibles. Le sang n'y circulait plus.

Elle se mit soudain à penser à Zach. Avec un peu de chance, il était retourné à la maison, il avait vu ses vêtements et ses valises toujours là, il avait compris que quelque chose s'était passé, qu'il y avait eu un problème.

S'il te plaît, Zach. Trouve-moi.

Ses yeux se remplirent de larmes et, en dépit de ses efforts, un gémissement s'échappa de sa gorge.

Poirier la regarda. Son expression était sombre et son sourire diabolique.

Cela ne faisait plus aucun doute : il allait la tuer.

14

Le capitaine Reasoner tendit à Zach une oreillette.

— Voilà qui nous permettra de communiquer les mains libres, dit-il en montrant celle qu'il avait lui-même dans l'oreille. Ce système est plus fiable que les téléphones portables par ici.

Zach l'examina.

— Il n'est pas difficile de trouver plus fiable que les téléphones portables dans le bayou. Cela dit, ce dispositif n'est pas de longue portée, j'imagine.

— Détrompez-vous ! Il fonctionne très bien, vous serez surpris. Nous resterons ainsi en contact jusqu'au bout de l'opération.

Zach plaça l'oreillette et en tendit une autre à Boudreau. Il fallut moins d'explications qu'il ne le craignait pour faire comprendre au vieil homme à quoi elle servait et comment l'utiliser. Puis tous trois, en compagnie des gardes-côtes, passèrent une fois de plus le plan en revue pour s'assurer que chacun, y compris Boudreau, savait exactement ce qu'il devait faire.

— Monsieur Boudreau, dit Reasoner. J'aimerais que vous restiez à proximité du débarcadère. Vous êtes le plus capable d'entre nous de repérer l'arrivée des bateaux. Dès que vous verrez ou entendrez quelque chose, vous préviendrez mes hommes. Puis vous vous mettrez à l'abri, votre tâche étant alors terminée. Les gardes-côtes mèneront à bien la deuxième phase de l'opération, à savoir l'arrestation des trafiquants. D'accord ?

— J'ai mon fusil avec moi, capitaine, répondit Boudreau. Je n'ai encore jamais tiré sur quelqu'un, ajouta-t-il en crachant par terre. Mais je peux descendre une dizaine oiseaux d'un seul coup de feu. A l'époque de la chasse, bien sûr. Je n'aime pas tuer des oiseaux, mais il faut bien manger.

Zach échangea un regard avec Reasoner.

— Je ne pense pas que vous aurez à tirer, monsieur, précisa Reasoner. En fait, mieux vaut que les trafiquants ne soupçonnent pas notre présence avant qu'ils ne soient à l'intérieur de l'entrepôt avec la marchandise. Pour avoir une chance de les faire condamner, nous avons besoin de les prendre en flagrant délit.

Puis il se tourna vers Zach.

— Je resterai près du débarcadère avec Boudreau. Vous, vous serez avec mes hommes près de l'entrepôt. Le shérif sera là, lui aussi, avec quelques adjoints. L'arrestation sera le fruit d'une coopération entre les gardes-côtes, la NSA et la police locale.

Zach hocha la tête.

Boudreau continuait de jouer avec l'oreillette comme s'il était préoccupé ou peut-être même fasciné par l'appareil. Mais quand Reasoner s'approcha pour lui serrer la main, il lui tendit la main droite, une main qui ne tremblait pas, et il hocha la tête comme un militaire aguerri.

Tout le monde regagna le poste qui lui avait été assigné et se prépara à la phase la plus difficile de l'opération. L'attente.

Zach n'avait pas la moindre idée du temps écoulé quand une voix résonna dans l'oreillette, l'arrachant à la semi-somnolence dans laquelle il était plongé.

— Un bateau est à l'approche, annonçait Reasoner. Que tout le monde soit prêt. A partir de maintenant, l'officier Carter assure le commandement de l'opération. Pas de bruit. Terminé.

Zach prit une profonde inspiration, s'efforçant de se concentrer. Tendu, il se mit en mode commando, de façon à ce que son esprit et son corps travaillent de concert. Il était en état d'alerte maximum, il serrait bien son arme à la main. Mais pour la première fois, il manquait quelque chose. Ou plutôt quelqu'un.

Quand il était avec Maddy, leur collaboration était si étroite qu'ils constituaient presque un tout, une seule entité. Ils avaient été totalement en phase, en synchronicité parfaite, capables de deviner les pensées de l'autre, d'anticiper ses gestes. Même en mode commando, Zach était moins efficace seul que dans le duo qu'il formait avec elle.

— Le chariot se dirige vers l'entrepôt, annonça Reasoner. Les hommes sont sur le sentier. Soyez prêts. Mais n'intervenez pas encore. Je répète. N'intervenez pas. Laissez-les entrer dans le bâtiment. Attendez les ordres. Terminé.

Zach s'obligea à respirer lentement et profondément. Tout avait été différent et plus complet quand il faisait équipe avec Maddy. Ils avaient été parfaitement synchronisés.

Il se tourna vers le garde-côte qui se tenait à sa droite. L'homme lui rendit son regard et hocha la tête. Puis un grincement de métal attira l'attention de Zach. C'était le chariot qui s'approchait. Manifestement, les roues étaient soumises à rude épreuve sous un poids très lourd.

Sans bruit, Zach s'enfonça plus profondément dans l'ombre. La nuit était noire, il n'y avait pas de clair de lune et il était facile de se cacher.

Il se remettait en position lorsque le petit convoi passa non loin. Deux hommes tiraient le chariot comme des bœufs une charrue. Un troisième poussait à l'arrière. Un quatrième homme jouait visiblement les guetteurs. Il inspectait les alentours et ramassait les armes tombées du wagon ou échappées du sac.

Le chariot passa sans incident. Zach ne bougea pas. Au grincement des roues, il était facile de repérer où se trouvait le convoi.

Les hommes contournèrent l'entrepôt, frappèrent lourdement à la porte arrière.

— Ouvrez-nous ! cria l'un d'eux.

Ces types n'étaient pas très discrets, pensa Zach. Manifestement, il ne s'agissait pas pour eux d'une première. Ils avaient déjà effectué cette opération.

La porte s'ouvrit pour les laisser entrer.

Normalement, le capitaine Reasoner était en position de l'autre côté du sentier et filmait la scène. Peut-être pourrait-il se faire une idée de ce qui se passait à l'intérieur de l'entrepôt, songea Zach.

Un petit clic dans son oreillette signala que le capitaine avait allumé son microphone.

— Je vois dans l'entrepôt un semi-remorque ainsi qu'une BMW blanche. Apparemment, il n'y a que deux personnes à l'intérieur, un homme et une femme, le capitaine Poirier et l'agent Tierney de la Sécurité du territoire, sans doute. Elle semble attachée ou menottée.

Zach se pétrifia. Maddy était là ? Poirier l'avait ligotée ? Il devait absolument la libérer.

Mais Reasoner lui parlait.

— Excusez-moi, pouvez-vous répéter ?

— Entrez discrètement dans l'entrepôt. Ils sont armés de pistolets automatiques. N'utilisez votre arme qu'en cas d'absolue nécessité. Carter dirige l'intervention.

— Bien, monsieur, répondit Zach.

Il s'assura que son pistolet était chargé et prêt à être utilisé. Puis, suivant les gardes-côtes, il s'avança avec prudence vers la porte de l'entrepôt, veillant à rester dissimulé par les broussailles.

Comme il contournait le bâtiment, Maddy apparut. Elle était assise sur un tonneau, les mains attachées dans le dos. Elle semblait malheureuse et abattue. Sa joue et son front étaient rouges, un large hématome ornait sa mâchoire.

L'envie de tuer traversa Zach. Il allait étrangler Poirier à mains nues.

— Espèce de fumier, de quel droit l'as-tu frappée ? grommela-t-il.

Il se rapprocha un peu plus. Maddy se comportait de façon bizarre. Elle se balançait d'avant en arrière, doucement. Avait-elle été droguée ou frappée à la tête au point d'avoir perdu ses esprits ?

L'arrivée de Poirier l'interrompit dans ses réflexions. Il indiquait aux hommes le chemin qu'ils devaient emprunter avec le chariot.

Puis il leur montra qu'ils devaient charger la cargaison d'armes sur le camion. Enfin, il referma la porte derrière eux.

— Préparez-vous à intervenir, ordonna Reasoner dans l'oreillette. Ne laissez pas la porte se verrouiller et vous interdire d'entrer. Carter, mettez en route la caméra de votre casque. A votre signal…

Carter arriva aux côtés de Zach et démarra la caméra. Il s'apprêtait manifestement à ordonner l'attaque, mais des cris de colère brisèrent le silence.

Tout s'arrêta, se figea. Les hommes dans l'entrepôt se pétrifièrent. Poirier aussi. Comme Zach et Carter. Tout le monde retenait son souffle. Qui avait crié ? Que se passait-il ?

Puis Zach reconnut Murray Cho, le pêcheur qui avait racheté l'usine. Un fusil à la main, il entra dans l'entrepôt par la porte ouverte. Sur le seuil, il pointa son arme vers Poirier.

— Vous tous ! cria Cho. Levez les mains en l'air !

Personne ne répondit, ni ne bougea.

— Les mains en l'air ! répéta-t-il. Vous êtes ici chez moi. Cet entrepôt m'appartient, je l'ai acheté avec l'usine en arrivant dans cette ville. Mais vous en avez fait un repaire de contrebande. Je ne supporte pas ça. Je vais tous vous buter et vous cesserez vos trafics.

Zach retenait son souffle. Cho allait-il mettre ses menaces à exécution ? Combien d'hommes le Viêtnamien pouvait-il descendre avant que l'un des contrebandiers ne riposte et ne l'abatte ?

Le pauvre ne pourrait sans doute toucher qu'un ou deux bandits avant d'être lui-même tué.

Zach se tourna vers Carter qui soutint son regard.

Carter était pris entre le marteau et l'enclume, comprit Zach. S'il ordonnait à ses hommes de passer à l'attaque, Cho et Maddy risquaient de le payer de leurs vies. S'il leur demandait d'attendre, Cho serait sans doute abattu sciemment et Maddy risquait de prendre une balle perdue.

Comme Carter s'apprêtait à parler, un autre homme sortit de l'ombre, un fusil à la main.

Boudreau !

— Oh non ! gémit Zach *in petto.*

Le vieux Cajun ne méritait pas de se faire descendre pour avoir rendu service.

— Vous êtes trop gentil, monsieur Cho, tonna Boudreau. Capitaine Poirier, tuer n'est pas, n'a jamais été, ma tasse de thé. Mais je le fais pour M. Tristan.

A la surprise générale, il fit feu deux fois, atteignant Poirier en pleine poitrine. Le capitaine s'écroula dans une explosion de sang.

Il y eut un moment de silence absolu puis Carter ordonna.

— Allez-y !

Carter, Zach et les deux gardes-côtes commencèrent à tirer. Les quatre hommes qui avaient transporté les sacs d'armes ripostèrent. Boudreau et Cho profitèrent de la fusillade pour s'enfuir de l'entrepôt et disparaître dans la nature.

Entre deux coups de feu, Zach essaya de repérer Maddy mais elle n'était plus sur le tonneau. Son cœur se serra. Avait-elle été abattue ? Ou avait-elle eu le réflexe de ramper sur le sol pour se mettre à l'abri derrière les caisses alignées contre le mur ?

Comme il la cherchait des yeux, une vive douleur à l'épaule le lança. Une balle venait de l'atteindre et de lui briser la clavicule. Jamais il n'avait été pris pour cible.

Il tenta de riposter mais son bras ne lui obéissait plus. Il ne pouvait plus le bouger. Il se jeta à terre pendant qu'autour de lui les coups de feu résonnaient.

Quelqu'un sembla crier son nom mais un vertige le saisit. Il s'appuya contre un cyprès près de l'entrepôt. La tête lui tournait. Son bras, sa main étaient rouges de sang.

15

Maddy lima contre une pièce métallique cassée la corde de Nylon qui ligotait ses poignets. Enfin, elle parvint à la rompre et se glissa aussitôt derrière la voiture. Avec un peu de chance, elle trouverait une arme avant que quelqu'un ne la surprenne. Sauf que ses mains ne lui obéissaient plus, ses doigts refusaient de bouger. C'en était angoissant.

Elle frotta ses poignets l'un contre l'autre et, enfin, ses mains reprirent vie.

Malheureusement, une vive douleur, insupportable, succéda à l'engourdissement. Comme si ses doigts étaient plongés dans l'huile bouillante ou piqués par des milliers d'épingles.

Autour d'elle, la fusillade faisait rage et Zach avait été touché. Elle avait assisté à la scène. Une balle l'avait atteint à l'épaule et le sang en avait jailli.

D'instinct, elle voulait se précipiter vers lui, mais elle risquait d'être prise pour cible, elle aussi. Il lui fallait une arme.

Ses doigts reprenaient peu à peu leur mobilité et elle se souvint de l'automatique que Poirier brandissait avant de mourir. Elle devait le récupérer. L'arme était certainement près de son corps.

Rampant sur le sol à l'aide de ses avant-bras, elle longea la voiture jusqu'au cadavre de Poirier. Il baignait dans une mare de sang. Il était mort, le trou qui ornait sa poitrine ne laissait place à aucun doute. Mais même dans la mort, son visage avait quelque chose de diabolique et son sourire crispé était glaçant.

Son pistolet était à quelques mètres devant elle. Elle prit une profonde inspiration et se traîna jusqu'à lui pour s'en emparer.

Zach s'accroupit derrière le vieux cyprès, la main sur son épaule blessée. De loin, il observa l'entrepôt. Il devait retrouver Maddy. La fusillade faisait rage, les balles pleuvaient autour d'elle et elle risquait d'être blessée ou même tuée à tout moment.

Dans son oreillette, Carter résumait la situation à Reasoner.

— Le capitaine de la plate-forme pétrolière est mort. Il avait quatre hommes avec lui. Deux sont à terre, blessés, les deux autres se sont réfugiés dans l'habitacle du semi-remorque mais, apparemment, ils n'ont pas pu le démarrer. Ils n'ont pas les clés.

— Pouvez-vous les neutraliser ?

— Je compte le faire, monsieur, dès qu'ils seront à court de munitions. Mais pour le moment, ils canardent de tous les côtés.

— Qu'en est-il de nos hommes ?

— Winter a été touché. A l'épaule, je crois. Mes gardes-côtes vont bien. Ils ripostent pour que les gars de Poirier aient bien conscience que nous sommes là. Dès qu'ils auront vidé leurs chargeurs, je passerai à l'attaque.

— Je vais demander à l'ambulance de se préparer à intervenir, dit Reasoner. Et au shérif de nous envoyer des renforts. Terminé.

Zach considéra sa main droite. Elle était rouge de sang mais quand il tenta de bouger les doigts, ils répondaient étonnamment bien. Il ramassa son arme. Il arrivait à la tenir à peu près correctement.

S'appuyant sur l'arbre pour s'aider, il se releva. La tête lui tournait encore un peu et il resta immobile un petit moment pour ne pas perdre connaissance. Il se dirigea alors vers l'entrepôt. Autrefois, si sa mémoire était bonne, une vieille porte de bois se trouvait à l'arrière du bâtiment.

Lorsqu'il était jeune, cette porte était cassée. Le dernier tiers du battant avait disparu, remplacé par un morceau de toile que le vieux Beltaine avait cloué et qui devait toujours être en place.

L'arrière du bâtiment était exactement comme dans ses souvenirs. Mais quand il y parvint, Zach se sentit épuisé, vidé, et il avait du mal à respirer. Il avait perdu beaucoup de sang et ses forces diminuaient. En revanche, comme il l'avait espéré, Beltaine n'avait jamais fait réparer ni remplacer la porte.

Allongé sur le sol, il rampa pour pénétrer à l'intérieur en passant sous la partie en toile.

Se remémorant ce qu'avait dit Carter à propos des hommes de Poirier réfugiés dans le semi-remorque, il se glissa le plus discrètement possible dans l'entrepôt. Par chance, plusieurs caisses de bois empilées sur le côté lui permettaient de se cacher. Même s'ils étaient en hauteur, les deux types ne pouvaient le voir de l'habitacle.

Zach serpenta à travers les caisses, veillant à rester dans l'ombre. Comme il parvenait à la hauteur de la dernière, non loin de la voiture, Maddy apparut, rampant sur le sol, serrant une arme contre elle.

En sentant la présence de quelqu'un, elle se figea de peur. Puis elle le reconnut et les larmes jaillirent de ses yeux. Elle le rejoignit.

— Mon Dieu, Zach, j'ai vu que tu avais été touché à l'épaule. Tu es couvert de sang.

— J'arrive à tenir mon pistolet, c'est l'essentiel. Et je pense même être capable de tirer.

Il lui décocha un sourire et se pencha vers elle pour l'embrasser.

Elle lui rendit son baiser mais le bruit d'un moteur Diesel les interrompit.

— Ils vont s'enfuir ! cria Maddy.

— Ils essaient de démarrer en provoquant un court-circuit avec les câbles mais je ne pense pas qu'ils y parviendront.

En effet, le moteur toussa plusieurs fois mais se tut.

Maddy lui sourit.

— Tu penses la même chose que moi ?

Il lui rendit son sourire.

— Je crois. Attends un instant.

Il pressa un bouton pour déclencher son microphone.

— Winter à Carter. Maddy et moi sommes sur le point d'arrêter les deux hommes réfugiés dans le camion, d'accord ? Ne tirez pas sur nous.

Carter lui donna le feu vert et il se tourna vers Maddy.

— Allons-y ! Allons-y, partenaire, ajouta-t-il avec un clin d'œil complice.

D'un geste, Maddy indiqua à Zach qu'elle allait entrer dans l'habitacle par la portière du conducteur et que lui devait faire de même, côté passager.

Heureusement, ses mains reprenaient leur souplesse. Elles étaient encore douloureuses mais elle parvenait à bouger les doigts et à se servir d'une arme.

Elle longea le semi-remorque, veillant à se coller aux énormes roues pour que les hommes à l'intérieur ne puissent la voir. Puisqu'elle était de nouveau avec Zach, elle retrouvait sa force, et un sentiment de puissance, d'assurance, l'habitait.

Comme la première fois qu'ils avaient agi de concert pour vérifier qu'aucun intrus ne se trouvait dans la chambre de Sandy, un lien intense vibrait entre eux. Chacun devinait ce que l'autre avait en tête, chacun savait ce que l'autre allait faire.

Maddy attendit que Zach soit en place pour ouvrir la portière. Dès qu'elle en eut l'intuition, elle cria.

— Les mains en l'air !

En parfaite synchronisation avec elle, Zach se jeta sur la portière passager.

— Laissez tomber vos armes !

L'homme assis au volant lâcha les câbles qu'il tentait de tordre pour démarrer et il se baissa pour s'emparer de son arme, posée sur le sol.

— Ne bougez pas ! hurla Maddy.

Elle n'avait pas anticipé son geste mais elle recouvra vite ses réflexes et, d'un bond, elle le frappa de la crosse de son pistolet à l'arrière du crâne.

— Je vous avais dit de ne pas bouger, lui rappela-t-elle tandis qu'il s'effondrait sur la banquette.

Pendant qu'elle neutralisait le conducteur, Zach s'occupait de son comparse, installé sur le siège passager. Il pointait son automatique sur la tête de Zach. Ou plutôt vers l'endroit où il pensait que se trouvait Zach. Mais ce dernier avait manifestement prévu sa réaction. Il referma la portière d'un mouvement brusque, le frappant brutalement au poignet. Avec un cri de douleur, l'homme lâcha son arme. Zach la récupéra et mit son adversaire en joue.

— Les mains en l'air ou je tire.

16

— Zach, ça va ? s'enquit Maddy.

— Ça va, je préviens les autres. Carter ! Nous les avons eus. Pouvez-vous venir nous en débarrasser ?

Soudain pris de vertige, Zach s'appuya contre le capot de la voiture. Comme Carter et deux de ses hommes sortaient du bois, il se tourna vers Maddy.

— Tu as fait du bon boulot, Tierney.

Mais sa voix semblait faible à ses propres oreilles.

Il était au bord de l'évanouissement, glissait dans un état second. Carter lui reprit son arme. Au loin, un garde-côte ordonnait quelque chose d'incompréhensible.

Puis un voile noir tomba sur ses yeux et il perdit connaissance.

Zach se réveilla dans un lit d'hôpital, le corps couvert de pansements et hérissé de tubes. Il lui fallut un moment pour comprendre où il se trouvait. Il était ficelé de bandages comme une dinde de Thanksgiving. Son bras droit était plâtré de l'épaule au poignet et il ne pouvait bouger que ses doigts. Une perfusion ornait le dos de sa main gauche. De nombreux bleus témoignaient de la difficulté que les infirmières avaient eue à piquer une veine. Visiblement, elles avaient dû s'y reprendre plusieurs fois avant d'y parvenir. Attaché sur ce lit, il se sentait totalement impuissant.

La porte de sa chambre était fermée. Personne ne

l'entendrait s'il criait. Fermant les paupières, il tenta de se rendormir mais les événements qui l'avaient conduit à l'hôpital ne cessaient de tourner en boucle dans sa tête.

Boudreau abattant Poirier de sang-froid comme un soldat en mission. Les deux hommes dans le camion. Maddy, les mains ensanglantées, rampant autour de la voiture.

Cette femme n'avait cessé de le surprendre. Il n'avait jamais rencontré personne de plus courageux, exception faite peut-être de Tristan. Depuis qu'il la connaissait — trois jours ? — elle n'avait reculé devant aucun défi.

En fait, ce n'était pas tout à fait vrai. Quand il lui avait dit qu'il voulait qu'elle s'en aille, elle avait battu en retraite sans mot dire.

Il en avait été surpris. Il avait cru — espéré — qu'elle discuterait, protesterait, l'obligerait à revenir sur sa décision, qu'elle insisterait pour rester. Mais elle avait abdiqué très vite.

Il poussa un soupir. Lorsqu'il lui avait ordonné de partir, il n'avait qu'une préoccupation en tête : sa sécurité à elle. Tristan avait été son ami. C'était à lui de prendre les risques pour démasquer ses assassins. Pas à Maddy.

Ses supérieurs de la Sécurité du territoire ayant mis fin à sa mission, elle n'avait aucune raison de prolonger son séjour à Bonne-Chance. En lui demandant de rester, il n'aurait fait que l'exposer au danger. Et pour quelle raison ? Pour l'aider, lui. Il avait pris cette décision pour la protéger mais qu'elle l'ait vécue comme un rejet se comprenait parfaitement.

Sur ce, il sombra de nouveau dans un sommeil nébuleux.

Une infirmière s'approcha, lui parla de son opération à l'épaule, des effets prolongés de l'anesthésie.

Il ne comprit pas tout, mais cela expliquait au moins son état comateux.

Incapable de lutter contre le sommeil qui l'envahissait, il retomba dans les bras de Morphée.

Il se réveilla brusquement. Quelque chose bipait. De quoi s'agissait-il ? se demanda-t-il en promenant les yeux autour de lui. A sa gauche, se trouvait sa perfusion et une boîte y était accrochée. Une petite lampe rouge clignotait dessus. Les bips provenaient de là.

Où était l'infirmière et pourquoi s'était-elle arrangée pour qu'il ne puisse bouger, rien faire par lui-même ?

Une présence se matérialisa près de son lit. L'infirmière, justement.

— Comment allez-vous, monsieur Winter ?

— Mal, bougonna-t-il.

— Vous vous sentirez mieux dans quelques heures. Vous êtes encore sous l'effet de l'anesthésie.

— Et comment dois-je faire si j'ai soif ou si je me remets à saigner ? demanda-t-il, irrité.

— Je vais mettre la sonnette à portée de votre main. Vous n'aurez qu'à la presser pour que j'arrive.

— Merci, grommela-t-il de mauvaise grâce.

— Je repasserai vous voir dans un petit moment, dit-elle en se dirigeant vers la porte.

— Puis-je avoir un peu d'eau ?

— Je vais vous en chercher tout de suite, assura-t-elle avec chaleur avant de s'en aller, refermant la porte derrière elle.

— Je vous attends !

Mais il se rendormit aussitôt.

Maddy s'assit au chevet de Zach. Il dormait.

Elle en profita pour retirer les bandages qui enserraient ses propres poignets.

Etait-ce une bonne idée d'être près de lui à son réveil ? Elle n'en était pas sûre.

La mère de Zach avait été prévenue et, d'après l'infirmière, elle arriverait dans une petite heure. Et Maddy avait déjà réservé une place sur un avion qui s'envolerait à 11 heures de La Nouvelle-Orléans pour se rendre à Washington.

Si elle avait envie de s'entretenir avec Zach en tête à tête, c'était le moment.

Le pansement qui couvrait son bras semblait énorme, impressionnant. Il avait reçu deux balles dans l'épaule. L'une avait traversé le muscle sans faire de dégâts mais l'autre avait brisé sa clavicule. Cette blessure avait nécessité une intervention chirurgicale et demanderait un temps de convalescence ainsi que plusieurs semaines de rééducation. L'infirmière en avait parlé comme d'une péripétie sans gravité mais Zach aurait du mal à s'en remettre, craignait Maddy.

Elle consulta l'heure sur son téléphone portable. Son temps était compté. Pourtant, elle n'avait pas envie de le réveiller. D'après les infirmières, il dormait beaucoup et il était grognon à chacun de ses réveils. Que devait-elle faire ?

Elle avait été contactée par ses supérieurs de la Sécurité du territoire et elle était attendue à Washington pour un débriefing. Elle ne savait pas du tout où elle serait envoyée ensuite. Elle avait besoin de parler à Zach avant de s'en aller. Peut-être ne le reverrait-elle jamais…

Un petit sanglot s'échappa de ses lèvres.

Zach l'entendit sans doute parce qu'il s'agita dans son sommeil.

Maddy se pétrifia et le scruta, en proie au doute. Devait-elle le réveiller ou pas ? Elle mourait d'envie de le voir, de lui parler, mais peut-être n'en avait-il, lui, aucune envie. Que lui dirait-elle alors ?

« Désolée, je me suis trompée de chambre, je me suis trompée de personne, je me suis trompée d'histoire. »

Elle secoua la tête. Peut-être valait-il mieux qu'elle s'en aille sur la pointe des pieds. Sans doute était-elle en train de commettre une grosse erreur. Et la mère de Zach allait arriver d'un instant à l'autre.

— Maddy ?

Elle sursauta.

— Zach ? balbutia-t-elle d'une voix étranglée. Je ne voulais pas te réveiller.

— Viens près de moi, murmura-t-il.

Le cœur serré, elle se leva et s'approcha.

— Ça va ? demanda-t-elle, tentant de sourire.

Mais ses yeux indiscutablement fatigués, ses traits tirés lui donnaient envie de pleurer.

— Je meurs de soif ! Je n'arrive même pas à parler.

— Je vais aller te chercher de l'eau, dit-elle en se tournant vers la porte.

— Ne pars pas.

— Bon… Veux-tu que je prévienne l'infirmière que tu es réveillé ?

— Plus tard.

— Tu as mal ?

Il secoua la tête, puis tendit le cou pour essayer de regarder autour de lui.

— Vois-tu la sonnette qui sert à appeler l'infirmière ?

— Oui, elle était tombée, expliqua-t-elle en la ramassant. Veux-tu que j'appelle quelqu'un maintenant ?

Il leva les yeux vers elle.

— Non. Que fais-tu ici ?

— J'étais… je…

Elle ne savait pas ce qu'il voulait. D'ailleurs, depuis le début, cette incertitude était le principal problème avec lui. Elle, elle l'avait désiré dès qu'elle avait posé les yeux sur lui mais elle n'avait jamais su vraiment ce que lui souhaitait. Même s'ils étaient parfaitement synchronisés sur le terrain, il lui cachait manifestement quelque chose. Il gardait un côté impénétrable.

— Donne-moi ta main, répéta-t-il.

Elle la lui tendit.

Il la prit et l'examina avec soin, la retournant pour l'inspecter des deux côtés.

Il finit par la lâcher.

— Comment vas-tu ? demanda-t-il en humectant ses lèvres sèches.

— Ça va.

— Non, je vois bien que non. Quelque chose ne va pas. De quoi s'agit-il ? Cela concerne-t-il l'affaire ?

Elle ne répondit pas.

— Quelque chose à propos de Boudreau ? insista-t-il. Ou de Tristan ?

Elle secoua la tête.

— Non, rien de tout cela. Boudreau a été remis en liberté sous caution. L'un des adjoints du shérif l'avait arrêté pour avoir abattu Poirier mais, apparemment, il s'en est bien tiré. Il a été libéré. Son geste a été considéré comme un homicide involontaire.

— Alors c'est toi qui ne vas pas… Qu'y a-t-il Maddy ? Veux-tu me dire quelque chose ? Vas-y, dis-le. Je peux tout entendre. Est-ce au sujet de Poirier ? Que t'a-t-il fait ? Je sais qu'il t'a fait mal.

— Ça va, Zach, dit-elle avant de prendre une profonde inspiration. Il m'a frappée au visage et à l'estomac mais ce n'était rien. Je suis solide.

Zach hocha la tête.

— Oui.

Maddy se sentait perdue. Elle ne se pardonnerait jamais si, après être allée si loin, elle ne parvenait pas à lui dire ce qu'elle avait besoin de lui dire. Pourtant, à cet instant, elle aurait voulu pouvoir disparaître dans un trou de souris. Non, elle devait lui parler. Elle ne supportait pas l'idée de vivre le reste de sa vie sans savoir ce qui aurait pu être.

Tout, même un rejet, était préférable à cette incertitude.

— Zach, j'ai écouté le message que tu m'avais laissé sur ma boîte vocale.

Il fronça les sourcils.

— Mon message ?

— Tu me disais que tu aimerais que je sois avec toi, tu me demandais de te rejoindre.

— Vraiment ?

— Zach, peux-tu me regarder, s'il te plaît ?

Il ouvrit les yeux et se tourna vers elle.

— Eh bien quoi ?

— Zach, pensais-tu ce que tu disais ?

— Je pensais quoi ?

Maddy déglutit. Les larmes lui brûlaient les paupières. Sa gorge la brûlait.

— Tu le sais bien, ce que je pensais.

Il ferma de nouveau les yeux.

— Je suis fatigué, Maddy. Que veux-tu ?

Elle poussa un soupir.

— J'avais juste envie de te dire quelque chose avant de repartir à Washington.

Il resta allongé un long moment, les paupières closes. Mais, alors qu'elle le croyait endormi, il les ouvrit et la regarda.

Ses yeux verts étaient sombres et il serrait les mâchoires.

— Avant de repartir à Washington ? Tu me quittes, Madeleine Tierney ?

Elle tenta de sourire.

— J'ai bien peur d'y être obligée. Mes supérieurs m'ont convoquée pour un débriefing. Ils m'enverront ensuite sur une autre mission, je pense.

— Je comprends. Alors de quoi s'agit-il ?

D'un revers de main, elle essuya les larmes qui ruisselaient sur ses joues.

— Pardon ?

— Que voulais-tu me dire ?

— Je… euh, fit-elle en secouant la tête. Non, je voulais juste te dire… Je voulais te dire…

Sa voix se brisa.

Etait-elle capable de lui avouer la vérité ? Qu'elle n'avait jamais éprouvé ce qu'elle ressentait quand il la regardait avec cette expression vaguement perplexe comme s'il la désirait mais qu'il ne comprenait pas pourquoi ?

Pouvait-il lui en parler ? Au moins partiellement ?

Après un long moment de silence, elle prit une profonde inspiration et se jeta à l'eau.

— Je t'aime, Zach Winter. Je n'ai pas besoin que tu dises ou fasses quoi que ce soit à ce sujet. J'avais juste besoin de te le dire.

Elle essuya ses larmes une fois de plus. Puis elle se leva et s'apprêta à quitter la salle.

— Maddy ?

Elle se tourna vers lui.

— Oui ?

— Viens près de moi.

— Je dois vraiment y aller. J'ai un avion à prendre à La Nouvelle-Orléans.

— S'il te plaît.

Le ton de sa voix était étrange. Elle se pencha vers lui. Des larmes brillaient dans ses yeux émeraude.

— Zach ? Ça ne va pas ? Veux-tu que j'appelle l'infirmière ?

— Oui… Non… Pour que je cesse de souffrir, il n'y a qu'un remède. Tu dois rester avec moi. Si tu t'en vas, mon cœur se brisera, ajouta-t-il avec un sourire.

Maddy en fut totalement déroutée.

— Quoi ? Ton cœur ?

— Donne-moi ta main.

Cette fois, elle n'hésita pas et elle tendit sa main. Il la prit et l'attira à lui.

— Embrasse-moi, Maddy.

Elle obtempéra.

La porte s'ouvrit et une femme entra.

Maddy bondit en arrière et se tourna vers la nouvelle venue. Agée d'une cinquantaine d'années, elle était toute petite mais se déplaçait d'un air régalien. Ses vêtements et son maquillage étaient impeccables. Elle tenait un verre d'eau à la main et ses yeux verts ne laissaient aucun doute sur son lien avec Zach.

Sa mère. Et elle les avait vus s'embrasser. Comme c'était gênant !

— Maman ? s'exclama Zach. Que fais-tu ici ?

— Zach, mon Dieu, regarde-toi ! Tu ressembles à une momie avec tous ces bandages. Je t'en prie, dis-moi que tu vas bien. Sinon, je vais me mettre à pleurer et mon rimmel va couler.

Zach éclata de rire, puis gémit de douleur.

— Ne me fais pas rire, maman, je t'en prie. C'est pour moi, le verre d'eau ? Donne-le-moi, je meurs de soif.

Il le vida d'un trait.

— Merci. Ressers-moi, s'il te plaît.

— Zach ? demanda sa mère en obtempérant. Qui est cette femme ? Une assistante sociale ou…

— Maman, ne mets pas mal à l'aise mes amies.

— Quoi, qu'est-ce que j'ai dit ?

Maddy ouvrit la bouche pour répondre mais la mère de Zach avait déjà tourné les talons.

— C'est Maddy, maman. Elle n'est pas assistante sociale. Elle travaille pour la Sécurité du territoire. Et je vais l'épouser.

Il vida son verre pendant que Maddy et la mère de Zach se dévisageaient, interloquées.

Epilogue

Deux mois plus tard, Sandy se servait un verre de jus de fruits dans la cuisine de sa maison de Bonne-Chance quand le téléphone sonna. Maddy Tierney était au bout du fil.

— Salut, Maddy. Je pensais justement à toi. Comment vas-tu ? Et comment va Zach ?

— Très bien, merci. Mais j'appelais pour prendre de tes nouvelles. Je viens d'essayer de te joindre chez ta belle-mère mais elle m'a dit que tu étais retournée à Bonne-Chance.

Assise devant la table, Sandy caressait son ventre.

— Je ne supportais plus de vivre loin de chez moi. J'ai besoin d'être à la maison. Celle qui fut la maison de Tristan et moi, celle qui sera bientôt la maison du bébé.

— A propos du bébé, sais-tu si tu attends un garçon ou une fille ?

Sandy se mit à rire.

— Un garçon, et un grand garçon, d'après le médecin. Oh ! Maddy, j'aimerais tellement…

— Je sais, dit Maddy. Mais on ne peut rien y faire. Tristan n'est…

Sandy l'interrompit.

— Allons ! Tu ne m'as pas appelée pour m'entendre me plaindre. Je suppose que tu es au courant de ce qui s'est passé ici.

— Non, je n'ai rien entendu de précis.

Sandy n'en était pas sûre. Elle avala une gorgée de jus de fruits puis reprit quand même.

— D'abord, Boudreau n'a pas été jugé et il n'est pas allé en prison non plus. Je ne sais pas très bien ce qui s'est passé mais il est revenu dans sa maison des marais. M. Cho et son fils ont compris que quelque chose n'allait pas à Bonne-Chance et ils sont partis s'installer à Gulfport pour y commercialiser des crevettes. Mais tiens-toi bien, M. Cho est passé me voir avant de partir. Il voulait me présenter des excuses parce que son fils était venu m'observer sous mes fenêtres et qu'il m'avait fait peur. Je t'avais bien dit que je n'avais pas rêvé.

— Mais je t'ai toujours crue, Sandy ! Je te le promets.

— Je sais, je sais. Il y a du nouveau de ton côté ? Quelqu'un a-t-il reconnu officiellement que la mort de Tristan n'avait pas été accidentelle ?

Maddy resta un moment silencieuse.

— L'enquête est en cours. Je ne suis pas dans le secret mais, d'après Zach, les hommes de Poirier qui ont été arrêtés sont en pourparlers avec le juge. S'ils disent pour qui travaillait leur patron, leurs peines seront réduites. Pour le moment, aucun n'a parlé. Par ailleurs, la police mène des investigations auprès de Lee Drilling, la société propriétaire de la plate-forme pétrolière.

— Ce qui signifie que non, pour le moment, personne n'a reconnu officiellement que la mort de Tristan n'avait pas été accidentelle…

— C'est vrai, reconnut Maddy avec un soupir. Mais ne baisse pas les bras.

— Ne t'inquiète pas, répondit Sandy. Par contre, à propos de la société propriétaire de la plate-forme pétrolière, j'ai une bonne nouvelle. Elle m'a accordé une donation importante pour le bébé.

— Lee Drilling t'a offert de l'argent ? C'est génial ! Vernon Lee est l'un des hommes les plus riches du monde.

Il a sans doute cherché à se donner une bonne image avec ce geste, alors j'espère que la somme était importante.

— Enorme, la somme est énorme ! D'ailleurs, je vais faire appel à des avocats pour m'aider à placer cet argent. La compagnie pétrolière m'a envoyé une lettre adorable pour me dire que la mort de Tristan les avait bouleversés et... tout le baratin habituel, ajouta-t-elle, la gorge serrée.

— J'en suis très contente pour toi. Tu n'auras pas de souci à te faire avec le bébé. Tu pourras l'élever convenablement, te voilà à l'abri du besoin. Quel soulagement !

— Oui, répondit Sandy en s'approchant de la fenêtre.

Le soleil s'était couché. Au crépuscule, une vague de tristesse la gagnait toujours.

Elle s'assit sur une chaise, caressa son ventre et poursuivit.

— Vas-tu me dire enfin où tu en es ? Ou faut-il te tirer les vers du nez ?

— De quoi parles-tu ? demanda Maddy.

— Ne fais pas l'innocente. Qu'attends-tu pour me raconter ce qui se passe entre Zach et toi ?

Maddy se mit à rire.

— Je vais bientôt quitter La Nouvelle-Orléans pour m'installer à Fort Meade, dans le Maryland, chez Zach. Il m'a demandé ma main et offert une bague de fiançailles.

— C'est génial ! s'exclama Sandy. Félicitations. Vous êtes faits l'un pour l'autre, cela crève les yeux. A quand le mariage ?

Le bébé lui envoya un coup de pied. Il était agité. Elle se leva pour se poster devant les portes-fenêtres et contempler le jardin.

La veille au soir, elle s'était rendue au débarcadère. Lorsque le soleil avait disparu à l'horizon, elle avait aperçu au loin une silhouette plonger et nager dans l'eau. Elle n'aurait pas su dire s'il s'agissait d'un poisson, d'un dauphin ou d'un être humain. Il avait vite disparu.

— Sandy ?

— Oh ! Excuse-moi, je rêvassais. Je pensais au bébé.

— Comme je te le disais, nous comptons sur toi et sur le bébé à notre mariage.

— Bien sûr ! Je ne raterais cet événement pour rien au monde. Ce sera où et quand ?

— Sandy, tu es sûre que ça va bien ? Je viens de te le dire. Ça va ?

— Oui, oui, je suis distraite, pardonne-moi.

— Je t'en prie. Tu es enceinte, c'est normal. Bon, je dois te laisser. Le livreur de pizzas sonne à la porte. Et Zach ne va pas tarder à rentrer.

— Salue-le pour moi.

Sandy embrassa son amie puis raccrocha.

La nuit était tombée. Il était trop tard pour marcher jusqu'au débarcadère.

Avec un petit sourire triste, elle caressa son ventre en admirant les dernières lueurs du jour qui s'enfuyaient dans l'obscurité.

MALLORY KANE

Jusqu'au bout de l'espoir

Titre original : SECURITY BREACH

Traduction française de CHRISTINE BOYER

83-85, boulevard Vincent-Auriol, 75646 PARIS CEDEX 13.
Service Lectrices — Tél. : 01 45 82 47 47
www.harlequin.fr

1

Murray attacha les cordages de son petit bateau à l'anneau d'amarrage puis sauta sur la jetée. Une nuit particulièrement noire enveloppait les quais. Seul le clapotis des embarcations troublait le pesant silence. Un frisson d'angoisse parcourut Murray et il pressa le pas jusqu'au terrain de camping. Il y avait installé, dans un coin isolé et discret, son camping-car. Il y vivait avec son fils Patrick, qui, vu l'heure, devait déjà être en train de dormir dans la minuscule chambre du véhicule.

Sans bruit, Murray ouvrit la porte. Elle n'était pas verrouillée… Mince ! Il ne cessait pourtant de répéter à Patrick de penser à bien la fermer. Les alentours craignaient un peu, mais son fils, en bon adolescent, semblait s'en ficher.

L'intérieur du camping-car était sombre et silencieux. Murray fit quelques pas jusqu'à la chambre et toqua.

— Patrick ?

Pas de réponse.

Murray insista. En vain.

Aussi ouvrit-il la porte. Mais Patrick n'était pas là, le lit même pas défait.

A la fois inquiet et en colère, Murray composa le numéro du portable de son fils. Pas de réponse.

A peine eut-il raccroché que la sonnerie de son téléphone retentit.

C'était le numéro de son fils.

— Patrick, où es-tu ? demanda-t-il sèchement.

— Murray Cho ?

Ça, ce n'était pas la voix de son fils. Mais une autre, qu'il n'avait aucune envie d'avoir en ligne.

Son cœur s'accéléra dans sa poitrine.

— Où est Patrick ? Si vous lui avez…

— Ecoutez-moi, le coupa l'homme. Nous tenons votre fils. Il est vivant… pour le moment.

— Quoi ? Que signifie « pour le moment » ? Que se passe-t-il ? Je veux lui parler.

— Je vous ai dit d'écouter ! Vous avez fait du bon travail avec l'ordinateur. Maintenant, nous aimerions que vous nous rendiez un autre petit service…

Murray déglutit avec difficulté. L'étau qui l'étouffait depuis quelques semaines venait d'être serré un peu plus. Pourtant, il n'avait rien fait de mal. Jamais. Et il avait toujours travaillé dur : au Viêtnam alors qu'il n'était qu'un enfant, autant qu'aux Etats-Unis quand il avait immigré, à la mort de ses parents. Mais l'Amérique — censée être le pays de tous les possibles, de toutes les opportunités — n'avait pas tenu ses promesses. En tout cas, pas pour un pauvre émigré Viêtnamien. Nourri par le rêve américain, Murray avait cru pouvoir réussir en partant de rien, faire fortune grâce à son travail, à son mérite. Mais la réalité ne s'était pas révélée idyllique, loin de là.

Après bien des déboires, il était parvenu à acheter un bateau pour pêcher des crevettes à Bonne-Chance, une petite ville du bayou dans le sud de la Louisiane. Sans être riche, il gagnait sa vie et il avait ainsi pu se marier et avoir un fils.

Malheureusement, sa femme l'avait quitté alors que Patrick avait à peine cinq ans, le laissant élever seul leur enfant. Pendant des années, le père et le fils avaient réussi tant bien que mal à s'en sortir. Murray avait même pu acheter une usine de transformation de fruits de mer. Mais le sort semblait s'acharner.

A peine Murray avait-il acquis cet entrepôt que des trafiquants d'armes en avaient fait leur QG. Murray avait voulu régler cette affaire lui-même et avait menacé de mort les malfrats. C'était du bluff. Il ne les aurait jamais tués. Il était trop gentil pour cela. Mais l'épisode avait terriblement nuit à sa réputation. D'autant que celle-ci n'était déjà pas très bonne. A Bonne-Chance, ses origines étrangères avaient souvent suscité méfiance et antipathie.

Aussi avait-il décidé de quitter la ville et de s'installer, un peu plus loin, à Gulfport.

Las ! Le passé l'avait rattrapé. Un inconnu à la voix sinistre lui avait téléphoné : s'il ne suivait pas à la lettre ses instructions, Patrick serait tué.

Murray avait donc obéi et était retourné à Bonne-Chance, nuitamment, pour s'introduire dans la maison de Tristan DuChaud et y subtiliser un ordinateur portable.

Après quoi, Murray n'avait plus souhaité qu'une chose : être enfin tranquille et ne plus jamais entendre parler de toute cette affaire.

Manifestement, ces malfrats en avaient décidé autrement. A l'autre bout de la ligne, l'horrible individu reprit ses explications.

— La femme de Tristan DuChaud est revenue vivre dans leur maison… toute seule. Mon patron trouve ce retour bizarre. Il se demande pourquoi elle n'est pas restée à Bâton-Rouge chez sa belle-mère. D'ailleurs, que pouvez-vous me dire au sujet de Tristan DuChaud ?

La peur autant que l'incompréhension gagnèrent Murray.

— DuChaud ? bredouilla-t-il. Mais il est mort il y a deux mois !

— Vraiment ? répliqua son interlocuteur. Qu'en savez-vous ?

— Je suis allé à… l'enterrement. Je vous en prie, laissez-moi parler à Patrick.

— Nous allons passer un marché, vous et moi. Vous m'apportez la preuve que DuChaud est vivant et je ne tuerai pas votre fils.

Les mots de l'homme terrifièrent Murray.

— Non, je vous en supplie ! Je ferai tout ce que vous voulez mais, par pitié, ne faites pas de mal à mon fils.

Au bout du fil, le type poussa un soupir.

— Allons, Cho ! Vous croyez vraiment que je vais avoir pitié de vous ? J'ai reçu des ordres de mon patron. Il a des doutes, il pense que, malgré les apparences, DuChaud n'est peut-être pas mort. Et si ce gars est en vie, il peut lui créer des ennuis, de gros ennuis. Voilà pourquoi il veut des preuves. Et j'ai intérêt à les lui apporter parce que mon patron n'est pas du genre à plaisanter, si vous voyez ce que je veux dire. J'ai fait appel à vous parce que tout le monde vous connaît dans le coin. Personne ne s'étonnera de vous voir traîner près du débarcadère ou de la maison des DuChaud.

— Je… Je ne comprends pas.

— Ecoutez, nous ne sommes pas des gens méchants. Nous n'avons pas particulièrement envie de vous faire du mal, à vous ou à votre fils. Mais dans cette histoire, nous risquons des problèmes, de sérieux problèmes. Vous avez un fils et voilà pourquoi je vous ai choisi, vous. Comme tout père digne de ce nom, vous voulez sauver la vie de votre enfant. Vous êtes donc motivé. Vous ferez ce que nous vous demandons. Si DuChaud est vivant, vous allez nous en apporter la preuve. S'il est mort… Cela sera plus difficile à prouver, je vous le concède.

— Qui est votre patron ?

— Vous vous doutez bien que je ne peux pas vous répondre. Contentez-vous de faire ce que je vous dis sans poser de questions.

Murray secoua la tête, hébété. Il n'avait pas le choix. La vie de Patrick était en jeu.

— Nous prendrons soin de votre fils aussi longtemps que possible. Ne vous préoccupez pas de lui mais efforcez-vous de me donner ce que j'attends de vous.

Sauf que cela n'avait aucun sens ! s'alarma Murray.

— Il vous faut des preuves que Tristan DuChaud est vivant, balbutia-t-il. Mais il est mort ! Ils l'ont enterré. J'y étais. Comment pourrais-je prouver qu'il est vivant puisqu'il est mort ?

— Ecoutez, Cho. Si vous commencez à discuter, à ergoter sur tout, vous n'allez pas sauver votre fils mais le mettre en grand danger. Vous avez intérêt à passer à l'action et vite. Et si vous commettez l'erreur d'aller trouver la police, votre gosse le paiera de sa vie, je pèse mes mots. Nous surveillons vos faits et gestes, n'en doutez pas.

Puis la ligne fut coupée. Son correspondant avait raccroché.

Murray considéra l'écran de son téléphone portable tandis que la voix de l'homme tournait en boucle dans sa tête.

« Vous nous apportez une preuve que DuChaud est en vie… et nous ne tuerons pas votre fils. »

Il devait faire quelque chose. Il lui fallait sauver Patrick, l'arracher aux griffes de ses ravisseurs. Mais comment ? Comment pouvait-il prouver qu'un mort était en réalité vivant ?

C'était au crépuscule que Tristan lui manquait le plus. Les dernières lueurs qui suivaient la disparition du soleil plongeaient automatiquement Sandy dans une profonde tristesse et une sourde angoisse.

Elle avait toujours préféré l'aurore, le début de la journée. L'aube était une promesse, chaque matin lui redonnait de l'espoir. Autrefois, elle adorait tirer Tristan du lit, lui tendre un bol de café et contempler avec lui le lever du soleil. Alors que lui aimait l'emmener se promener dans les marais à la tombée de la nuit. Avec son mari à ses côtés, elle apprenait à apprécier ce moment de la journée, à oublier le cafard provoqué par la victoire de l'obscurité sur la lumière.

Mais Tristan était mort, désormais, et même le lever du soleil ne lui remontait pas le moral.

— Sais-tu quel jour on est ? demanda Sandy à son enfant à venir en caressant son ventre. Non ? Petit bébé, tu devrais. Voilà deux mois aujourd'hui que ton papa est mort…

Sa voix se brisa et elle laissa échapper un sanglot étranglé.

— Allons, ce n'est pas le moment de flancher, poursuivit-elle. Je dois défaire les valises.

La veille, en fin d'après-midi, elle était revenue dans leur maison, à la périphérie de Bonne-Chance, pour la première fois depuis l'enterrement de Tristan. Perdue aux confins du bayou, la belle demeure lui avait paru lugubre, vide et silencieuse. Elle s'y sentait seule.

En y entrant, elle avait été submergée par le chagrin et la tristesse. Tristan n'était pas là et ne le serait jamais plus. Elle ne se réchaufferait plus jamais à son sourire, elle ne se blottirait plus dans ses bras Le cœur lourd, elle s'était postée à la fenêtre. Les vieux cyprès plantés au fond du jardin étaient magnifiques, tout comme les lauriers-roses. Le faible bruit du ressac et le claquement des éoliennes qui tournoyaient au loin l'avaient rassurée, réconfortée. Et, peu à peu, elle avait éprouvé un profond apaisement. Une sérénité intérieure s'était emparée d'elle.

Voilà pourquoi elle avait voulu retourner à Bonne-Chance, dans leur maison. Pour y renouer avec tous les souvenirs, bons ou mauvais, qui y étaient attachés. Au milieu de la nature, au cœur du bayou, elle retrouvait presque le rire de Tristan. Depuis toujours, il avait sur elle le même effet que le soleil.

Prenant une grande inspiration, elle ouvrit les portes-fenêtres et sortit au jardin. Dans le sud de la Louisiane, il faisait rarement frais au mois de juin. Certes, il était fréquent qu'un violent orage déclenche un petit vent frisquet. Mais tous ceux qui vivaient dans la région le savaient : les températures y étaient plus souvent caniculaires que polaires.

Même en hiver, le froid n'était jamais mordant. Il ne bleutait pas la peau. D'ailleurs, dans le sud des Etats-Unis, les vrais hivers étaient exceptionnels, à tel point qu'il n'y avait ni saleuses ni infrastructures *ad hoc*. Aussi, quand cela arrivait malgré tout, les autoroutes étaient fermées et toute la région était paralysée.

Sandy appréciait bien plus l'été : les soirées sous la véranda, le ronronnement des gros ventilateurs, la saveur sucrée des pastèques, les conversations anodines en sirotant du thé glacé.

Elle leva la tête, offrant son visage à la légère brise du soir, et ferma les yeux, savourant l'instant. Quand elle les rouvrit, le ciel ressemblait à une palette de roses, de jaunes, d'orangés.

— C'est vrai, le coucher de soleil au milieu des marais est un très beau spectacle, reconnut-elle à contrecœur. Je te l'accorde, bébé. Et j'avais envie de retourner marcher dans le bayou. Mais il est trop tard maintenant, le soleil est couché et, si nous allions jusqu'au ponton, il ferait nuit noire à notre retour. Je ne vais pas risquer de tomber et de m'embourber dans les marécages.

La veille, en arrivant, elle était allée se promener dans les marais. Pourquoi ? Elle n'en savait trop rien. Peut-être dans l'espoir de sentir la présence de Tristan. Autrefois, il passait des heures sur le vieux débarcadère. Il y avait joué tout au long de son enfance, quand il n'était pas chez

Boudreau. Le vieux Cajun était un ami, un père, pour lui, et Tristan allait souvent se réfugier dans sa cabane sur pilotis.

Sandy soupira. Son mari avait toujours aimé nager dans le golfe du Mexique au crépuscule. Un jour, il lui avait fait remarquer que lorsque le soleil déclinait à l'horizon, tout se calmait alentour. Le vent tombait, les oiseaux et les animaux se taisaient et les eaux du golfe devenaient lisses comme du verre : la nature entière retenait son souffle et ne faisait plus de bruit, semblant respecter les vêpres.

Par association d'idées, Sandy se remémora la silhouette sombre qu'elle avait vue dans l'eau, près du débarcadère, la veille au soir. Elle était en train de contempler le coucher de soleil quand une petite tête avait soudain surnagé entre les vagues. Peut-être s'agissait-il d'un dauphin.

Mais plus elle y repensait, plus cela lui évoquait un humain.

Le ciel s'assombrissant, Sandy décida de revenir vers la maison. Cependant, au bout de quelques mètres, un faible murmure l'arrêta. Comme si des gens discutaient.

Elle se figea, tendit l'oreille.

Certainement perturbé par son angoisse, le bébé donna un petit coup de pied. Sandy se tapota le ventre de façon rassurante.

Les bruits se répétèrent. Il ne s'agissait pas de voix, en fait. Mais du bruissement des feuilles dans les arbres, du craquement de brindilles. Quelqu'un de gros, d'imposant, peut-être un animal, se déplaçait dans les marais.

Mais qui ou quoi, exactement ?

Il semblait en tout cas très proche.

Sandy frissonna. Beaucoup d'animaux sauvages peuplaient le bayou et certains étaient très grands comme les alligators ou les ours. Mais elle avait vécu dans les marécages toute sa vie. Ce n'était pas la perspective de croiser une bête qui la faisait trembler. Plutôt le souvenir de la silhouette sombre qui se déplaçait gracieusement dans les eaux du golfe. S'agissait-il d'une personne ? Mais alors qui ?

Qui viendrait nager au crépuscule dans les marécages comme le faisait Tristan autrefois ? Non. Elle devait cesser de voir son mari partout, arrêter de rêver son ombre chaque fois que le vent soulevait les rideaux ou que des vagues venaient lécher le rivage.

Il n'y avait rien de fantomatique dans l'enchevêtrement d'arbres, de broussailles, de plantes grimpantes et de roseaux du bayou. Tout était bien réel et rien n'indiquait que quelqu'un s'était introduit sur la propriété des DuChaud. Leur maison se trouvait en périphérie de Bonne-Chance, à une dizaine de kilomètres de la ville.

Tout le monde alentour connaissait la magnifique demeure, bâtie autrefois par le grand-père de Tristan, mais la route se muait en chemin de terre en approchant des marais. Accidenté et parsemé de nids-de-poule, il ne donnait pas envie aux conducteurs de passage de l'emprunter.

Un bruit différent des précédents rompit le silence de ce début de soirée, un bruit faible mais reconnaissable. Des craquements de pas sur un tapis de brindilles.

Celui qui s'avançait ne cherchait pas à passer inaperçu, songea Sandy. Elle fit prestement demi-tour, s'éloignant des marais pour rejoindre en vitesse la maison, les deux mains sur son ventre dans un geste protecteur. Comme si elle avait le diable à ses trousses, elle entra en courant par les portes-fenêtres ouvertes. Elle les referma précipitamment et les verrouilla avec soin, puis brancha le système d'alarme.

Le cœur battant, elle poussa alors un soupir de soulagement.

— Désolée, bébé. Je sais que cela paraît idiot mais je me suis fait peur.

Tout à coup, ses yeux se remplirent de larmes. Elle battit

furieusement des paupières pour tenter de les refouler mais elles jaillirent et se mirent à rouler sur ses joues.

— Bon sang, je ne vais pas commencer à avoir peur chez moi !

Elle soupira de nouveau.

— Que cela me plaise ou pas, toi et moi, bébé, nous sommes seuls ici. Nous devons être prudents. Et puis, personne n'est censé traîner dans le coin. Il s'agit de notre débarcadère. Enfin, celui de ton papa…

Sa voix se brisa momentanément.

— Oh ! Tristan ! J'ai tellement besoin de toi. J'essaie d'apprendre à vivre sans toi, de continuer, mais c'est difficile. Pourquoi es-tu toujours là ?

Elle se frappa le front et la poitrine.

— Tu es là, dans ma tête et dans mon cœur. Tu ne pourrais pas t'effacer un peu ?

Un sanglot remonta dans sa gorge. Elle serra les dents, espérant maîtriser son désarroi. Elle refusait de pleurer. Plus elle sombrait dans le désespoir, plus elle bouleversait *in utero* son bébé.

Pendant toutes les années où elle avait été mariée à Tristan, pendant toutes les années où elle l'avait connu avant de l'épouser, au cours de toute son existence ou presque, elle n'avait jamais eu peur de rien. Désormais, un simple bruit de pas lui donnait la chair de poule.

— Ne t'inquiète pas, bébé. Je ne suis pas en train de devenir une trouillarde. Je suis revenue ici pour trouver la paix, et aucun alligator, aucun braconnier ne me chassera de chez moi.

Ses paroles courageuses la réconfortèrent et elle commença à se détendre. Dieu qu'elle était fatiguée !

Etouffant un bâillement, elle s'assura que le système de sécurité était correctement branché, que portes et fenêtres étaient bien fermées puis elle regagna la chambre principale.

Comme elle passait devant la porte fermée de son ancien bureau, transformé depuis en nurserie, elle réalisa qu'elle n'avait pas lu ses mails depuis la veille.

Elle rentra donc dans la pièce et alluma la lumière.

Bizarre ! Son ordinateur portable n'était plus à sa place habituelle. Par automatisme, elle promena les yeux dans la chambre comme si l'appareil avait été déplacé pendant le temps où elle se trouvait à Bâton-Rouge, chez sa belle-mère.

Mais par qui ? Et quand ?

Imaginer quelqu'un s'introduisant chez elle pendant son absence la fit frissonner.

Non, se dit-elle. *Ne commence pas à paniquer. Réfléchis rationnellement à tous ceux qui pouvaient entrer ici. Pourquoi auraient-ils pris ton ordinateur ?*

Maddy Tierney ou Zach Winter ? Pourquoi pas ? Mais ils lui en auraient parlé, non ?

Les policiers alors ? Ils seraient venus enquêter sur la scène de crime ? Sauf que les preuves de l'enlèvement de Maddy par le capitaine de la Pleiades Seagull se trouvaient dans la chambre principale, pas dans la nurserie. Et pourquoi auraient-ils eu besoin de son ordinateur portable ?

Mais s'il ne s'agissait pas d'eux, alors… de qui ?

Une pensée la traversa soudain, une pensée qui fit battre son cœur plus vite.

Et si c'était Tristan ? Et s'il était dans le coin, s'il se cachait et s'il avait eu besoin de cet ordinateur ?

— Arrête ! s'écria-t-elle. Tu ne peux pas imaginer que Tristan est toujours en vie chaque fois qu'il se produit quelque chose de curieux ou d'inexplicable. Il est mort et rien ni personne ne le ramènera à la vie !

Secouant la tête, elle s'obligea à en chasser ces pensées stupides. Elle devait cesser de croire à ces balivernes. Que Tristan était quelque part, vivant et blessé, attendant qu'elle le retrouve.

Elle devait oublier les circonstances bizarres dans lesquelles il était mort. Tout oublier sauf la triste réalité. Il était tombé de la plate-forme pétrolière Pleiades Seagull et il s'était noyé dans les eaux du golfe du Mexique, des eaux infestées de requins. Il n'avait jamais réapparu. Il n'avait jamais donné signe de vie. Cela prouvait qu'il était vraiment mort. S'il était encore en vie, il aurait remué ciel et terre pour la rejoindre. Tristan n'aurait jamais laissé sa femme chérie le croire mort s'il était vivant, en réalité.

Elle s'ordonna d'arrêter de penser à Tristan et de se mettre plutôt à la recherche de son ordinateur.

Pour cela, elle devait interroger Maddy et Zach. Peut-être avaient-ils emporté l'appareil pour étudier son disque dur ou les cartes mémoire.

Il était possible que la Sécurité du territoire ou la NSA en aient eu besoin pour y trouver des preuves, dans le cadre de leurs enquêtes. C'était possible, oui. Sauf qu'il s'agissait de son ordinateur personnel et non de celui de Tristan : il ne contenait rien qui soit susceptible d'intéresser quiconque, à l'exception d'elle-même.

Elle consulta sa montre. Il était 22 heures, donc 23 heures dans le Maryland. Elle hésita un instant mais finit par sortir son téléphone portable. Maddy lui avait dit de l'appeler n'importe quand si elle avait besoin de quelque chose.

Lorsque son amie répondit, elle lui lança tout de go.

— Maddy… Est-ce que, Zach ou toi, vous avez pris mon ordinateur portable ?

— Quoi ? Sandy, c'est bien toi ? Tout va bien ?

— Oui, oui, je vais bien. L'un de vous a-t-il pris mon ordinateur portable ou sais-tu si quelqu'un d'autre en aurait eu besoin ?

— Il n'est pas chez toi ?

— Non. Je le laissais sur le bureau de la nurserie. Toujours. Et il n'y est plus.

— Non, nous ne l'avons pas pris. Après ton départ, nous

l'avions emprunté et nous avions examiné ses dossiers. Souviens-toi, tu nous avais donné le mot de passe. Nous y cherchions quelque chose qui pourrait être relié à la mort de Tristan ou aux trafics d'armes. Mais, en partant, nous l'avions laissé dans la nurserie. J'en suis absolument certaine.

Maddy s'interrompit un moment, puis reprit.

— Tu crois que quelqu'un s'est introduit chez toi durant ton absence ?

Le ventre de Sandy se noua, ce qui réveilla le bébé. Il se mit à gigoter.

— Non, je ne le pense pas. La nurserie est la seule pièce dans laquelle je n'étais pas entrée depuis mon retour. Es-tu sûre que l'ordinateur s'y trouvait quand Zach et toi, vous avez quitté la maison ?

— Sûre et certaine, répondit Maddy. Tu as posé la question aux techniciens des scènes de crime et au shérif ?

— Non, je voulais t'appeler en premier.

— Bon, tu devrais les interroger. S'ils l'ont pris, ils auraient dû t'en informer, te laisser un papier en garantie. Mais il est possible qu'ils aient oublié de le faire.

— Cet appareil a donc disparu après votre départ.

Sandy s'interrompit, réfléchit.

— Attends ! Maintenant que j'y pense, je me souviens que l'alarme n'était pas branchée hier quand je suis revenue à la maison.

— Donc, quelle que soit la personne qui a pris cet ordinateur, elle avait débranché le système d'alarme. Est-ce que beaucoup de gens connaissent le code d'activation ?

Sandy secoua la tête.

— Uniquement Tristan et moi.

— Il est possible que les techniciens de scènes de crime n'aient pas su le brancher et n'aient pas pris conscience que tu n'habitais plus là.

— En tout cas, quelqu'un s'est introduit chez moi en mon absence…

— Ecoute-moi, Sandy. Ce n'est sans doute rien du tout mais, par sécurité, tu devrais peut-être aller en ville et t'installer quelque temps à l'hôtel. Ou retourner à Bâton-Rouge.

— Non, répondit Sandy. Il s'agit sans doute d'une plaisanterie de gamin.

— Attends un instant.

A l'autre bout de la ligne, Maddy parla à Zach. Puis soudain le téléphone devint silencieux. Maddy avait dû mettre la main sur l'appareil pour lui interdire d'écouter leur conversation. Cela n'avait pas d'importance ; Sandy savait ce qu'ils étaient en train de se dire. Ils discutaient pour décider s'il était ou non dangereux qu'elle reste à Bonne-Chance.

— Maddy, murmura-t-elle. Dépêche-toi !

Finalement, Maddy reprit le combiné.

— Sandy, s'il se passe quoi que ce soit, appelle-nous, d'accord ? Nous ne travaillons plus sur cette affaire mais l'enquête n'est pas close. Il est donc possible pour la NSA ou pour la Sécurité du territoire de la réactiver à tout moment.

Sandy n'y croyait pas un instant. La NSA comme la Sécurité du territoire avaient sûrement fini d'enquêter à Bonne-Chance, à propos des trafiquants d'armes et de la mort de Tristan.

— Pourquoi feraient-ils une chose pareille ?

Maddy hésita… Pas longtemps mais cela suffit à Sandy pour le remarquer.

— Maddy ? Tu m'avais dit que tous les trafiquants avaient été arrêtés et que le capitaine avait été tué par Boudreau. Je pensais que l'affaire était classée.

— Nous ne sommes pas autorisés à discuter de tous les

éléments du dossier. D'ailleurs, nous ne sommes même pas censés les connaître.

— Mais vous êtes au courant ! Je savais que, Zach et toi, vous ne me disiez pas tout. Il y a des choses que vous m'avez cachées !

— Ne commence pas, Sandy.

— Maddy, je te jure que je t'étranglerai de mes propres mains si tu ne me dis pas tout ce que tu sais à propos de la mort de Tristan.

— Attends un instant.

— Non ! Reviens.

Mais Maddy était partie.

Sandy attendit, rongeant son frein, et, après un petit moment, Maddy reprit le combiné.

— Sandy, écoute-moi très attentivement parce que je ne pourrais pas répéter ce que je vais te dire. Il est possible — juste possible — que la mort de ton mari n'ait pas été accidentelle.

Sandy s'assit. Elle se sentait faible, soudain.

— Quoi ? Zach avait donc raison ? Que s'est-il passé ? Est-ce qu'il y a de nouvelles preuves ?

Maddy souffla lourdement.

— Nous avons passé une semaine chez toi en cherchant des réponses à toutes les questions que nous nous posions sur Tristan et, finalement, nous n'avons rien trouvé, rien de certain. Mais nous sommes parvenus à la conclusion que sa mort est suspecte.

Maddy s'interrompit un instant, comme mal à l'aise, puis reprit.

— A présent, la Sécurité du territoire a mis des écoutes partout, elle travaille en collaboration avec les gardes-côtes pour multiplier les inspections sur les plates-formes pétrolières du golfe. Ils craignent manifestement qu'un autre groupe planifie quelque chose. Bonne-Chance est sans doute l'une des villes les moins peuplées et les plus discrètes de la côte. Il n'y a même pas de réverbères, sauf dans la rue principale.

— Je sais. D'ici, nous pouvons à peine voir les lumières de la ville par nuit claire.

— Les contrebandiers travaillent dans l'isolement et la discrétion, conditions parfaites pour cacher leurs trafics.

— Maddy, tu dois m'expliquer pourquoi Zach…

— Sandy ! Qu'est-ce que je viens de te dire ?

— Que tu sais beaucoup de choses que tu garderas pour toi. Très bien. Je te tiendrai au courant s'il se passe quelque chose. Dans l'hypothèse où je serais encore capable de te passer un coup de fil.

Sandy se montrait sarcastique mais Maddy venait de lui assener une horrible vérité tout en refusant de lui donner la moindre explication à ce sujet.

Son mari avait sans doute été assassiné.

— Sandy, appelle le shérif et demande-lui de venir relever les empreintes sur le bureau. C'est encore le meilleur moyen de découvrir qui a pris cet ordinateur.

— A condition que le voleur ait laissé ses empreintes. Et il est probable qu'il portait des gants. C'est le B-A, BA, non ?

— Appelle le shérif.

— Maddy, je n'ai pas envie que des étrangers viennent chez moi. Je viens de rentrer à la maison. J'aspire à y être en paix avec le bébé. Nous avons beaucoup à faire, lui et moi. Il n'y a pas de raisons que le voleur ait laissé ses empreintes.

— C'est important, Sandy. Je suis en formation toute la semaine, mais ensuite je prendrai quelques jours de congé et je t'appellerai.

— D'accord, je vais lui passer un coup de fil. Maintenant, pourrions-nous parler d'autre chose ?

— Bien sûr ! Comment vas-tu ? Et comment se porte le bébé ?

— Nous allons tous les deux très bien.

— Le médecin a-t-il confirmé que tu attendais un garçon ?

— En général, les médecins n'aiment pas trop se mouiller, mais là, il semblait sûr de lui. Tu sais, ajouta-t-elle avec un petit sourire triste, Tristan était certain que nous aurions un fils. Il le croyait vraiment.

— Oh ! Ma pauvre chérie.

Sandy se força à rire.

— Je sais. Ne t'inquiète pas, je vais bien.

— As-tu pensé à un prénom ?

— Non, pas encore.

— Tu es donc revenue à Bonne-Chance. Vas-tu y rester jusqu'au bout de ta grossesse ?

— J'en ai l'intention, oui. Mais je retournerai sans doute à Bâton-Rouge quand la date de l'accouchement approchera. Ce sera plus simple. La mère de Tristan pourra m'aider.

Maddy acquiesça et débita en faveur de cette solution un flot d'arguments que Sandy eut du mal à suivre. Elle interrompit la discussion dès que possible et remercia son amie.

— N'oublie pas d'appeler le shérif ! répéta Maddy.

Sandy promit, puis raccrocha avec un soupir.

— Et toi, bébé, qu'en penses-tu ? Est-ce que c'est vraiment indispensable d'appeler le shérif pour lui parler de l'ordinateur ? Moi, je ne crois pas. Par contre, j'irai trouver Boudreau demain pour l'informer de mon retour. Peut-être qu'il a vu quelqu'un sur la propriété.

Avec un sourire, elle caressa son ventre.

— Cela dit, tel que je le connais, si Boudreau a vu quelqu'un entrer dans la maison de Tristan en mon absence, il l'a certainement transformé en passoire.

2

Tristan se réveilla détendu. Le soleil matinal brillait au-dessus de son lit et il s'étira en bâillant. L'air embaumait le gardénia. Sa femme adorait ces fragrances exotiques. *Sandy*. Elle avait toujours été ravissante mais, depuis qu'elle était enceinte, elle embellissait encore.

A moitié endormi, il se tourna vers elle.

Une crampe à sa jambe droite le ramena aussitôt à la triste réalité.

Il n'était pas chez lui avec son épouse mais allongé sur un lit de camp dans la cabane sur pilotis de Boudreau. Depuis que son vieil ami cajun lui avait sauvé la vie, Tristan vivait chez lui, au milieu des marécages.

Une image du requin surgissant dans les eaux sombres du golfe du Mexique remonta à sa mémoire tandis qu'une sourde douleur parcourait son mollet, là où le muscle avait été arraché par les dents pointues de l'animal.

Serrant les mâchoires, Tristan poussa un gémissement silencieux et s'obligea à détendre sa jambe. Il avait appris à la masser et à l'étirer dès que survenait une crampe, pour rendre la souffrance supportable.

La douleur finit par s'estomper mais le soulagement de Tristan ne fut que physique. Depuis qu'il était sorti du coma, il se sentait très fatigué et déprimé. Comme si un grand vide intérieur l'habitait. Peut-être parce qu'il était censé être mort. En tout cas, pour sa famille comme pour les habitants de Bonne-Chance, sa ville natale de Louisiane, il n'avait pas survécu.

Même s'il l'avait voulu, il n'aurait pu annoncer la vérité à ses proches. D'après Boudreau, il avait passé près de deux semaines inconscient et lorsqu'il avait enfin recouvré ses esprits, il était trop faible pour se lever et faire quelques pas.

Depuis lors, il se forçait à marcher quotidiennement, s'obligeant à faire abstraction des terribles douleurs dont il était la proie. Sa jambe mutilée refonctionnerait-elle un jour ? Il ne parvenait pas à imaginer comment, mais il était déterminé à y arriver.

Chaque jour, il remerciait Dieu de lui avoir laissé la vie sauve. Depuis deux mois, il avait bénéficié de plusieurs miracles mais son salut était évidemment le plus important.

Cependant, il avait besoin d'un autre miracle. Il lui fallait trouver la force de traverser les marais pour se rendre jusqu'à chez lui, jusqu'à la maison qui avait abrité trois générations de DuChaud. Bien sûr, chaque fois qu'il rêvassait à ce sujet, il imaginait sa belle Sandy en train de l'y attendre. Elle se précipiterait vers lui, se jetterait à son cou, folle de joie en comprenant qu'il avait survécu, qu'il était toujours en vie.

Alors il la prendrait dans ses bras et l'étreindrait avec force, son ventre rebondi entre eux deux. Elle nouerait ses doigts aux siens et les poserait sur son nombril pour qu'il puisse sentir leur bébé bouger.

Mais Sandy n'était pas là. Elle était à Bâton-Rouge, chez la mère de Tristan, Dieu merci.

Dieu merci pour plusieurs raisons. D'abord, même si la revoir était de loin son rêve le plus doux, Sandy n'était pas sa motivation première à se rétablir au plus vite. Il tenait d'abord et avant tout à démasquer et à remettre à la justice l'homme qui avait commandité son meurtre, ordonné sa mort.

Et pour y parvenir, il avait besoin de récupérer un élément crucial. En tout cas, il l'espérait déterminant. Mais il devait remettre la main dessus et il se trouvait dans la maison.

De plus, même si Sandy lui manquait terriblement, mieux valait qu'elle reste le plus longtemps possible loin de Bonne-Chance. Au moins jusqu'à ce qu'il ait réussi à retrouver la trace de celui qui avait tenté de l'assassiner. A Bâton-Rouge, elle était en sécurité.

Pendant qu'il rêvait, songeant à Sandy et à leur bébé, le soleil s'était levé dans le ciel et il inondait désormais la pièce. Il était temps de bouger. Tristan se pencha et ramassa la canne que Boudreau lui avait taillée dans une branche de cyprès.

Il prit une profonde inspiration pour se donner des forces puis, lentement, il se mit sur son séant et il posa les pieds sur le sol. Enfiler ses chaussures était une épreuve douloureuse mais s'extraire du lit pire encore.

Se servant de sa canne pour prendre appui, il se leva. Il chercha son équilibre, s'arrangeant pour faire supporter son poids sur sa jambe gauche, la plus valide. Il grimaça, anticipant la douleur.

Comme il fallait s'y attendre, elle s'abattit sur lui. Une indicible souffrance. Il accentua son emprise sur la canne, les dents serrées. Dehors, le soleil jouait dans les feuilles des arbres et envoyait des ombres danser sur le sol.

Tristan laissa ses rayons le caresser, lui donner un regain d'énergie. Il s'efforçait de garder l'esprit clair et ouvert, essayant surtout de se réjouir d'être en vie.

S'il tentait de toutes ses forces d'être heureux d'avoir survécu et d'envisager l'avenir avec optimisme, le cauchemar de son combat contre la mort revenait régulièrement le tourmenter. Il ne parvenait pas à effacer de sa mémoire le souvenir de sa chute dans les eaux sombres entourant la plate-forme pétrolière.

Il revivait chacun de ces moments terrifiants, il se rappelait l'eau salée qui envahissait sa bouche, son nez, le froid qui paralysait ses muscles.

Il avait été incapable de réagir aux morsures des requins qui l'encerclaient jusqu'au moment où il avait ouvert les yeux et vu le sang partout, tournoyant autour de lui. Son sang.

Il prit une profonde inspiration pour que l'air frais chasse ses horribles souvenirs. Il commençait à apprécier les petites joies simples de l'existence. Le simple fait de respirer, par exemple, lui faisait du bien. Un sourire désabusé passa sur ses lèvres tandis qu'il s'approchait du banc de bois que Boudreau avait construit sous un vieux cyprès.

Il ne s'y assit pas parce qu'il lui faudrait alors se relever. Au lieu de quoi, il y appuya sa canne et contempla l'animation matinale. Les oiseaux avaient envahi la cour, picorant le sol à la recherche de graines, de noix ou d'insectes.

Boudreau avait une chèvre attachée à un arbre. La corde qui la retenait était très longue afin qu'elle puisse se promener en quasi-liberté. Tristan se souvint vaguement avoir bu du lait alors qu'il luttait contre la mort.

Comme le calme de l'aube laissait la place à l'agitation habituelle de la journée dans le bayou, Tristan prit une décision. Il ne devait plus perdre du temps à se reposer et à récupérer. Il lui fallait comprendre pourquoi on avait voulu le tuer. Cela devenait urgent. Pour commencer, il allait parcourir un kilomètre, se rendre au débarcadère et revenir. Il était motivé, prêt à marcher aussi longtemps.

Boudreau apparut alors, portant un seau d'eau qu'il était allé chercher à une source cachée dans les marais. Tristan lui annonça ses plans.

Mais son vieil ami secoua la tête.

— Tu penses vraiment pouvoir marcher jusque là-bas ? Non, tu n'es pas encore assez rétabli. Puisque tu as envie de te rendre utile, j'ai mieux à te proposer. Emporte donc tes draps à la source et lave-les. Prends le savon de Marseille, il ne pollue pas l'eau.

Il passa devant Tristan pour entrer dans la maison et revint un instant plus tard, avec le seau vide.

— Et après ta lessive, rapporte de l'eau fraîche. A ton retour, nous verrons dans quel état tu es, comment tu te sens et si tu es apte à marcher.

— Boudreau..., soupira Tristan. Vous m'avez sauvé la vie. Si vous n'aviez pas été pêcher ce matin-là et si vous n'aviez pas soigné ma jambe et jugulé l'hémorragie, je serais mort à l'heure qu'il est. Je vous dois tout et j'ai trop de respect pour vous pour discuter vos propos mais je ne peux pas rester au lit plus longtemps. Je dois m'endurcir, muscler ma jambe le plus possible, même si je sais qu'elle ne remarchera jamais comme avant.

A cette idée, il s'interrompit un instant, puis reprit.

— Il y aura beaucoup de choses que je ne pourrai plus faire. Mais je refuse de me laisser aller au point de devenir infirme, totalement inutile.

— Fiston, il ne s'agit pas de te laisser aller mais de te rétablir. Tu reviens de loin et tu es encore en convalescence. Prends le temps de recouvrer pleinement ta santé. Si tu tires trop sur la corde alors que ton corps n'a pas récupéré ses forces, tu vas te retrouver cassé en deux. Comprends-tu ?

Tristan ne put cacher son amertume.

— Je ne retrouverai jamais ma santé, vous le savez aussi bien que moi. Avec un mollet en moins, je suis condamné à boiter tout le reste de ma vie, non ? A quoi bon imaginer autre chose ?

Boudreau l'observa un moment.

— Et si, par exemple, tu imaginais ta jolie petite femme chez toi, en train de te pleurer ? Cela te motiverait davantage ?

— Quoi ? Sandy est rentrée ? Elle est ici ?

Bouleversé, il se tourna dans la direction de sa maison. Quelque chose que Boudreau lui avait dit lui revint à la mémoire.

Le vieux Cajun avait vu Murray Cho entrer chez lui après avoir coupé le système d'alarme et en ressortir un peu plus tard avec l'ordinateur de Sandy sous le bras.

Tristan en avait été étonné. Il n'avait jamais considéré Murray Cho comme un voleur.

— Pourquoi a-t-elle décidé de retourner chez nous ? cria-t-il. C'est de la folie ! Murray pourrait revenir. Il pense qu'elle est partie et si elle le surprend…

— A quoi bon te mettre martel en tête, fiston ? Calme-toi. Tu n'es pas maître des événements, alors contente-toi de t'y préparer, d'être prêt, lui conseilla Boudreau avec sagesse. Et pourquoi crois-tu que ta femme ne sera pas en sécurité chez vous ? Tu estimais bien qu'elle l'était quand tu la laissais seule pour aller travailler sur la plate-forme pétrolière.

Tristan songea à Sandy qui l'attendait alors, semaine après semaine. A l'époque, ils ne vivaient en couple qu'à temps partiel. Désormais, elle était tout près, à quelques centaines de mètres de lui.

Il avait envie de courir la retrouver, de se jeter sur elle et de l'embrasser jusqu'au moment où ils seraient tous deux pantelants de désir. Il voulait savoir si son ventre avait grossi, y poser les mains et sentir leur bébé bouger — leur fils, il en était certain.

Mais il avait peur. Non seulement, il ne voulait pas se montrer à elle alors qu'il était affaibli, mais surtout, il n'était pas question de prendre le risque qu'elle en parle à quelqu'un, à sa meilleure amie ou à l'un de leurs copains de Bonne-Chance.

— Je n'avais pas le choix, Boudreau. En plus, je ne savais pas qu'ils voulaient me tuer. S'ils découvrent que je suis toujours en vie, rien ne les empêchera de repasser à l'attaque en s'arrangeant cette fois pour ne pas me rater.

— Mais qui sont-ils ? Le capitaine est mort et tous ceux qui travaillaient sur la plate-forme en sont partis à présent.

— Arrêtez, Boudreau. Le capitaine n'a jamais été qu'un lampiste. Le vrai responsable, le cerveau des trafics et le commanditaire du meurtre, est bien vivant, lui. C'est l'un des dirigeants de la société propriétaire de la plate-forme pétrolière, j'en mettrais ma main au feu. Et cet homme sait que je suis potentiellement capable de l'identifier.

— Oui ? fit Boudreau. De qui s'agit-il alors ?

— J'ai dit « potentiellement ». J'ignore qui il est. La première fois que j'ai entendu le capitaine évoquer un trafic d'armes illégal, c'était par hasard. J'ai surpris une conversation sans le vouloir. Je me suis rendu compte que j'entendais des terroristes mais que je n'avais que la moitié des échanges. J'ai mis alors au point un programme pour capter et enregistrer intégralement toutes les conversations qui transitaient par ce téléphone satellite.

— Et le capitaine n'a jamais donné de nom à son interlocuteur ?

— Je n'en sais rien. Je n'ai jamais eu la possibilité d'écouter les enregistrements. J'avais trop peur de me faire pincer. Je les ai transférés sur une clé USB, en espérant que je pourrai la faire rapidement parvenir à la Sécurité du territoire. Ils ont la possibilité d'utiliser un logiciel de reconnaissance vocale pour identifier l'homme et l'impliquer dans ces trafics. Mais le capitaine m'a surpris avec son téléphone satellite à la main. Il m'a demandé de sortir de son bureau et il ne m'en a jamais reparlé, mais c'est pour ça qu'ils ont essayé de me tuer. J'en suis sûr.

— Alors où se trouve cette clé USB ? lança Boudreau. Tu n'avais rien sur toi quand je t'ai repêché.

— Je l'ai cachée à la maison. Mon idée était de la remettre à la Sécurité du territoire lors de ma prochaine semaine de congé. Mais j'ai été poussé à l'eau avant d'avoir pu retourner chez moi. Et maintenant, j'ignore si Murray l'a trouvée lorsqu'il est entré pour voler l'ordinateur.

— Voilà pourquoi tu ne voulais pas que Sandy revienne ici.

Tristan hocha la tête.

— J'aimerais contacter la Sécurité du territoire pour leur demander de lui adjoindre un garde du corps mais, pour cela, il faudrait que je leur révèle que je suis en vie. Et dès qu'ils le sauront, ils me convoqueront à Washington pour un débriefing. Je suis certain qu'ils enverront quelqu'un pour veiller sur Sandy mais je ne fais confiance qu'à moi pour la protéger. Regardez combien d'anciens soldats qui bénéficiaient d'une protection gouvernementale ont pourtant été tués et combien de civils innocents ont subi le même sort.

— Je comprends bien que tu préfères la protéger toi-même, fiston, mais tu n'en es pas capable actuellement.

Tristan se pinça le haut du nez.

— Qu'est-ce que vous insinuez ? Que je devrais contacter la Sécurité du territoire ? Ce serait signer l'arrêt de mort de Sandy. Dès que je referai surface, le patron du capitaine l'apprendra. Il aura tout le temps d'enlever ma femme avant que la Sécurité territoriale n'ait la possibilité de comprendre. Les types finiront sans doute par la torturer pour la faire avouer des informations qu'elle n'a pas. Et je ne serai pas là pour voler à son secours.

Sandy n'avait pas fermé l'œil de la nuit et le bébé avait été très agité, lui aussi. A aucun moment, elle n'avait pu reposer son esprit. Chaque fois qu'elle s'assoupissait, des images de Tristan sombrant dans les eaux glacées du golfe, infestées de requins affamés, revenaient la tourmenter. C'était comme un diaporama qui ne s'arrêtait pas, le défilé des images étant rythmé par le même mot glaçant : « assassiné », « assassiné ».

Elle se réveillait alors, le cœur battant, les larmes inondant ses joues et son oreiller.

Finalement, vers 6 heures, elle se leva, se doucha, s'habilla et se dirigea vers la cuisine. Un instant, elle considéra avec envie la cafetière mais, la caféine étant déconseillée aux femmes enceintes, elle préféra y renoncer. Son bébé était assez nerveux comme cela.

Elle bâilla.

— Tu ne peux pas imaginer à quel point j'apprécierais un bol de café, ce matin. Et il y a sans doute un pot de décaféiné quelque part dans la maison. Mais depuis que tu es là, je ne digère que du jus de raisin le matin et rien d'autre. Alors ce sera un jus de raisin, n'est-ce pas ? ajouta-t-elle en se tapotant le ventre.

Elle s'assit à la table de la cuisine et, tout en prenant son petit déjeuner, elle observa le téléphone, se remémorant les avertissements de Maddy, la veille au soir. Elle n'avait aucune envie de suivre les bons conseils de Maddy, un agent du Renseignement devenue son amie. Mais elle le savait : cette dernière la harcèlerait jusqu'à ce qu'elle appelle le shérif. Au pire, elle le contacterait elle-même.

— Je n'ai pas le choix, je dois le faire, grommela-t-elle en se levant pour se rendre dans la nurserie.

La future chambre du bébé était en effet la seule pièce de la maison où il était possible de téléphoner, de se connecter à un réseau téléphonique. Elle composa le numéro du shérif.

Baylor Nehigh décrocha à la deuxième sonnerie et elle s'éclaircit la gorge. Elle le connaissait bien, comme tous les habitants de Bonne-Chance. Ils avaient fréquenté la même école, autrefois.

— Baylor ? C'est Sandy.

— Bonjour, Sandy. Comment vas-tu ? Et le bébé ? J'ignorais que tu étais revenue à Bonne-Chance.

— Le bébé et moi allons bien, merci. Baylor…

— A quel mois de grossesse en es-tu ? J'essaie de me rappeler mais…

Sandy ferma les paupières et s'obligea à faire preuve de patience. Si elle ne parvenait pas à dire ce qu'elle avait l'intention de lui dire, Baylor allait lui tenir la jambe pendant des heures et elle ne pourrait en placer une.

— J'en suis à cinq mois et demi. Baylor, je crois que quelqu'un s'est introduit dans la maison pendant mon absence. Mon ordinateur portable a disparu.

— Quoi ? Ton ordinateur a disparu ?

Le shérif sembla réfléchir un instant, puis ajouta.

— Ecoute, nous ne pouvons pas être tenus pour responsables. Il faudrait que tu interroges les techniciens de scène de crime. Mais, à mon avis, le capitaine l'a volé quand il est venu chez toi pour enlever l'agent Tierney. Et dans ce cas, tu ne te feras jamais indemniser, je le crains.

— Baylor ! Je ne t'appelle pas pour ça. Cet ordinateur a disparu pendant que je me trouvais à Bâton-Rouge. Je voulais savoir si toi ou quelqu'un de l'équipe avait dû retourner chez moi et avait eu besoin de cet ordinateur pour l'enquête. Mais, manifestement, tu n'es au courant de rien. Il s'agissait donc bien d'un intrus.

— Je vais le vérifier mais comprends que je n'ai pas les moyens de te rembourser cet ordinateur.

— Je ne te demande pas de le faire. J'en rachèterai un autre.

Elle s'interrompit.

— Tu ne voudrais pas venir relever des empreintes ou quelque chose du genre ?

— Je t'enverrais bien mon adjoint quand il reviendra au poste. Mais ce sera sans doute tard ce soir, à la nuit tombée. Il est parti à Houma pour leur apporter des documents. Il me faudrait un coursier mais, comme je te le disais, mon budget ne me permet pas d'en embaucher un.

— Non, non, fit Sandy, en réalité soulagée. Oublie ma suggestion. Ça ne me paraît pas indispensable.

Elle n'avait aucune envie que quelqu'un vienne chez elle pour le moment. Elle venait de rentrer et elle tentait de trouver la paix, d'accepter la mort de Tristan, d'apprendre à vivre sans lui.

— Je suis sûre que c'est toi qui as raison, que les choses se sont passées comme tu dis. Le capitaine Poirier a dû voler mon ordinateur. Cela semble logique. Inutile de t'embêter avec cette histoire.

— Très bien. Puis-je faire autre chose pour toi ?

— Non. Merci, Baylor.

Elle raccrocha tandis qu'il lui recommandait de prendre soin d'elle-même. Elle décida alors de se rendre à la cabane sur pilotis de Boudreau.

Elle bâilla encore, puis se mit en route et parla tout en marchant.

— Désolée pour cette nuit, bébé. Mais je pensais aux avertissements de Maddy et ça me rendait nerveuse.

Elle s'interrompit. Etait-ce mauvais pour son enfant de lui parler de sujets qui la tourmentaient ? Elle espérait que non, parce que se confier à son bébé l'apaisait et, à en croire ce qu'elle avait lu dernièrement dans un livre, il était bon pour lui de connaître la voix de sa mère.

— Savais-tu que ton papa était un agent secret ? Attends. Bien sûr que tu le savais ! Tu étais là quand Zach me l'a appris. C'est quand même fou que son meilleur ami ait dû me le dire. Il aurait mieux valu que ton papa m'en parle lui-même, non ?

Il y avait de l'amertume dans sa voix et elle s'en rendit compte. Elle ne voulait pas évoquer son mari défunt avec colère et surtout pas en présence de leur enfant.

Avec effort, elle prit une voix plus légère, plus douce, comme pour raconter un conte ou réciter un poème.

— Ton papa était un vrai espion. Tu peux être fier de lui. Il travaillait pour la sécurité intérieure, il attrapait les bandits. Un peu comme James Bond. Jusqu'au jour où l'un des méchants l'a tué.

Elle cessa de parler parce qu'elle ne parvenait plus à le faire en marchant. Le souffle lui manquait. En arrivant au débarcadère, elle haletait.

La matinée était belle. Le soleil brillait et se reflétait sur la surface des marais.

— J'aurais dû venir plus tôt et regarder le lever du soleil, dit-elle avec nostalgie. Bien que sans Tristan…

Elle sourit tristement en se remémorant les nombreux levers de soleil qu'ils avaient admirés ensemble. Ensuite, ils rentraient, faisaient l'amour et ils étaient heureux.

— Allez, fit-elle brusquement. Je dois parler à Boudreau.

Comme elle se tournait vers la cabane sur pilotis, des traces dans la boue sur le chemin attirèrent son attention. Elle se rapprocha de la jetée de bois et étudia ces empreintes. Quelqu'un avait traîné un bateau sur la rive.

Elle secoua la tête. Il s'agissait sans doute de Boudreau. Il utilisait en permanence le débarcadère.

— Je dois faire attention, murmura-t-elle. Je commence à voir des terroristes et des méchants partout.

Elle avança lentement à travers l'enchevêtrement de broussailles et de roseaux et se retrouva enfin dans la cour de Boudreau. Le vieux Cajun était assis sur un vieux banc de bois, reprisant un filet de pêche.

— Tu marches de plus en plus vite…, grommela-t-il.

Puis il leva la tête.

— Que faites-vous ici ? lança-t-il en changeant de couleur.

— Bonjour, monsieur Boudreau, je suis Sandy, la femme de Tristan.

Il la connaissait depuis toujours et la dernière fois qu'elle l'avait vu, cette nuit horrible, elle était venue pour lui annoncer que Tristan avait disparu, qu'il était tombé à l'eau et qu'elle craignait qu'il ne soit mort. Mais quand il lui tenait des propos absurdes, comme en cet instant, elle doutait de sa santé mentale.

Boudreau se leva, laissant tomber son filet, et s'approcha d'elle, un couteau dans une main, une aiguille dans l'autre.

— Je vous ai posé une question. Qu'êtes-vous venue faire ici ? Rentrez chez vous, tout de suite.

De la pointe de son couteau, il lui désigna le chemin par lequel elle était venue.

— Partez !

— Mais j'ai besoin de vous parler. Je voudrais fermer le débarcadère et…

— Partez d'ici, madame DuChaud ! Allez !

Il la repoussa d'un mouvement de bras, comme il aurait chassé des oiseaux.

— Allez, allez !

Sandy le scruta, éberluée. Il ne semblait pas confus, plutôt hostile à son égard. Pensait-il qu'elle était responsable de la mort de Tristan ?

— Boudreau, je vous en prie, écoutez-moi. C'est important.

— Je passerai bientôt vous rendre visite et nous parlerons, répondit-il. Mais maintenant, partez. Allez tout de suite chez vous ou je lâche mon chien, je vous préviens.

Elle ne connaissait pas bien le vieux Cajun, mais Tristan lui avait souvent parlé de son ami et il n'avait jamais dit qu'il était susceptible d'être violent. Pourtant, Boudreau avait tiré à bout portant sur le capitaine de la plate-forme pétrolière… de sang-froid. Alors peut-être avait-elle intérêt à obtempérer et à partir.

— Je vous en prie, venez me voir à la maison, lança-t-elle par-dessus son épaule en s'éloignant. N'oubliez pas.

— Partez et restez chez vous ! lança-t-il une nouvelle fois.

Lorsqu'elle revint sur le ponton, elle était de nouveau essoufflée et elle s'y arrêta un moment. Elle contempla les eaux vertes du golfe du Mexique. Et, de nouveau, la silhouette qu'elle avait aperçue l'avant-veille plongeait et nageait au soleil.

La main en visière, elle plissa les yeux, regrettant de ne pas avoir apporté de lunettes de soleil.

Cela dit, songea-t-elle, rien ne l'aiderait à mieux voir. Le soleil était désormais haut dans le ciel et il brillait fort, il devenait éblouissant même.

L'individu dut deviner sa présence parce qu'il cessa soudain de remuer l'eau. De nouveau, les marais furent lisses comme un miroir.

— Demain, je me lèverai tôt, bébé, et je viendrai ici pour tenter de surprendre cet être mystérieux qui joue dans l'eau aux aurores. Peut-être que c'est une sirène.

Rentrée chez elle, elle se prépara une collation et, tout en sirotant son jus de fruits, réfléchit. Boudreau l'avait certainement priée de partir pour la protéger. Le vieil homme était peut-être sénile mais pas méchant. Peut-être savait-il qu'un renard ou un lynx ou pire, un alligator traînait dans les parages et pourrait s'attaquer à elle. En outre, il avait promis de venir la voir. Et Tristan lui avait toujours dit que le Cajun n'avait qu'une parole. S'il lui avait dit qu'il viendrait, il viendrait.

— Nous n'avons donc plus qu'à attendre sa visite, bébé. Il aurait quand même pu être plus aimable. Pourquoi a-t-il crié comme ça ? Il a été dur avec moi.

Elle finit son jus de fruits, rinça son verre et le posa sur l'égouttoir. Il était 11 heures à l'horloge de la cuisine.

— Je dois quand même lui parler. Il a peut-être une meilleure idée pour tenir les gens éloignés du débarcadère, dit-elle au bébé. Peut-être qu'il garde déjà les lieux, d'ailleurs. Peut-être est-ce lui que j'ai entendu hier soir, peut-être qu'il était en train de faire sa ronde pour s'assurer que personne ne venait.

De nouveau, elle bâilla. Elle était fatiguée.

— Nous devons aller faire une petite sieste, bébé. Je tombe de sommeil. Puis nous irons à Houma et nous ferons quelques courses pour remplir le réfrigérateur. Et j'essaierai de trouver un nouvel ordinateur. Ce sera notre grande aventure de la journée.

Un frisson lui parcourut l'échine et elle ajouta.

— Je l'espère, en tout cas.

3

Il faisait presque nuit lorsque Sandy quitta Houma pour rentrer à Bonne-Chance. Elle n'avait que trente kilomètres à parcourir, mais elle se sentait exténuée, au bord du malaise. Ses courses en ville avaient épuisé ses dernières forces.

Aussi s'arrêta-t-elle à mi-chemin pour acheter un milk-shake. Elle en but quelques gorgées, suffisamment pour avoir l'énergie de rentrer.

Elle se gara derrière sa maison et sortit du coffre son sac de courses ainsi que son nouvel ordinateur dans son carton d'emballage. Elle arrivait presque à la porte lorsque des empreintes de pas attirèrent son attention.

De saisissement, elle faillit lâcher son chargement. Se reprenant, elle promena les yeux autour d'elle mais il n'y avait rien de notable. Elle contourna les flaques d'eau pour inspecter les portes-fenêtres. Elles étaient bien verrouillées.

Rassurée, elle entra à l'intérieur et referma soigneusement les portes derrière elle. Puis, à travers la vitre, elle observa les traces de pas.

Il était difficile d'évaluer la taille des chaussures qui avaient laissé ces empreintes. Il avait plu dans l'après-midi et l'humidité du sol avait modifié le dessin des semelles qui n'était plus très net. Apparemment, elles étaient lisses ou alors elles appartenaient à des chaussures particulièrement élimées.

Boudreau portait de vieilles bottes en cuir, usées jusqu'à la corde. Peut-être était-il passé pendant son absence.

Mais oui, bien sûr, se dit-elle avec un soupir de soulagement. C'était certainement Boudreau qui avait laissé ces empreintes. Tristan lui avait toujours dit qu'en son absence, le vieux Cajun veillerait sur elle.

Rassérénée, elle consulta sa montre. Il était 20 heures. Elle s'étira en bâillant. Elle n'avait même pas la force de se préparer à dîner.

— Qu'en penses-tu, bébé ? Est-ce qu'il est trop tôt pour aller se coucher ?

Elle brancha le système d'alarme pour sécuriser les portes et les fenêtres de la maison, prit son milk-shake, le rafraîchit dans la cuisine avec quelques glaçons, puis se dirigea vers la chambre.

Elle se glissait entre les draps quand elle réalisa ne pas avoir tiré les rideaux. Elle n'avait pas envie de se lever mais encore moins de dormir les rideaux ouverts. Le jour des funérailles de Tristan, le fils de Murray Cho l'avait espionnée à travers les baies vitrées. Elle ne l'oubliait pas.

Elle alla donc les fermer puis se remit au lit. Elle prit un livre qu'elle avait trouvé chez sa belle-mère mais elle ne tarda pas à se rappeler pourquoi elle ne l'avait pas terminé à Bâton-Rouge. Elle le posa sur le sol et s'empara d'un vieux magazine de mode qui traînait sur sa table de nuit. Le feuilleter ne lui demanderait aucun effort.

Elle admirait une publicité vantant des boucles d'oreilles quand le bébé s'agita *in utero*.

— Pour un coup de pied, c'est un bon coup de pied, commenta-t-elle en se massant le ventre. Calme-toi un peu. Regarde. Maintenant, je dois retourner faire pipi. Je sais que tu ne penses pas à mal, mais, vraiment, j'en ai assez de passer ma vie aux toilettes.

Elle se rendit dans la salle de bains. Là aussi, les

rideaux étaient ouverts. Elle les tira d'un geste vif, puis soulagea sa vessie.

Se lavant ensuite les mains, elle considéra son reflet dans le miroir. Ses yeux étaient sombres et écarquillés. Elle ressemblait à une héroïne de film d'horreur, blême de terreur. Mais elle n'avait aucune raison d'avoir peur.

— Cette maison est très sûre, dit-elle au bébé. C'est la maison de ton papa. Avant lui, elle appartenait à son père, et son grand-père l'avait construite. Tristan m'avait promis que j'y serais toujours en sécurité. Et toi aussi maintenant.

Des larmes brûlaient ses paupières et elle les essuya avec colère.

— Tout est de la faute de Murray Cho, poursuivit-elle. Son fils, Patrick, m'espionnait à travers les baies vitrées le jour de l'enterrement de ton papa.

Elle avait été effrayée de voir les deux hommes derrière la fenêtre, elle avait eu le sentiment qu'ils violaient sa vie privée.

— Notre vie privée. Je ne suis pas sûre de m'en remettre un jour. Et maintenant, j'ai peur dans ma propre maison, ajouta-t-elle avec un soupir.

Elle éteignit la lampe et se rallongea dans son lit. Cependant, comme la veille au soir, le sommeil lui échappa. Elle était épuisée, mais dès qu'elle fermait les paupières, des images horribles revenaient la hanter.

Pestant contre elle-même, elle se redressa et ralluma la lumière. Elle ouvrit le tiroir de la table de nuit, en tira une boîte de somnifères. Le médecin lui avait dit de prendre un ou deux cachets en cas d'insomnie. Si elle se contentait d'un seul, ce serait sans risque puisqu'il lui en avait prescrit deux.

Elle l'avala avec un peu d'eau.

— Bon, essayons de dormir maintenant, murmura-t-elle.

Se couchant sur le côté, elle caressa son ventre rebondi.

— Bonne nuit, bébé.

Mais ses joues s'inondèrent de larmes.

— Pourquoi suis-je encore en train de pleurer ?

Avant d'être enceinte, elle n'avait pas l'habitude de fondre en larmes pour un oui ou pour un non, et pleurnicher ne l'avait jamais aidée à trouver le sommeil. Mais ce soir, quelque chose la préoccupait, et il ne s'agissait pas du souvenir des deux Viêtnamiens l'espionnant derrière les baies vitrées.

Elle avait insisté pour revenir vivre à Bonne-Chance, elle avait déclaré à sa belle-mère qu'elle tenait à se réinstaller dans la maison où elle avait vécu avec Tristan. Elle lui avait assuré que c'était sa seule chance de cicatriser. En le disant, elle le pensait vraiment mais là, seule dans son lit, le doute l'assaillait : était-ce la bonne décision ?

Une pensée absurde l'avait traversée lorsqu'elle avait eu Maddy au téléphone. Une pensée ridicule, au demeurant. Une idée qui ne pouvait certainement pas être vraie. Mais qu'elle ait ou non un sens, elle ne pouvait plus se la retirer de la tête.

Et si ce n'était pas les Cho qui provoquaient cette anxiété et ces insomnies ? Si c'était plutôt la mystérieuse silhouette qu'elle avait aperçue à la fenêtre le jour des funérailles de Tristan. Avait-elle rêvé cette vision ? Ou était-ce bien lui ? Et était-ce lui qui avait pris son ordinateur portable ?

S'agissait-il de Tristan ou de son fantôme ?

Elle se le rappelait debout devant la fenêtre de la chambre, le visage pâle, les yeux hagards, les vêtements trempés. Le sang dégoulinait sur ses joues, se mêlant à la pluie.

A ce souvenir, elle frissonna. Elle espérait ne plus jamais être confrontée à cette apparition sa vie durant. Elle ne croyait pas au vaudou, ni aux fantômes, ni aux démons. Mais elle ne pourrait continuer à vivre dans cette maison si elle y croisait sans cesse Tristan, qu'il s'agisse de lui ou d'un tour de son imagination.

Bien sûr, elle l'avait forcément imaginé parce que, s'il était vivant, Tristan ne lui imposerait pas une telle souffrance. Jamais, il ne lui ferait croire qu'il était mort si ce n'était pas le cas.

Si Tristan était en vie, il serait avec elle et leur bébé.

Sans bruit, Tristan prit une clé cachée depuis toujours sous un pot de fleurs puis déverrouilla les portes-fenêtres de sa maison. Il secoua la tête pour retirer l'eau qui tombait de ses cheveux et ruisselait sur son visage. Il pleuvait à verse.

Boudreau lui avait dit qu'il n'était pas encore assez rétabli, pas encore assez fort, pour supporter cette longue marche à travers les marécages. Et Tristan devait se l'avouer : son vieil ami avait vu juste. Sa jambe le faisait terriblement souffrir. Heureusement qu'il avait pris sa canne. Il avait si mal à la tête qu'il était au bord de l'évanouissement. Mais il n'avait pas le choix. Il lui fallait venir.

Boudreau lui avait raconté que Sandy était passée à la cabane dans la matinée pendant que lui-même nageait dans les marais. Il n'en fut pas surpris.

De l'eau, il l'avait aperçue sur le débarcadère. La main en visière, elle avait observé les marécages avec attention. Heureusement, le reflet du soleil l'empêchait de le voir distinctement. D'ailleurs, elle ne l'avait pas appelé et elle n'en avait pas parlé à Boudreau, se dit-il pour se rassurer.

D'après Boudreau, elle était agitée et nerveuse comme si elle avait peur de quelque chose. Et elle semblait tenir plus que tout à s'entretenir avec le vieux Cajun. Mais Boudreau, qui savait que Tristan n'allait pas tarder à emprunter le sentier jusqu'à chez lui après sa baignade et risquait de la croiser, l'avait sèchement renvoyée chez elle pour empêcher qu'ils tombent l'un sur l'autre.

Tristan laissa sa canne à l'extérieur pour ne pas faire

de bruit, puis entra par la cuisine. Il alla débrancher le système d'alarme situé derrière la porte. Ses chaussures trempées couinaient sur le carrelage. Il parvint de justesse à couper l'alarme avant qu'une sirène ne se déclenche. Il était beaucoup trop lent.

Ecœuré, il se traîna jusqu'à la nurserie où il avait caché la clé USB. Au lieu de la dissimuler dans un coin, il l'avait laissée en évidence. Il s'était dit que l'exposer au vu et au su de tous était sans doute la meilleure cachette. La suite avait confirmé cette intuition. De toute façon, si quelqu'un l'avait découverte, Boudreau l'aurait appris, d'une manière ou d'une autre.

Donc, sauf si Sandy l'avait repérée, la clé USB devait toujours se trouver à l'endroit où il l'avait laissée. Il allait la récupérer et Sandy n'aurait plus à portée de main quelque chose que tant de gens convoitaient.

Bien sûr, il devrait ensuite trouver le moyen de convaincre les trafiquants d'armes que Sandy ignorait tout de ses activités d'espion et qu'il n'y avait rien dans la maison qui puisse l'incriminer.

Il travaillerait plus tard sur cette question. Dans l'immédiat, il lui fallait remettre la main sur cette clé USB et quitter les lieux le plus vite possible, avant que Sandy ne l'entende.

Comme il ouvrait précautionneusement la porte de la nurserie, un bruit derrière lui le fit sursauter. Il s'immobilisa et tendit l'oreille.

Rien.

Qu'était-ce exactement ?

Il posa la main sur la poignée, mais le bruit se répéta. Il comprit alors et son cœur se serra.

C'était Sandy, la voix de Sandy. Pourtant, il était 2 heures du matin. Elle aurait dû être profondément endormie. Elle avait l'habitude de se lever aux aurores, avec le soleil. Et elle n'était pas du genre à se coucher tard, encore moins à 2 heures du matin. Cela dit, elle était enceinte et, se souvint-il, sa mère avait dit à Sandy que dans la seconde partie de sa grossesse, elle passerait beaucoup de temps à aller aux toilettes, le bébé appuyant sur sa vessie, y compris la nuit.

Voilà. Elle s'était certainement relevée pour cette raison. A moins qu'elle ne parle dans son sommeil ?

Il attendit, aux aguets. Il n'était pas pressé. Bientôt, elle irait se recoucher et il pourrait reprendre sa tournée dans la maison. Elle ne se douterait jamais qu'il était venu.

Il resta là, prenant appui sur son pied gauche, essayant d'exercer ses muscles. Boudreau l'avait opéré lui-même après l'avoir recueilli et, comme le vieil homme n'était pas chirurgien, il n'avait pu fignoler le travail.

Après un moment, comme il n'y avait plus un bruit, Tristan reposa la main sur la poignée. Il s'apprêtait à pousser la porte et à entrer dans la nurserie quand un son familier lui brisa de nouveau le cœur. Celui des pieds nus de Sandy sur le plancher de bois. Puis il reconnut le grincement de la porte de leur chambre. Avait-il le temps de s'introduire dans la nurserie, de prendre cette clé USB et de repartir comme il était venu ? Il tergiversa et Sandy apparut, traversant le hall pour se rendre dans la cuisine. Elle était vêtue d'un pantalon de pyjama et d'un petit haut sans manches qui laissait deviner son ventre rebondi. Elle s'était encore arrondie. La dernière fois qu'il l'avait vue, sa grossesse se devinait à peine. Elle sautait aux yeux désormais.

Il la contempla à la dérobée. Qu'elle était belle avec son gros ventre ! Il mourait d'envie de le toucher, de l'embrasser, de sentir le bébé bouger à l'intérieur. Elle lui avait terriblement manqué et voilà qu'elle était là, à quelques pas de lui. Il n'avait qu'à avancer pour la prendre dans ses bras. Et il ne le pouvait pas.

Si elle se doutait qu'il était vivant, elle serait furieuse

— plus que furieuse — qu'il l'ait laissée dans l'ignorance, qu'il lui ait fait croire qu'il était mort. Elle ne comprendrait pas le danger. Elle avait toujours été persuadée qu'elle ne risquait rien tant qu'il était là, qu'auprès de lui, rien ne pouvait lui arriver, qu'elle était en sécurité.

C'était un côté d'elle qui l'impressionnait depuis leur première rencontre.

Sandy avait toujours cru en lui.

Mais l'aimerait-elle assez pour le pardonner de lui avoir causé une telle souffrance ?

En bâillant, elle passa les doigts dans ses cheveux, les souleva pour les laisser retomber en cascade sur ses épaules. Il sourit. Il la connaissait par cœur, chacun de ses gestes, de ses expressions. Elle dormait à moitié et se rendait pieds nus dans la cuisine en pilotage automatique. Son habitude d'aller boire de l'eau sans se réveiller complètement pourrait peut-être le sauver s'il ne bougeait pas d'un cil.

Il se concentra pour empêcher sa jambe faible de remuer. S'il la tendait trop, les muscles finissaient par sauter involontairement.

— C'est bon, murmura-t-elle.

Il se pétrifia et serra les mâchoires. Lui parlait-elle ? Il ne pouvait bouger. Il n'osait pas.

— Je sais que je t'ai réveillé, bébé, mais j'avais vraiment besoin de mettre des glaçons dans mon verre d'eau. Et peut-être que je vais en profiter pour grignoter quelques crackers, ajouta-t-elle en se frottant le ventre. Ensuite, nous irons nous recoucher.

Elle parlait au bébé, comprit Tristan. A leur bébé.

Des larmes lui brûlèrent les paupières. Il mesurait avec douleur tout ce qu'il avait manqué. Même avant l'accident, il avait été trop longtemps parti, il travaillait trois ou quatre semaines d'affilée sur la plate-forme pétrolière. Il était passé à côté de l'essentiel de sa grossesse. Et désormais… elle le croyait mort.

Tandis qu'elle repartait, traversant le hall en sens inverse, il retint son souffle. Elle allait forcément tomber sur lui, devina-t-il. Il lui était impossible de passer sans le voir.

Il hésita. Devait-il lui adresser la parole ou attendre qu'elle ne remarque toute seule sa présence ? Qu'est-ce qui serait moins traumatisant pour elle ?

Comme le bébé lui envoyait un coup de pied, Sandy sortit de la douce torpeur dans laquelle elle était plongée.

— Doucement, bébé, dit-elle en se massant le ventre. Un jour, tu vas…

Elle se pétrifia soudain. Il y avait quelqu'un. Tapi dans l'ombre. Devant elle. Que Dieu lui vienne en aide ! D'instinct, elle eut envie de tourner les talons et de s'enfuir en courant mais elle ne pouvait bouger. La peur la paralysait complètement.

— Qui êtes-vous ? Et… que voulez-vous ? demanda-t-elle, s'efforçant de s'exprimer d'une voix forte et assurée.

Elle recula d'un pas tandis que des nausées revenaient la tourmenter. Elle se sentait à la fois glacée, brûlante et terrifiée.

— Sortez ! ordonna-t-elle d'une voix rauque. Sortez, sortez tout de suite de chez moi !

Elle haletait d'angoisse. Son cœur battait à tout rompre dans sa poitrine. Il menaçait d'exploser.

— Sandy, murmura une voix qui ne pouvait être…

Elle recula encore mais son dos se heurta à la cloison. La gorge serrée, elle ne pouvait plus respirer et ses poumons manquaient d'oxygène. De nouveau, elle voulut crier mais, quand elle ouvrit la bouche, elle ne réussit qu'à émettre un faible gémissement.

Elle pressa les mains contre le mur derrière elle, comme pour le faire bouger.

— Allons, s'ordonna-t-elle, réveille-toi ! Tu es dans un rêve. Secoue-toi.

— Non, Sandy, tu ne rêves pas, dit la voix. Mais n'aie pas peur.

Une fois de plus, elle essaya de parler mais elle n'y parvint pas. Ses doigts se collèrent à sa gorge, s'efforçant de desserrer l'étau qui l'emprisonnait. Des étoiles dansaient devant ses yeux tandis qu'un fantôme s'approchait d'elle.

— Je dors, dit-elle. Je suis dans mon lit, je dors.

— Non, tu ne dors pas, répéta une voix familière.

Comme une main humide passait sur sa joue, elle hurla et se propulsa en arrière aussi vite que possible mais elle était déjà contre le mur. Elle était coincée.

— Non, cria-t-elle. Non ! Partez !

— Sandy, écoute-moi. Je suis désolé. Je suis vraiment désolé. Je ne voulais pas te faire peur.

Un souffle lui courut sur la peau et elle releva la tête un peu plus. L'eau ruisselait sur la pâle figure. Exactement comme le jour des funérailles, de l'autre côté de la vitre. Etait-elle en train de rêver, de délirer ?

Elle tendit la main devant elle, effleurant la forme qui lui faisait face. Il y avait bien quelqu'un.

— Tristan ? murmura-t-elle. Tu es là, vraiment là.

Ce n'était plus une question.

Ses vêtements étaient trempés de pluie. Le visage qu'elle caressait était livide mais chaud et surtout il ne s'évanouissait pas sous ses yeux. Elle attrapa ses cheveux humides et les serra entre ses poings. Elle le dévisagea et se mit à rire avant d'exploser en sanglots.

Il planta sur elle ses yeux bruns.

— Je suis vraiment là, dit-il tandis que ses lèvres esquissaient un sourire. C'est bien moi.

Elle ne cessait de pleurer et mit les mains devant sa bouche, espérant se calmer.

— Tout va bien, Sandy. Tout va bien.

— Comment…

Elle croisa son regard. Il la fixait avec intensité. Il n'essaya pas de l'attirer à lui ni de l'embrasser. Il se contentait de la dévisager.

Elle n'osait pas encore y croire. Une partie d'elle avait peur de se tromper, d'être victime d'une illusion, d'un rêve.

Mais il était bien là avec ses cheveux humides, ses vêtements ruisselants de pluie. Il était blafard, maigre à faire peur mais oui, elle le reconnaissait. Tristan était bien vivant.

Par quel miracle avait-il ressuscité ?

— Sandy, tout va bien, répéta-t-il. C'est moi.

Cette voix, ces yeux.

— C'est toi, oui. Mais comment as-tu fait ? Tu ne devrais pas être mort ?

— J'ai failli l'être, grommela-t-il. Mais toi, comment vas-tu ? Comment va le …

— Mais où étais-tu ? insista-t-elle. Où as-tu passé ces deux derniers mois ?

— Boudreau m'a recueilli. Il m'a soigné, il a pris soin de moi.

— Boudreau ? Tu veux dire que, pendant tout ce temps, tu étais à côté, à deux pas ? Ce n'est pas possible. Nous t'avons enterré. Nous avons organisé tes obsèques. Nous avons pleuré. A l'idée de ne jamais te revoir, je voulais mourir, je pensais que je ne survivrais pas. Et pendant tout ce temps, tu étais caché dans les marais au bout du jardin ?

Elle étouffa un juron.

— Sandy, tout va bien.

— Tout va bien ? Vraiment ? Je me réveille en pleine nuit et je vois mon mari — que je croyais mort et enterré — se faufiler dans la maison comme un voleur. Et quand je tombe sur lui par hasard, il a l'air mal à l'aise. Que fais-tu ici ?

Soudain, les vannes s'ouvrirent. Trop de pensées et de questions se bousculaient dans sa tête. Et trop de souvenirs remontaient à sa mémoire.

Elle revit le cercueil, le caveau ouvert, le père Duff qui l'entraînait plus loin sous un prétexte quelconque.

Elle dévisagea Tristan avec horreur.

— Mais alors… qui ? Qui était dans le cercueil ? Qui avons-nous enterré ?

Tristan la dévisagea d'un air perdu.

— Dans le cercueil ?

— Oui, dans le cercueil !

Elle le repoussa brutalement et il faillit s'étaler de tout son long, mit du temps à retrouver son équilibre.

— Mon Dieu, Tristan !

Il tenait tout juste debout, ses jambes semblaient à peine le porter.

— Tu es blessé ?

Il ne répondit pas, et la colère grandit en elle.

— Explique-toi, Tristan. Je ne comprends rien à tout ça !

— Désolé, Sandy, c'est une longue histoire. Une très longue histoire.

La fureur jaillit de Sandy comme la lave d'un volcan. Tristan était là, devant elle. C'était bien lui, elle ne rêvait pas. Il était vivant. Voilà deux mois qu'elle le pleurait et il n'avait jamais cessé d'être vivant.

— Une longue histoire ? C'est tout ce que tu trouves à dire ?

En fait, la colère lui faisait du bien. La tristesse, la douleur et le chagrin avaient pesé lourd depuis deux mois. Sa colère, au contraire, la revigorait. Elle serra les poings. Son mari était en vie et elle était folle de colère.

Il la regarda un instant, puis détourna la tête.

— Je ne voulais pas te réveiller. Je pensais juste entrer et sortir.

— Juste entrer et sortir ? De mieux en mieux !

— Je ne sais pas par où commencer. C'est…

— Une longue histoire, oui, tu me l'as déjà dit. Pas de problème, chéri, ajouta-t-elle avec ironie. J'ai toute la nuit.

4

Dix minutes plus tard, Sandy prit place à la table de sa cuisine, serrant entre ses mains un bol de décaféiné que son mari, censé être mort, avait préparé pour elle.

C'était comme si elle avait fait partie d'un jeu où tout le monde sauf elle connaissait la vérité. Elle se souvint d'un film racontant l'histoire d'un homme dont l'existence entière était une émission de télévision. Il était le seul à croire qu'il était dans la vraie vie. Elle faillit vérifier dans la pièce qu'il n'y avait pas de caméras cachées.

Assis en face d'elle, Tristan fixait son café. Elle l'observa aussi longtemps qu'elle le put. Trop de pensées horribles à son encontre la gagnaient.

Le pire n'était pas son expression torturée. Ni sa maigreur, ni sa pâleur extrême. Ni qu'il ait l'air si fatigué, si malade. Non. Le pire, c'était la colère qu'il suscitait en elle. Une fureur sans nom.

— Tu disais que si je ne m'étais pas levée pour aller me chercher à boire, tu n'aurais fait qu'entrer et sortir de la maison. Que tu n'y passais qu'en coup de vent, c'est bien cela ?

Tristan leva les yeux.

— J'ai dit ça ?

— Tu le sais très bien. Pourquoi es-tu revenu ici ? Manifestement, ce n'était pas pour m'annoncer que tu étais en vie et que tout allait bien pour toi.

Il baissa la tête.

— Je devais récupérer quelque chose.

— Quoi ? Tristan, regarde-moi.

— Je viens de te le dire. Ecoute, Sandy…

— Non, pas de « Ecoute, Sandy » qui tienne. Si je n'étais pas tombée sur toi par hasard, quand comptais-tu m'apprendre que tu n'étais pas mort, finalement ?

— Ecoute, je suis désolé mais il y a beaucoup d'autres éléments à prendre en compte dans cette histoire.

— Beaucoup d'autres éléments ? Tu veux dire des éléments plus importants que de prévenir ta propre femme qu'en réalité, tu étais toujours en vie ? Plus importants que de l'entourer alors qu'elle est enceinte ? Je vais te dire, Tristan, je ne sais pas ce qui me retient de t'étrangler… de mes propres mains.

Il baissa les yeux vers son ventre rebondi et une expression de désir et de tristesse mêlés passa sur son visage. Sandy en fut touchée mais il détourna la tête en grommelant quelque chose qu'elle ne comprit pas.

— Vas-tu te décider à parler ? Qu'est-ce que tu viens de dire ?

Il eut un geste vague de la main.

— Rien, répondit-il avant de replonger le nez dans son bol.

— Je te déteste, déclara-t-elle d'une voix glaciale.

Tristan hocha la tête.

— Crois-moi, Sandy, je le sais.

Il porta le bol à ses lèvres puis fronça les sourcils avant de le reposer.

— Je me déteste, moi aussi, d'une certaine façon.

— Je le comprends, oui, dit-elle en se levant.

Elle ne supportait pas les expressions qui se succédaient sur le visage de Tristan. Si elle s'y attardait, elle allait finir par le prendre en pitié. Elle le refusait. Il n'était pas question qu'elle se remette à l'aimer. Il venait de lui prouver qu'il n'était pas l'homme protecteur qu'elle avait imaginé et sur qui elle s'était toujours appuyée.

Elle prit son bol et le sien et les porta jusqu'à l'évier. Lui tournant le dos, elle battit des paupières, s'efforçant de refouler les larmes qui les brûlaient. Mais comme d'habitude, elles furent les plus fortes. Elles jaillirent de ses yeux et ruisselèrent sur ses joues.

Elle rinça les bols, puis se passa de l'eau froide sur le visage.

S'emparant d'un torchon, elle se retourna et s'adossa contre le comptoir. Son pyjama était mouillé, elle commençait à avoir froid.

— Alors, où étais-tu ? répéta-t-elle.

C'était la première question qu'elle voulait lui poser et la dernière dont elle avait envie de connaître la réponse.

Elle lui briserait le cœur, cela ne faisait aucun doute.

Car au fond, elle savait déjà. Pendant tout ce temps, pendant tous ces jours, ces semaines, où elle l'avait pleuré, où elle avait souffert, Tristan avait été tout près d'elle, chez Boudreau.

Elle attendit qu'il le lui dise mais il ne répondit pas. Il se leva et boitilla jusqu'aux portes-fenêtres.

Sandy s'efforça de ne pas comparer l'homme qu'il était devenu avec celui dont elle avait gardé le souvenir, avec l'homme qu'il était encore trois mois plus tôt, lorsqu'il était parti travailler sur la plate-forme pétrolière.

L'homme qu'elle avait épousé était parfois énervant, grognon et déprimant mais il était surtout séduisant, resplendissant de santé et bien bronzé, même si elle lui recommandait toujours de s'enduire de crème solaire lorsqu'il travaillait en mer. Ses cheveux avaient blondi au soleil, ses épaules étaient larges et musclées. Et elle n'en avait jamais aimé un autre. Elle avait toujours su qu'il était pour elle et qu'elle pouvait lui faire confiance.

La personne assise en face de lui, ressemblait à Tristan,

avait ses yeux bruns, son nez grec, sa bouche sensuelle. Mais ce n'était pas Tristan, ce n'était pas l'homme qu'elle connaissait depuis toujours.

Comme elle en prenait conscience, un sanglot la déchira.

Tristan se tourna vers elle.

Elle devinait dans sa maigreur, dans ses traits tirés, au fond de ses prunelles, une histoire horrible, affreuse, une histoire dont elle n'avait pas fait partie et qu'elle ne pourrait jamais comprendre complètement. Une histoire qui, comme ces deux mois de souffrance, l'avait profondément changé. Ses yeux bruns étaient trop brillants, ses cheveux trop longs, ses joues trop creuses.

Il se tenait tout raide comme pour montrer une dignité qu'il n'avait jamais affichée auparavant. Il avait perdu au moins dix kilos, peut-être davantage. Il avait toujours été svelte mais là, il était d'une maigreur inquiétante.

Elle promena les yeux sur son corps décharné et pressa les mains contre sa bouche, refoulant d'autres sanglots. Trop grand, son pantalon ne tenait que grâce à une ceinture serrée au maximum. Le tissu mouillé se plaquait sur ses cuisses et ses mollets, révélant leur maigreur squelettique. Elle comprenait ce qu'il était arrivé à sa jambe droite. Il en manquait un grand morceau.

Zach lui avait dit qu'un bout de mollet avait été retrouvé au fond de l'eau et identifié comme venant du corps de Tristan. Cela avait suffi à convaincre les autorités qu'il n'avait pu sortir en vie de sa mésaventure.

Un violent haut-le-cœur la souleva et elle eut à peine le temps de se tourner vers l'évier pour vomir.

Lorsqu'elle eut fini et se rinça la bouche, elle prit un torchon pour se tamponner le visage. Avec un gémissement, elle attendit que les spasmes s'apaisent.

Quand elle se retourna, Tristan la regardait d'un air soucieux.

— Ça va ? s'enquit-il.

— Oui, oui.

— Tu souffres toujours de nausées matinales ?

Elle secoua la tête.

— Non. A cinq mois de grossesse, elles sont passées, heureusement.

— Mais alors ?

— Ces vomissements ? Sans doute un mélange de plusieurs facteurs : je n'ai pas dîné, je suis tombée sur un intrus dans la maison et j'ai revu mon mari que je croyais mort et enterré.

— Comment…

Il esquissa un geste mais l'interrompit d'un air gêné.

— Comment va le bébé ? acheva-t-elle pour lui avec irritation. Il va bien.

— Sandy ? Je n'ai pas voulu que toute cette histoire arrive. Je n'étais pas… Je ne pouvais pas.

Il se tut. Se déplaçant avec difficulté, il se rapprocha d'elle. Il lui caressa les cheveux, les repoussa tendrement en arrière.

Sa main était curieusement chaude alors que lui était trempé. Incapable de s'en empêcher, elle se pencha vers lui.

— Oh ! Tristan ! Que tu m'as manqué !

Il colla son front au sien.

— Je suis désolé, murmura-t-il en reculant légèrement. Tu m'autorises à te toucher ?

— Tu veux sentir le bébé ? Il donne des coups de pied tout le temps.

Avec précaution, il posa les mains sur son ventre rebondi. Il resta ainsi un long moment, la caressant doucement.

— Je n'arrive pas à croire qu'il se soit écoulé deux mois.

Ses mots ravivèrent la colère de Sandy. Elle le repoussa.

— Deux longs mois pendant lesquels je n'ai cessé de te pleurer en pensant qu'il me fallait apprendre à vivre sans toi. Et il s'en est fallu de peu que je reste encore longtemps dans l'ignorance. Je n'en reviens pas que tu sois venu ce soir pour une autre raison que pour m'embrasser. Et dire que tu as failli repartir sans me réveiller ! Je ne comprends pas pourquoi tu ne voulais pas me voir. Ni m'apprendre que tu étais en vie. Mon mari aurait rampé s'il n'avait pu marcher pour me retrouver et m'annoncer qu'il n'avait pas disparu, qu'il n'était pas mort. L'amour de ma vie ne m'aurait jamais laissée pleurer deux mois, souffrir pendant deux mois, pour rien.

— Sandy, écoute-moi. J'étais inconscient…

— Ce n'est pas une excuse ! Et Boudreau ? Pourquoi il n'est pas venu me le dire ? Un véritable ami m'aurait mise au courant.

— Ne reproche rien à Boudreau. Je lui dois la vie.

— Alors où étais-tu tout ce temps ? Près du débarcadère, dans la cabane de Boudreau ? Oh ! Va-t'en, va-t'en ! cria-t-elle.

Les mots dépassaient sa pensée mais elle était incapable de les retenir.

— Je ne supporte plus de te voir !

Tristan s'écarta d'elle. Il la dévisagea un instant, lui sourit timidement. En réalité, c'était un sourire trop triste pour en être encore un.

Sandy eut envie de pleurer, de se jeter dans les bras de Tristan. Il était si malade, si souffrant. Elle ne pouvait pas le renvoyer chez Boudreau.

Mais il fit demi-tour et ouvrit les portes-fenêtres.

— Tristan ? Où vas-tu ?

— Je retourne chez Boudreau.

— Eh bien, parfait. Vas-y et restes-y !

Maladroitement, il se baissa pour ramasser une canne sculptée sur le sol.

Il s'y appuya, puis se tourna vers elle.

— Tu dis « il » pour parler de lui.

— Pardon ?

— Tu as dit qu'*il* donnait des coups de pied. Le bébé est un garçon ?

Son visage parut soudain éclairé de l'intérieur, l'espoir et le désir emplissaient ses yeux.

Sandy déglutit. Son cœur menaçait d'éclater.

— Le médecin le pense, oui.

— Un garçon, répéta-t-il en se traînant vers la porte.

— Tu t'en vas toujours ? demanda-t-elle, surprise.

Il ne répondit pas. Il se dirigea vers le chemin qui menait aux marais.

Tristan était sorti de la maison. Il lui suffisait de continuer à marcher. Il n'avait pas eu envie de partir, de la quitter. Il voulait prendre Sandy dans ses bras, retrouver son parfum, ses cheveux, caresser sa peau douce. Il avait envie qu'elle le serre contre elle et soit heureuse de son retour. Et plus que tout, il avait envie de poser les mains sur son ventre et que le bébé bouge dessous. Leur bébé. Leur fils.

Mais elle était en colère et blessée. Il ne pouvait revenir vers elle alors qu'elle était la proie d'une telle fureur.

Il progressait lentement et maladroitement, glissant sur l'herbe mouillée. Il refusait de s'écrouler tant qu'elle pouvait encore le voir depuis le perron, mais il était si épuisé, si endolori… Il n'était pas certain d'y arriver.

En tout cas, il ne parviendrait pas à marcher jusqu'à la cabane de Boudreau, il en était sûr.

Soudain, la voix de Sandy résonna derrière lui.

— Reviens, s'il te plaît, demanda-t-elle d'un ton dur. Tu ne peux pas monter la colline. Pas avec ta jambe dans cet état. Et même si tu le pouvais, il fait nuit noire. Tu risques de glisser dans le marais, d'être aspiré par la boue, par le gumbo. Je ne veux pas me sentir responsable de ta mort.

Il se retourna vers elle.

— Tu n'es pas responsable de moi, ne t'inquiète pas.

Elle eut un rire amer.

— As-tu déjà oublié les promesses de notre mariage ? Ne voulaient-elles rien dire pour toi ? Je suis évidemment responsable de toi. Tu es mon mari. Je…

« Je t'aime », crut entendre Tristan. Mais elle ne le dit pas et il en fut perturbé. Leur vie durant, elle n'avait jamais hésité à lui déclarer sa flamme. Elle l'avait fait alors qu'ils avaient dix ans, en chantant une chanson d'amour à l'église, un dimanche, et elle écrivait souvent des mots d'amour au tableau quand ils étaient en classe.

Elle les avait même brodés sur une grande banderole le jour de leur mariage.

Mais au moment où son mari qu'elle avait cru mort resurgissait dans sa vie, et bien vivant, elle devenait incapable de lui dire « Je t'aime », et une sourde inquiétude le gagna.

— C'est d'accord, alors, dit-elle, prenant son silence pour un agrément. Retournons à la maison. Peut-être que tu seras mieux installé dans la chambre d'amis. Comme ça, tu…

— Attends, je n'ai pas dit que j'allais revenir.

Il ne pouvait passer une nuit près d'elle. Le simple fait de respirer ses cheveux le rendrait fou.

Sa jambe faillit céder sous son poids, lui rappelant brutalement la situation. Même s'il mourait d'envie d'être avec elle, même si la revoir le plongeait dans une douce euphorie, en vérité, il n'était pas en état de la prendre dans ses bras et même si elle l'avait invité à lui faire l'amour, il en aurait été incapable. Il était encore trop faible et sa jambe ne lui permettait pas de …

Une violente pluie l'interrompit dans ses pensées. Sandy insista.

— Tu vois bien que tu ne peux pas marcher sous cette averse. Le sol va devenir encore plus glissant.

— Je dois rentrer. J'ai besoin…

« Des remèdes de Boudreau », faillit-il préciser. Le vieux Cajun lui avait concocté une potion à base d'herbes sauvages. Un antalgique naturel et un désinfectant qui, en plus, l'aidait à dormir.

Mais, sans qu'il s'en rende compte, Sandy l'avait rejoint et le ramenait à la maison.

— Boudreau a besoin de moi, assura-t-il.

Ils arrivaient dans la cuisine.

— Boudreau a besoin de toi ? répéta-t-elle avec ironie. Il a besoin de toi ? Arrête, Tristan, trouve autre chose. Regarde-toi.

Avec un soupir, elle esquissa un geste suppliant.

— A une époque, je croyais chaque mot que tu disais. Et c'était il n'y a pas si longtemps, ajouta-t-elle, les yeux pleins de larmes.

— Sandy, ne complique pas les choses, je t'en prie. Je ne peux marcher que depuis quelques jours. Personne n'a conspiré contre toi. Je suis revenu ici dès que j'en ai eu la force.

Elle le regarda en face et secoua la tête.

— Exact. Tu m'as précisé en effet que tu étais venu… chercher quelque chose. Tu pensais sans doute que j'étais toujours à Bâton-Rouge, chez ta mère.

— Non, je te l'ai dit. Boudreau m'avait prévenu que tu étais rentrée.

— Bon sang, Tristan, tu m'as fait croire que tu étais mort. C'est très grave, très cruel de ta part, et il n'est pas possible de minimiser ta faute comme si elle n'était due qu'aux circonstances. N'espère pas non plus te faire pardonner avec deux ou trois compliments, un petit baiser ou de plates excuses.

— Vraiment, Sandy ? Tu crois *vraiment* que j'espère m'en sortir ainsi ? Tu me connais pourtant ou, en tout cas, je le pensais. Mais tu n'étais pas contente que je travaille autant sur la plate-forme pétrolière, n'est-ce pas ? Tu avais cru épouser un futur vétérinaire et finalement, tu t'es retrouvée mariée à un ouvrier.

— Je n'ai pas apprécié ta décision de te faire embaucher sur cette plate-forme, en effet. Et comme si cela ne suffisait pas, tu as ensuite voulu devenir espion, travailler pour la Sécurité du territoire. Non seulement, tu n'étais jamais là mais, les rares fois où tu étais à la maison, tu étais préoccupé, inquiet, inattentif et je détestais cela.

Il en fut surpris et ne put le cacher.

— Eh oui, Tristan. J'avais découvert ce que tu faisais sur cette plate-forme. Je ne comprends pas pourquoi tu ne m'en avais pas parlé. Sans doute que tes employeurs l'exigeaient et je le respecte. Mais comment tu as pu me faire croire que tu étais mort ? Ça, c'était un coup bas.

Elle le dévisagea et ses grands yeux bleus se remplirent de larmes.

— Et maintenant, je pleure. Formidable !

Tristan faillit sourire. A toute occasion, mariage, enterrement, film de filles, Sandy fondait en larmes.

— Je vois ça. Je suis pourtant un peu étonné. Il ne s'agit pas d'une publicité pour…

Sandy serra les mâchoires et il regretta sa pique.

— Non, fit-elle, nous sommes dans la vraie vie et nous avons encore besoin d'en parler.

— D'en parler ? répéta-t-il. Tu ne me parles pas, tu m'agresses. Puisque tu veux parler, parlons plutôt de Bâton-Rouge. Tu devrais retourner chez ma mère, tu y serais en sécurité.

— En sécurité ? De quoi ou de qui dois-je me protéger ?

— As-tu déjà oublié que quelqu'un a tenté de me tuer ? Maman et toi devriez vous rendre quelque part. Dans un endroit où personne ne pourrait retrouver votre trace, peut-être à Washington avec Zach. Jusqu'à ce que toute cette histoire soit éclaircie.

Cette idée lui plaisait. Avec son vieil ami d'enfance devenu un agent de la NSA, elles seraient en sécurité.

Mais les yeux de Sandy brillaient de nouveau de colère. Manifestement, il avait commis une autre erreur.

Les poings sur les hanches, elle lui jeta d'un ton sec.

— Si tu crois que je vais aller où que ce soit en te laissant aux bons soins de Boudreau, tu te trompes lourdement.

— Jusqu'ici, il a fait du bon travail, répliqua Tristan.

— Tu trouves ? Regarde-toi. Tu tiens à peine sur tes jambes, tu es squelettique. Et tu as l'impression qu'il a fait du bon travail ?

— Sans lui, je n'aurais pas survécu. S'il n'avait pas été là pour me sortir de l'eau et me soigner, je serais mort à l'heure où nous parlons.

Elle écarquilla les yeux.

— Je t'en prie, Tristan. Il perd la tête et il est cajun. Qu'a-t-il fait ? Il t'a donné une potion de sa composition, une potion magique certainement, puis il a touché ton front en disant « Lève-toi et marche » ?

Son ton était amer, elle se moquait clairement de Boudreau.

Le vieil homme lui avait donné des potions, oui. Mais par la suite, son ami l'avait encouragé à se lever et à nager. Pour que ses muscles ne s'atrophient pas et qu'il ne soit pas obligé de ramper le reste de sa vie.

— Il m'a sauvé la vie, répéta-t-il. Il n'a pas perdu du temps à essayer de me porter jusqu'à un médecin ou à l'hôpital. Mais à quoi bon en discuter ? Quoi que je dise, tu ne me croiras pas, n'est-ce pas ?

— Non, en effet, je ne te croirai plus jamais. Tu m'as menti, tu m'as fait croire que tu étais mort. Et désormais, je serai toujours persuadée que tu me racontes des histoires quand tu me diras quelque chose.

Tristan se passa la main sur le visage.

— Et regarde-toi, poursuivit-elle. Si tu ne te fais pas

soigner pour de bon, avec de vrais médicaments, de vrais pansements, tu vas mourir de septicémie. Tu attraperas fatalement une infection.

Sa voix se brisa tandis qu'elle luttait visiblement contre les larmes.

— Pourquoi tu ne vas pas, toi, à Washington ? Pourquoi tu ne vas pas tout raconter à Zach ? Lui, il saura quoi faire pour te protéger.

Tristan secoua la tête.

— As-tu entendu ce que je t'ai dit ? Je ne suis pas le seul à être en danger. Dois-je le répéter ?

— Inutile, j'ai très bien entendu. Je commence à voir clairement beaucoup de choses que je ne voyais pas auparavant.

— Sandy…

Elle leva la main.

— Bon, nous pouvons aller ensemble à Washington. Je conduirai.

Mais il secoua la tête.

— Ce n'est pas possible. Si nous faisions cela, ils s'en prendraient à Boudreau.

— Alors allons le chercher, qu'il vienne avec nous.

— Ecoute-moi. J'ai mieux. Boudreau et moi travaillons sur quelque chose.

Sandy grogna.

— Tu as toujours réponse à tout, non ? dit-elle en serrant les poings.

Il ne put s'empêcher de la dévisager. Elle était furieuse et il se sentait si frustré qu'il avait envie de lui tordre le cou. Mais lorsqu'elle était en colère, ses yeux brillaient comme des saphirs, ses joues devenaient joliment roses et ses mains se posaient sur son ventre en un geste protecteur.

En fait, comprit Tristan, il fondait d'amour pour elle et le bébé.

— Que regardes-tu ? demanda-t-elle. Pourquoi

n'essaies-tu pas de m'aider ? Il y a forcément un moyen, une solution.

Et soudain, sans raison apparente, toutes les discussions et les plans qu'il avait mis au point avec Boudreau s'envolèrent. Il hocha la tête.

— Il y a une solution, oui.

— Alors, dis-moi laquelle. Pourquoi tourner autour du pot ? Attends, fit-elle en fronçant les sourcils. De quoi parles-tu ?

Mais il n'eut pas à répondre. Elle avait déjà compris.

— Oh non, lâcha-t-elle en secouant la tête. Non, il n'est pas question que tu serves d'appât. Ils te tueront.

— Sandy, il n'y a pas lieu d'en discuter, je n'ai pas le choix. C'est le seul moyen de les arrêter.

— J'ai dit *non* !

Mais ce *non* se noya dans une énorme explosion.

5

Sandy hurla mais, très vite, elle comprit : ce bruit fracassant n'était qu'un gros coup de tonnerre. Elle se souvint alors avoir remarqué quelques éclairs dans le ciel pendant leur discussion.

L'orage éclata avec violence, allumant ses feux d'artifice dans la nuit noire. La cuisine fut soudain plongée dans l'obscurité et un instant, Sandy se sentit complètement désorientée.

Sous le choc, elle s'effondra contre Tristan qu'elle renversa presque dans le mouvement. Il se rattrapa de justesse à l'une des portes-fenêtres.

Comme Sandy essayait de se redresser et de s'écarter de lui, il l'enlaça, l'étreignant avec force. Et soudain, tout changea entre eux.

Il la tint serrée contre lui et ce qu'elle avait pleuré depuis deux mois lui fut rendu d'un coup. Les bras puissants de Tristan, son torse chaud et son menton sous lequel sa tête s'emboîtait à la perfection.

Elle noua les bras autour de sa taille, s'efforçant de ne pas penser à sa fragilité apparente, à sa maigreur. Elle n'avait qu'une envie : se blottir au creux de son épaule, enfouir son visage dans son cou, s'enivrer de son odeur familière.

— Tristan, murmura-t-elle. Tu m'as manqué. Si tu savais à quel point tu m'as manqué !

Il prit une profonde inspiration.

— Sandy, je…

Il la lâcha et s'approcha des portes-fenêtres pour regarder au-dehors. A cet instant précis, un autre éclair zébra le ciel.

— Allonge-toi ! grogna-t-il.

— Quoi ? Qu'est-ce qui se passe ?

— Baisse-toi et va vite te réfugier dans le salon !

Levant la main, il lui désigna la pièce voisine.

Elle obéit et s'écarta des baies vitrées pour gagner le salon.

— Qu'est-ce qui se passe ? Tu as vu quelque chose ?

— Chut !

Sandy attendit, à la fois irritée par ses ordres et soulagée de sa présence. Quoi qu'il ait aperçu au milieu des éclairs, elle se félicitait de ne pas avoir à y faire face seule.

Quelques instants plus tard, il la rejoignit en se frottant le front.

— Alors ? Qu'y avait-il ?

— Rien, répondit-il, fuyant son regard. Un jeu de lumières dans les branchages qui m'a inquiété pour rien.

— Menteur ! Tu me racontes encore des histoires. Tu espères me faire croire que tu t'es affolé pour rien ? Tu as toujours adoré l'orage. Tu n'as jamais eu peur du tonnerre, de la foudre. Au contraire, quand tu étais enfant, tu sortais jouer dès qu'il y en avait, tu trouvais le spectacle grandiose, grisant.

Il haussa les épaules.

— Je te dis simplement ce qui s'est passé. Quelque chose m'a paru bizarre mais finalement, ce n'était rien.

— Arrête, Tristan, je t'en prie. Je sais très bien que tu as vu quelque chose ou quelqu'un dehors. Pourquoi le nier ? Il vaudrait mieux que tu me racontes comme tu le faisais autrefois afin que nous puissions en discuter et décider ensemble de ce qu'il faut faire, non ? Je ne te reconnais plus. Tu as changé.

— Ce n'est pas moi qui ai changé mais le contexte, la

situation. Quelqu'un a essayé de me tuer. Cette personne cherche à livrer illégalement des armes sur les côtes de la Louisiane pour les vendre ensuite dans tous les Etats-Unis. Je suis le seul à avoir la possibilité de l'identifier. Mais pour le reste, rien n'a changé, Sandy, je te le promets. Je suis toujours l'homme que j'étais, que je suis depuis toujours.

— Rien n'a changé ? jeta-t-elle avec un rire amer. Tu plaisantes, je suppose. Tu crois peut-être que tu n'as pas changé, Tristan, mais tout a changé autour de toi. Tu as peut-être l'impression de vivre dans le même monde qu'auparavant, le monde dans lequel tu évoluais avant de tomber de la plate-forme. Mais pas moi. Je t'ai raconté ce qu'ils m'avaient dit après l'accident ? Ils n'avaient retrouvé de toi que des débris humains, ce dont les requins n'avaient pas voulu. Une touffe de cheveux et un bout de muscle.

Elle avait du mal à répéter les mots qu'elle avait entendus de la bouche même du médecin légiste.

Tristan se figea, le visage blême. Elle poursuivit.

— J'ai dû acheter un cercueil et demander au père Duffy de s'occuper de tes funérailles. Il m'a fallu choisir des fleurs et des chants pour la cérémonie…

Elle s'interrompit, le souffle court.

— Tu comprends ce que je te dis, Tristan ? Tu comprends que pour moi tu étais mort ? Je n'avais plus rien à quoi me raccrocher. Plus d'espoir. Plus rien !

Elle perdait la maîtrise de ses nerfs et elle le savait. Il lui fallait se calmer, pour son bébé. Il s'agitait, envoyait des coups de pied parce qu'il la sentait bouleversée.

— Sandy, je n'ai jamais voulu…

Elle leva les mains.

— Non ! cria-t-elle. Je ne peux plus en supporter davantage ! Va-t'en, Tristan ! Va-t'en !

— Non, je ne m'en vais pas, riposta-t-il. Je ne sais pas ce que j'ai vu mais je ne vais pas prendre le risque de passer à côté d'une menace.

— Je le savais ! s'emporta Sandy. Je savais que tu n'avais pas vu un simple jeu de lumières dans les branches, qu'il ne s'agissait pas de vagues ombres comme tu cherches à me le faire croire. Mais ne t'inquiète pas pour moi. Au point où nous en sommes, je me sens plus capable que toi d'affronter le danger. Et tu bouleverses le bébé.

Elle pressa son ventre dans lequel l'enfant ne cessait de gigoter.

— Fais ce que tu veux, Tristan ! Je m'en moque tant que je n'ai pas… à te voir faire.

Sur ce, elle tourna les talons et traversa le hall pour gagner sa chambre avec toute la dignité dont elle était capable.

La porte de la chambre claqua. Tristan jura en français puis frappa le mur du plat de sa main. La douleur provoqua une autre bordée de jurons.

— Putain !

Il serra les mâchoires, secoua la tête et s'efforça de se calmer.

D'un côté, il comprenait la colère de Sandy. Lorsqu'il avait perdu son père, peu de temps avant la fin de ses études à l'université, il avait été furieux et terrifié. Il adorait son père, même s'il avait toujours détesté son métier sur les plates-formes pétrolières. Et à sa mort, il avait dû renoncer à l'avenir dont il rêvait. Depuis l'enfance, il souhaitait devenir vétérinaire mais, d'un seul coup, ce n'était plus possible. Il devait abandonner les études et travailler sur les plates-formes pétrolières. Comme son père.

A la mort de celui-ci, il avait dû gérer les émotions de toute sa famille. Sa mère, en particulier, trouvait naturel de s'appuyer sur lui. Il était alors devenu le nouveau chef de tribu.

Il connaissait donc bien le désarroi que Sandy avait dû

éprouver, il n'avait aucun mal à imaginer sa détresse. La seule différence était que, contrairement à lui, son père n'avait jamais réapparu.

Sandy avait eu à affronter le traumatisme, la douleur d'apprendre sa mort. Et accepter désormais qu'il soit en fait vivant était tout aussi déchirant. Il était normal qu'elle soit en colère. En tout cas, que sa première réaction soit teintée de fureur.

Lui aussi était en colère.

A une époque, qui ne remontait pas à très longtemps, il aurait juré que Sandy et lui seraient incapables de se disputer sérieusement. Ils se connaissaient depuis toujours ou presque et ils savaient qu'ils étaient faits l'un pour l'autre. S'il leur était arrivé de se chamailler à l'occasion pour des broutilles, ils n'avaient jamais connu de conflits graves.

Mais depuis plusieurs mois, il lui cachait des éléments importants de sa vie. Il avait des secrets. Il ne lui avait jamais dit qu'il travaillait pour le Renseignement, pour la Sécurité du territoire. Il lui avait menti et il lui avait fait croire qu'il était mort.

Des éclairs continuaient à zébrer le ciel, plus faiblement qu'auparavant. Il se rapprocha de la porte-fenêtre. Il ne pleuvait presque plus et le tonnerre s'était tu. L'orage s'éloignait.

Mais il faudrait attendre plusieurs jours avant que l'électricité ne revienne. En attendant, Sandy et lui devraient s'éclairer aux bougies et cuisiner sur un réchaud. Tout ce qui leur était nécessaire en cas de violents orages se trouvait dans la buanderie, près de la cuisine.

Comme il s'apprêtait à s'y rendre, quelque chose bougea à l'extérieur. Il se pétrifia. Une ombre se faufilait dans le jardin. Elle se déplaçait entre les flaques d'eau sur la terrasse.

Tristan se tendit mais resta parfaitement immobile,

les yeux rivés sur la silhouette sombre, attendant qu'elle bouge encore.

Il jeta un coup d'œil derrière lui, dans le salon, où son père avait accroché un fusil et une carabine au-dessus de la cheminée.

Tristan n'aimait pas les armes, ne les avait jamais aimées, même lorsqu'il était enfant et que ses camarades voulaient jouer aux gendarmes et aux voleurs.

La carabine étant plus légère à porter et plus facile à utiliser, il la prit et la chargea.

Quand il se redressa, le poids de l'arme faillit le déstabiliser mais il s'arc-bouta, refusant de s'écrouler. Il avait besoin d'être armé. Il ne savait pas du tout qui se promenait dans le jardin mais il était certain d'avoir aperçu une silhouette humaine.

Il débrancha le système d'alarme et, avec précaution, il ouvrit les portes-fenêtres, s'efforçant de faire le moins de bruit possible.

Il s'aventura au-dehors. La coupure de courant faisait ses affaires. Autrement, le détecteur de mouvements qu'il avait installé dans le jardin se serait mis en route, l'éclairant.

Lorsqu'il parvint devant le garage, il s'immobilisa. Sa jambe le faisait terriblement souffrir, il boitait de plus en plus et il transpirait à grosses gouttes.

Il se tint là un moment, adossé au mur, près de l'angle du bâtiment. Puis, serrant son fusil contre lui, il s'approcha pour jeter un coup d'œil à l'endroit où il avait vu quelqu'un se déplacer.

Il enregistra mentalement la scène puis recula, se plaquant de nouveau contre le mur. Il se repassa alors les images qui s'étaient imprimées dans son cerveau, cherchant à les interpréter.

D'abord, l'ombre n'était pas aussi grande qu'il ne l'avait

tout d'abord imaginé. Il pouvait s'agit d'un gamin traversant furtivement le jardin à la recherche d'alligators à tirer.

Il secoua la tête. Non. A la façon dont l'individu se tenait, se déplaçait, s'accroupissait, il ne s'agissait certainement pas d'un enfant mais plutôt d'un homme adulte.

Pour quelle raison innocente, un homme se faufilerait-il discrètement dans son jardin ?

Il n'en voyait qu'une. L'intrus était certainement acoquiné au type qui avait commandité sa mort. Mais ce dernier pensait qu'il était effectivement mort. Alors ?

Une terrible pensée le frappa.

Pour tout le monde, il était mort. Donc si quelqu'un venait rôder autour de chez lui, ce n'était pas dans l'idée de s'attaquer à lui. Mais parce qu'il s'intéressait à Sandy. Ce type espionnait Sandy.

Tristan observa le ciel où les nuages volaient bas. Avec un peu de chance, le vent les chasserait et la lune referait bientôt son apparition. Mais si le clair de lune lui permettait de distinguer un visage, l'intrus le verrait, lui, aussi. Il lui fallait donc se préparer à tout. Il décida de jeter un autre coup d'œil à l'ombre. Il s'approcha de nouveau de l'angle du bâtiment et ce qu'il vit le glaça. Ses craintes étaient fondées.

L'homme tenait des jumelles devant ses yeux. Il observait la maison, il espionnait Sandy.

La surprise de Tristan se mua en colère, puis la peur prit le dessus. Qui était ce type ? Qui l'avait envoyé ?

Tristan souleva son fusil et prit une profonde inspiration. Il devait se concentrer. Il lui fallait viser l'intrus sans perdre l'équilibre, garder son sang-froid et rester focalisé sur sa cible.

Mais comme il lançait un dernier regard avant de s'élancer, l'inconnu s'éloigna discrètement. Il rampa un long moment, puis se redressa et courut vers la route.

Tristan le suivit des yeux. S'appuyant contre le mur

du garage, il s'efforça de bien l'observer, d'enregistrer le maximum de détails sur ce visiteur.

Le type avait atteint la route et il filait à toutes jambes.

Dans le ciel, le vent commençait à balayer les nuages et, doucement, la lune apparaissait enfin.

Tristan plissa les yeux. Même si l'homme s'éloignait, sa silhouette semblait familière…

Oui, il ressemblait beaucoup à Murray Cho.

— Vous n'avez pas respecté votre part du contrat, dit la voix au téléphone à Murray.

— Mais j'ai fait de mon mieux, protesta le Viêtnamien. Ce n'était pas si facile. Vous avez déjà essayé de suivre quelqu'un ?

Au moment où il prononçait ces mots, il les regretta.

A quoi bon tenter d'apitoyer un homme tellement cruel qu'il avait été jusqu'à kidnapper un adolescent pour faire pression sur un malheureux père et le forcer à espionner une personne innocente ?

Ce type avait peut-être traqué des dizaines de personnes, tué de nombreuses autres. En tout cas, il avait la voix glacée et inhumaine d'un assassin.

— Vous moquez-vous de moi ? répliqua-t-il justement. Ecoutez-moi bien, Murray. Mon patron a besoin de ce renseignement et il en a besoin maintenant. Quel est le problème ?

— Je ne peux pas venir espionner la maison dans la journée. Et la nuit, il est difficile de voir quoi que ce soit. La nouvelle lune ne me…

— Au lieu de geindre, vous feriez mieux de…

— Attendez, l'interrompit Murray avec plus de cran qu'il n'en avait réellement. Avant de faire plus de recherches, je veux être certain que mon fils est toujours en vie.

Sa voix se brisa mais il s'efforça de recouvrer une contenance.

— Qu'il est en vie et en bonne santé. Je tiens à lui parler.

— Méfiez-vous, Murray. Vous marchez sur des œufs, mon vieux. Mon patron a des ennuis par-dessus la tête et il est très nerveux actuellement. Je vous déconseille de trop tirer sur la corde.

— Je veux entendre mon fils. Je ne ferai rien tant que je n'aurai pas la certitude qu'il va bien.

— Vous ne le reverrez pas tant que vous n'aurez pas donné à mon patron ce qu'il attend de vous, rétorqua brutalement l'homme. Mais je peux vous faire entendre sa voix. D'accord ?

— Oui, oui, je vous en prie.

A l'autre bout de la ligne, le malfrat jura, puis cria.

— Viens, rapplique ici… Tu n'as pas besoin de savoir pourquoi, fais ce que je te dis… Dépêche-toi !

Retenant son souffle, Murray suivait chaque bruit. L'homme parlait manifestement à Patrick. Le cœur de Murray se serra si fort dans sa poitrine qu'il craignit qu'il n'explose.

Puis il reconnut la voix de son fils et un sanglot déchira sa poitrine.

— Patrick ? Patrick, ça va ?

— Papa ? Que se passe-t-il ? Je ne comprends pas. Pourquoi je suis prisonnier ?

Son ravisseur lui arracha l'appareil des mains.

— Ça ira, ça suffit. Sortez-le d'ici, les gars.

— Papa, je crois que nous sommes au…

Mais la voix de son fils fut coupée par une claque que Murray identifia immédiatement.

— Non ! cria-t-il. Je vous interdis de le frapper.

— Il va bien, rétorqua l'homme. Il a juste besoin d'apprendre à faire ce qu'on lui dit et à ne pas essayer de jouer au plus malin avec moi.

— Il le fera, je vous promets qu'il le fera.

— Ecoutez-moi bien, je me moque de vos promesses, je veux des actes, des preuves. Maintenant, je vais vous donner un numéro et je vous conseille d'appeler d'ici quarante-huit heures pour dire que vous avez du nouveau. Si, passé ce délai, vous ne nous avez pas apporté ce que le patron vous demande, ni vous ni votre fils ne reverrez le soleil se lever. Suis-je clair ?

Murray faillit dire à cet homme ce que celui-ci attendait. Il lui suffisait de raconter ce qu'il avait vu dans ses jumelles : un homme avec Mme DuChaud chez elle.

Patrick lui serait alors rendu sain et sauf. Du moins l'espérait-il.

Mais au moment où il ouvrait la bouche pour parler, il se rendit compte de son erreur : il allait tout leur donner sans avoir la garantie de récupérer son fils.

En outre, il ne pouvait pas prouver à ses ravisseurs que l'homme qu'il avait vu était bien Tristan DuChaud.

— D'accord, compris, dit-il finalement.

Avec un peu de chance, il savait comment retrouver son fils sain et sauf. Pour obtenir la preuve dont il avait besoin, il lui fallait s'approcher davantage de la maison et s'y rendre en journée. Ce n'était pas un problème. Il ferait tout pour obtenir une photo de Tristan DuChaud parce que c'était la seule façon de sauver son fils.

6

La première chose que remarqua Sandy en se réveillant fut l'odeur du café. Pendant un petit moment, ces délicieux arômes lui rappelèrent les jours heureux. Elle venait d'apprendre qu'elle était enceinte et Tristan ne parlait que du bébé à venir. Sachant à quel point elle aimait le café, il avait organisé tout un périple à travers la Louisiane pour dénicher le meilleur décaféiné de l'Etat.

Mais la dure réalité chassa rapidement ce souvenir attendrissant. Le temps du bonheur semblait loin et elle devait affronter le présent.

Tristan était revenu d'entre les morts et il avait passé la nuit à la maison. Elle le savait parce que, quelques heures plus tôt, après être sortie, folle de colère, de la cuisine pour regagner sa chambre, elle avait tendu l'oreille, guettant le grincement caractéristique des portes-fenêtres s'ouvrant, se refermant. Mais elle n'avait rien entendu.

Elle avait attendu un moment. Tristan était-il parti sur la pointe des pieds, en catimini ? Puis elle avait reconnu le bruit du système d'alarme lorsqu'il était rebranché. Et elle avait alors sombré dans les bras de Morphée.

Assise dans son lit, elle s'enivra des fragrances qui lui mettaient l'eau à la bouche. Depuis six mois, depuis le début de sa grossesse, elle rêvait de déguster un bon café.

Elle alluma la lampe mais rien ne se produisit. Ah oui ! Après l'orage de la nuit, il n'y avait plus de courant. Mais alors, comment Tristan avait-il réussi à faire du café ?

D'autres odeurs chatouillèrent ses narines. Du bacon ? Il avait dû en trouver dans le congélateur. Maddy avait surgelé tous les aliments qui donnaient la nausée à Sandy dans les premiers temps de sa grossesse, à commencer par le bacon.

Dans l'immédiat, l'idée de se régaler d'un bon café et d'une assiette de bacon la faisait saliver.

Elle se moquait de la façon dont Tristan avait réussi à les cuisiner. Elle voulait manger, priant pour ne pas avoir de nausées quand elle franchirait le seuil de la cuisine et subirait pleinement l'effet de ces arômes.

Elle se leva, prit une douche rapide et s'habilla d'une jupe rose et d'un corsage blanc. Il lui fallut remonter sa jupe au-dessus de son ventre. Le vêtement tombait jusqu'à ses genoux et non jusqu'aux chevilles comme à l'origine. Mais, comme elle n'avait pas mis cette tenue depuis longtemps, elle paraissait neuve. En la revêtant, songea Sandy, c'était comme si elle se donnait une chance de repartir du bon pied avec Tristan, de prendre un nouveau départ avec lui.

Elle gagna la cuisine et comprit aussitôt comment Tristan avait réussi à préparer le bacon et le café. Il avait utilisé la vieille gazinière qu'ils gardaient dans la buanderie pour ces circonstances. Il s'était servi d'un brûleur pour faire cuire le bacon et, sur un autre, il avait fait bouillir l'eau dans une casserole pour confectionner un café connu dans la région comme du « café hobo ».

Attablé, il sirotait son bol et jouait avec sa nourriture.

— Que fais-tu ici ? demanda-t-elle d'un ton maussade.

— Tu ne m'avais pas dit que tu te moquais de ce que je comptais faire du moment que tu n'avais pas à me voir faire ? J'ai dormi sur le canapé. J'y redormirai la nuit prochaine, si tu le souhaites.

— Je ne le souhaite pas, trancha-t-elle. Je n'ai pas besoin que tu me protèges. Tu m'as laissée seule pendant plus de deux mois. Si tu avais estimé que, seule à la maison, j'étais en danger et que j'avais un besoin de protection impératif, tu serais revenu plus tôt, non ? Après tout, tu n'étais pas loin… tu te trouvais au bout du jardin.

Tristan grimaça.

— Je ne pouvais pas revenir.

Bien sûr qu'il ne l'avait pas pu. Il était au lit, dans le coma ou trop faible pour se lever. Elle devrait d'ailleurs demander à Boudreau ce qui s'était passé précisément pendant ces deux mois, parce que Tristan ne le lui dirait jamais.

— Tu t'es donné beaucoup de mal pour trouver la cuisinière au gaz et préparer le petit déjeuner. Pourquoi tu ne manges rien ?

Il leva les yeux vers elle et lui sourit, d'un sourire triste qui lui fendit le cœur.

— Je l'ai préparé pour toi. Tu as maigri et, même si cela fait cliché de le dire, tu dois manger pour deux.

— J'ai été nauséeuse pendant des mois. L'odeur du bacon en particulier était redoutable. Le simple mot « bacon » me soulevait l'estomac. Et as-tu oublié que je ne digère que le jus de raisin ?

Tristan resta abasourdi un instant puis il piqua un fard.

— Désolé. Cela m'était en effet sorti de l'esprit. Je vais te faire griller du pain.

— Non, non, dit-elle en lui prenant le bras pour le retenir. Ne te lève pas. Le bacon comme le café sentent délicieusement bon. J'ai envie de m'en régaler, en espérant les supporter.

Il posa les yeux sur la main de Sandy qui lui tenait le bras et, gênée, elle la retira. Elle se servit de café, sucra le breuvage et le goûta.

— Du décaféiné ? demanda-t-elle.

— Bien sûr, répondit-il en retournant des tranches

de bacon dans la poêle. Le bacon sera peut-être un peu croustillant.

Sandy se mit à rire.

— Nous n'avons jamais réussi à nous mettre d'accord sur la cuisson du bacon, n'est-ce pas ?

Elle s'efforçait de faire de l'humour, d'alléger l'atmosphère mais Tristan parut irrité.

— Qu'est-ce qui ne va pas ? s'enquit-elle.

Avec un gros soupir, il secoua la tête sans répondre.

— Dis-moi ! insista-t-elle. Qu'as-tu ?

Il se leva brutalement.

— Le problème ne vient pas de moi, aboya-t-il. Mais de toi, Sandy. Ou plutôt de nous, non ? Tu ne sens pas les tensions entre nous ? Que nous arrive-t-il ?

Elle le dévisagea, sourcils froncés. Elle ne l'avait jamais vu en colère — pas contre elle, en tout cas — et cette fureur déclencha chez elle une décharge d'adrénaline. Le bébé s'agita aussitôt et elle caressa son ventre pour le calmer.

— Insinues-tu que…

Elle surprit alors les yeux de Tristan sur son ventre et elle fondit.

Mais il reprit, secouant la tête.

— Je ne comprends pas ton attitude, Sandy. Je pensais que tu serais au moins contente de me revoir.

Elle le fusilla du regard.

— Contente de te revoir ? Je suppose que j'en aurais été heureuse si j'avais su que tu avais tellement hâte de me retrouver que tu avais fait tout ce chemin pour moi, que tu t'étais traîné jusqu'ici dans le seul but de me prendre dans tes bras, de me rassurer et de m'embrasser. Mais, au cas où tu l'aurais oublié, quand je t'ai croisé dans le hall, tu essayais de filer à l'anglaise en espérant que je ne saurais jamais que tu étais passé à la maison en coup de vent, en cachette. Dans ces conditions, donne-moi une raison, une seule raison, pour laquelle je devrais me réjouir ?

Il planta les yeux dans les siens.

— Peut-être le fait de comprendre que je ne suis finalement pas mort, répondit-il doucement.

Elle fut incapable de soutenir son regard. Bien sûr, il avait raison. Une fois le choc passé, elle aurait évidemment dû être ravie qu'il soit vivant. Mais elle avait plutôt été sidérée au point de se croire victime d'hallucinations, puis en proie à une fureur sans nom. Nul bonheur, nulle joie dans tout ça.

— Quand je t'ai revu... Non, dit-elle en levant la main, je ne vais pas retomber dans ma rancœur. Ecoute, Tristan, tu sais ce que j'éprouve et, si tu ne peux pas comprendre que j'ai le droit d'être en colère... eh bien, je ne sais pas quoi te dire.

Tristan serra les mâchoires.

— Formidable, lança-t-il d'un ton ironique. Voilà qui explique tout.

Elle ouvrit la bouche pour le remettre vertement à sa place mais il poursuivit.

— Je vais retourner chez Boudreau. Mais d'abord, j'aimerais jeter un œil dans le jardin. J'ai vu Murray y rôder cette nuit. Maintenant que le soleil est revenu, je trouverai peut-être un indice qui m'aidera à comprendre ce qu'il était venu faire chez nous, cette fois-ci.

— Quoi ? Tu as vu Murray ? Tu veux dire Murray Cho ?

Tristan jura dans sa barbe, regrettant visiblement d'en avoir trop dit.

Sandy mit les poings sur ses hanches.

— Merde, Tristan ! Arrête de tout me cacher ! J'ai besoin de savoir ce qui se passe, pour me protéger.

— Très bien. Oui, j'ai vu Murray Cho. Je l'ai surpris en train de fureter dans le jardin, dans les mauvaises herbes, derrière le garage.

— Murray ? Mais il vit à Gulfport maintenant. Il a déménagé.

— Tout ce que je peux te dire, c'est que je l'ai vu et reconnu. J'ignore pour quelle raison il se trouvait là. Et c'est pour ça que j'ai l'intention de mener ma petite enquête sur le sujet.

Elle croisa les bras sur sa poitrine.

— Pour ma part, le jour des funérailles, j'ai aperçu le fils de Murray m'épiant par les baies vitrées de notre chambre. Murray était derrière lui.

— Que faisaient-ils ?

Sandy secoua la tête.

— Je suppose que Patrick était venu rôder autour de la maison pour tenter de voir ce qui s'y passait et son père l'a suivi pour l'en empêcher.

Elle réfléchit un instant puis ajouta.

— Comment peux-tu être sûr qu'il s'agissait bien de Murray ?

— La lune a éclairé un instant sa figure et je l'ai reconnu.

— A ton avis, il était venu pour quoi ? Au fait, tu savais qu'il avait été mêlé à l'arrestation des trafiquants d'armes ?

Tristan opina.

— Oui, Boudreau m'a raconté qu'il avait surgi dans l'entrepôt en menaçant de les tuer.

— Mais en réalité, c'est Boudreau qui a tiré et qui a descendu le capitaine de la plate-forme pétrolière. Pas Murray Cho. Et d'après Maddy, Boudreau aurait alors déclaré « De la part de Tristan » ou quelque chose comme ça.

Tristan leva un sourcil surpris.

— C'est drôle, il ne m'a pas rapporté cette phrase. Mais je ne devrais pas en être étonné.

— Il y a autre chose à propos de Murray, non ? Tu as dit « cette fois-ci »…

Tristan considéra un moment ses mains.

— Vraiment ?

Elle serra les dents et le toisa.

— Oui, tu as dit il y a deux minutes : « Que faisait-il ici, *cette fois-ci* ? »

Il biaisa.

— Tu as toujours ton ordinateur portable ?

— Non, quelqu'un me l'a volé. Quand je suis revenue de Bâton-Rouge, il avait disparu. Pourquoi ?

— Il y a deux ou trois semaines, Boudreau passait voir si tout allait bien dans la maison lorsqu'il a aperçu Murray qui sortait du salon avec ton ordinateur sous le bras.

— Est-il sûr à cent pour cent qu'il s'agissait de Murray ?

— Qu'est-ce que tu as avec Murray ? Pourquoi j'ai l'impression que tu cherches à le blanchir envers et contre tout ?

— Pas du tout, protesta Sandy. Mais je suis désolée pour lui qu'il se soit senti obligé de quitter Bonne-Chance après l'histoire avec les contrebandiers dans son entrepôt. Il s'est toujours montré gentil. Mais cela fait donc trois fois qu'il vient rôder par ici. Que cherche-t-il, à ton avis ?

— A t'espionner.

— Moi ? Mais pourquoi ? Et d'abord, tu en es vraiment sûr ?

— Oui, sûr et certain.

Il s'exprimait d'un ton amusé.

Sandy le dévisagea.

— Je ne comprends pas. Comment peux-tu en être sûr ?

— Parce que tu étais dans la cuisine et qu'il était de l'autre côté du jardin au milieu des mauvaises herbes avec des jumelles. Des jumelles qu'il braquait sur la fenêtre de la cuisine.

Sandy se tourna dans la direction qu'il lui indiquait. Elle avait eu peur en découvrant Patrick Cho et son père derrière la fenêtre de sa chambre le jour de l'enterrement de Tristan. Mais imaginer Murray l'observer à l'aide de jumelles lui donna la nausée.

Elle fit volte-face vers Tristan mais il était déjà parti. Elle ne s'en était même pas rendu compte.

Elle sortit dans le jardin, le regard orienté vers le débarcadère. En vain. Tristan avait disparu sous les feuillages, dans l'enchevêtrement des plantes grimpantes, des broussailles et des roseaux des marais. A coup sûr, il retournait dans la cabane de Boudreau.

Folle de rage, Sandy rentra à l'intérieur. Comment Tristan osait-il se comporter avec elle de façon si méprisante ? Il n'était pas le seul à souffrir. Elle avait failli mourir de chagrin en apprenant sa mort. Elle n'avait réussi à survivre qu'en pensant à son bébé : si elle mettait fin à ses jours, elle tuerait aussi son enfant innocent.

Et, bien sûr, elle n'aurait jamais pris la vie de son bébé. Au lieu de quoi, elle s'était juré de s'arranger pour qu'il ne manque jamais de rien. Et de lui dire tout ce qu'elle pourrait, tout ce qu'elle savait sur son père.

— Tu sais, bébé, parfois je me demande pourquoi je me soucie de lui. Qu'est-ce qui ne tourne pas rond avec ton papa ? Il prétend vouloir rester loin de moi pour assurer ma sécurité. Cela n'a aucun sens ! Si tout le monde est persuadé qu'il est mort, pourquoi les bandits chercheraient-ils à s'en prendre à moi ?

Elle s'interrompit soudain.

— A moins que… Oh ! Mon Dieu !

Elle se laissa tomber sur une chaise et prit son ventre entre ses mains.

— Voilà ce qui ennuie Tristan, ton papa. Murray Cho travaille certainement pour… celui qui a essayé de le tuer. Il a dû être envoyé par eux pour m'espionner, pour voir si je me comporte de façon bizarre. Ils veulent être sûrs que ton papa est vraiment mort. Parce qu'ils savent que, s'il était en vie, il pourrait leur nuire, les dénoncer et les traîner devant la justice, en prison. Mais j'ai peur de quelque chose, bébé… Et si Murray avait vu Tristan en venant rôder dans le jardin ?

En fin de journée, Sandy, qui cherchait à s'occuper, entreprit de faire l'inventaire des réserves alimentaires dans la maison afin de planifier les menus à venir. Mais en dresser la liste ne lui prit qu'une demi-heure.

Elle décida alors de se mettre au crochet. Elle avait suivi des cours pour apprendre à tricoter et elle confectionnait une paire de chaussettes pour le bébé. Mais, elle devait l'avouer, elles ressemblaient plus à des moufles qu'à des chaussettes.

Elle finit par reposer son ouvrage et se leva pour aller se poster aux portes-fenêtres. Elle scruta le chemin qui menait au débarcadère mais rien ne bougeait. Tristan avait sans doute estimé qu'il avait besoin de paix et de tranquillité. Peut-être avait-il préféré rester chez Boudreau.

Il était parti depuis plusieurs heures. Certes, dans des circonstances normales, il passait souvent des après-midi entiers et même de longues soirées avec son vieil ami cajun à discuter, à pêcher ou à boire des bières.

Mais les circonstances n'avaient rien de normales et Sandy avait envie de parler avec lui.

Elle ouvrit les portes-fenêtres et sortit dans le jardin.

— N'espère pas me laisser seule jour et nuit dans cette maison, Tristan DuChaud. Pas maintenant que je sais que tu es vivant, espèce de menteur.

Elle tapota son ventre dans lequel le bébé recommençait à s'agiter.

— Calme-toi, bébé. Et ne t'inquiète pas. En réalité, même si j'en donne l'impression, je ne suis pas folle de colère contre ton papa. Mais il se comporte vraiment comme l'homme le plus arrogant, le plus têtu du pays.

Le bébé lui envoya un nouveau coup de pied.

— D'accord, d'accord, murmura-t-elle. J'en ai assez d'être furieuse. Nous allons nous rendre chez Boudreau et retrouver ton papa. Je jouerai alors la pauvre fille seule et terrifiée pour le convaincre de revenir. Parce que tu dois savoir que si ton papa est têtu, ta maman est obstinée. Avec des parents comme les tiens, tu risques d'avoir vraiment un sale caractère, ajouta-t-elle en riant.

Elle traversa à grands pas le jardin pour gagner le chemin enfoui sous la végétation. Mais avant de pénétrer sous l'enchevêtrement de lauriers-roses, de mauvaises herbes et de plantes grimpantes, elle jeta un coup d'œil à l'endroit où Tristan avait aperçu Murray Cho, dans la nuit. Le Viêtnamien s'était mis là pour l'espionner. A travers des jumelles. Elle redressa les épaules tandis qu'un frisson de dégoût lui parcourait l'échine.

Avait-elle senti le regard de quelqu'un sur elle ? Non, elle ne le pensait pas. Mais l'aurait-elle senti si quelqu'un l'avait épiée ? Elle n'aurait su le dire.

Comme elle repoussait des mains les branchages pour dégager la voie, quelque chose, des bruits de pas qui s'approchaient, lui fit tendre l'oreille. Peut-être s'agissait-il de Tristan. Son cœur s'accéléra dans sa poitrine.

Et si c'était Murray ?

Soudain terrifiée, elle tourna les talons pour rebrousser chemin, courir vers chez elle, mais la personne la rattrapa.

— Sandy ?

— Tristan ! cria-t-elle en s'effondrant contre lui.

Il en perdit l'équilibre et planta sa canne dans le sol humide pour ne pas tomber.

— Que fais-tu dehors ? Où comptais-tu aller ?

— Chez Boudreau. Je venais te chercher. Voilà des heures que tu es parti, gémit-elle.

— Tu m'as dit de partir, et très clairement, non ?

— Non, pas du tout !

Puis elle se souvint. En effet, elle l'avait dit. « Va-t'en. Va-t'en. »

— Cela ne signifiait pas que je voulais que tu restes longtemps loin de moi, répliqua-t-elle avec une certaine mauvaise foi. Comme tu ne revenais pas, j'ai eu peur que tu ne reviennes jamais. Tu sais, Tristan, quand j'ai appris ta mort, cela m'a fait si mal que j'ai pensé mourir. Me faire croire que tu étais mort était vraiment cruel de ta part. Un mari ne peut rien faire de pire à sa femme.

Il secoua la tête.

— Je crois que tu exagères un peu, dit-il avec ce ton faussement patient qui la mettait toujours hors d'elle.

— Oh ! cria-t-elle en serrant les poings. Tu me rends folle. Je vais te… Je vais te…

— Tu vas quoi, Sandy ? demanda-t-il en s'approchant d'elle, les yeux sombres.

Il était en face d'elle et elle ne pouvait détourner les yeux.

— Je ne sais pas. J'aimerais atteindre ton cœur et en sortir l'homme que j'ai épousé. Parce que tu ne lui ressembles plus. Tu crois que tu n'as pas changé ? Tu as tort. Tu as beaucoup changé.

Tristan serra les mâchoires.

— Et je ne parle pas du changement que j'ai constaté quand tu travaillais sur la plate-forme, poursuivit-elle. Non, tout avait commencé bien avant. Il y a peut-être un an, peut-être plus.

Elle s'interrompit pour calculer mentalement.

— Mon Dieu, tout est lié à tes activités d'espion, non ? Tu es devenu agent secret, tu as commencé à travailler dans les renseignements, il y a un peu plus d'un an, non ?

Mais il ne répondit pas.

— C'était il y a un an, insista-t-elle.

Le visage de Tristan restait impénétrable mais ses yeux bruns semblaient plus sombres encore.

— Oui, répondit-il enfin.

Elle se détourna. Elle lui avait dit la vérité. Il n'était plus l'homme qu'elle avait connu toute sa vie, il n'était plus l'homme qu'elle avait épousé.

— Je ne sais plus qui tu es.

Les yeux de Tristan brûlaient dans son dos, elle le sentait. Mais il ne prononça pas un mot.

Aussi lui fit-elle de nouveau face.

— Je pense que Murray travaille pour le type qui a essayé de te tuer, pour le commanditaire de ton assassinat.

Tristan resta silencieux un moment, puis hocha la tête.

— Je le crois aussi.

— Vraiment ? Mais alors, que vas-tu faire ? Il faut l'arrêter !

— Voilà pourquoi je voulais retourner chez Boudreau. Pour en discuter avec lui.

— Dis-moi quelque chose, Tristan. Si tu t'inquiètes tant pour moi, pourquoi sommes-nous encore ici ? Pourquoi nous ne sommes pas partis ailleurs, dans un endroit sûr, où je pourrai mettre mon bébé au monde sans avoir à me demander tous les matins si son père sera encore en vie le lendemain ?

Elle prit une profonde inspiration.

— Et pendant que tu y es, que sommes-nous censés faire sans toi ? Ton enfant et moi ?

Elle n'arrivait plus à contenir sa colère. Elle lui posa un index rageur sur le torse.

— Je te promets ceci, Tristan DuChaud. Je protègerai ce bébé de toutes mes forces. Je prendrai tous les risques. Je suis prête à donner ma vie, à livrer la tienne, pour cet enfant.

Tristan l'attrapa par le bras et l'attira à lui, tellement près que leurs visages se touchèrent presque.

— Et tu ne crois pas que je ferais la même chose ?

Ses yeux étincelaient de colère.

— Après tout ce temps, poursuivit-il, après avoir vécu

toute ta vie avec moi, tu essaies de me faire croire que tu ne le sais pas ? Que tu ignores que je suis prêt à tous les sacrifices, à mourir pour toi ou le bébé ? Mais je n'ai pas l'intention d'en arriver à cette extrémité. Boudreau et moi travaillons sur un plan pour te mettre en sécurité avec le bébé jusqu'à ce que cette histoire soit terminée et ce type arrêté.

Il la dévisageait avec une telle fureur qu'elle se sentit mal.

— Arrête ! cria-t-elle. Tu me fais peur.

Il la lâcha aussitôt, si brusquement que, déséquilibrée, elle faillit s'étaler par terre.

— Désolé, dit-il. Je ne le voulais pas.

— Exactement. Tu ne voulais pas me faire peur, tu ne voulais pas me faire croire que tu étais mort, tu ne voulais pas beaucoup de choses. Mais tu me les as pourtant fait subir. Et c'est parce que tu es entré dans les services secrets. A ce sujet, pourquoi as-tu voulu devenir espion ? Qu'est-ce qui t'y a poussé ? Cela ne te ressemble pas.

Il la regarda un moment puis il finit par se tourner vers la propriété.

— Rentre et couche-toi. Tu as besoin de repos. Je fermerai la maison et brancherai l'alarme.

— Non, je veux des réponses.

Mais il ne lui en donna aucune. Il se mit à marcher en boitant vers la maison et elle dut le suivre, elle n'avait pas le choix. Elle ne voulait pas rester seule dehors.

Une fois à l'intérieur, il lui demanda.

— Tu veux du café ?

Elle secoua la tête.

— Moi non plus, fit-il en clopinant jusqu'à leur chambre.

Sandy ne savait pas quoi dire et, finalement, elle décida de le rejoindre. A la fin, il prit la parole.

— Je n'ai jamais voulu travailler sur les plates-formes pétrolières. J'ai vu mon père y devenir quelqu'un de dur, de distant. Il passait plus de temps en mer qu'à la maison.

Je détestais cela et je me suis juré que je ne ferais jamais subir cela à ma…

Il s'interrompit.

— A ta famille, compléta Sandy.

— Mais je n'avais pas le choix.

— Est-ce de ma faute ?

Il secoua la tête.

— Non, bien sûr que non. Je ne reproche rien à personne. Papa est mort et j'ai dû mettre une croix sur mes études vétérinaires pour travailler, gagner ma vie. Les plates-formes pétrolières paient bien leurs employés. Ce n'est de la faute de personne. Mais la Sécurité du territoire m'a alors contacté et m'a expliqué qu'ils avaient besoin de placer un agent sur The Pleiades Seagull, qu'ils préféraient mettre un gars du coin qui ne pourrait pas être suspecté de travailler pour le gouvernement. J'ai été tenté. Cela donnait un sens à mon travail. Je ne serais plus un homme parmi tant d'autres employés sur une plate-forme pétrolière du golfe du Mexique, je ferais quelque chose de bien pour mon pays.

Il haussa les épaules, et le cœur de Sandy se serra. Elle s'avança vers lui et posa les mains sur ses épaules.

— Je crois que je n'avais jamais mesuré à quel point il était important pour toi de contribuer à la sécurité du pays.

Il se raidit.

— Je dormirai sur le canapé du salon. Comme ça, si quelqu'un veut entrer dans la maison, je l'entendrai. Je pense même que je débrancherai l'alarme pour m'attaquer à lui et le faire parler.

Sandy fronça les sourcils.

— N'essaie même pas. Tu n'es pas en état de te battre avec qui que ce soit.

7

A peine eut-elle prononcé ses mots que Sandy se mordit la lèvre. Mais il était trop tard.

Tristan blêmit.

— Tu m'as toujours sous-estimé, Sandy, dit-il avec de l'amertume dans la voix. Je ne sais pas bien pourquoi.

— Je ne te sous-estime pas. Je te regarde. Tu es blessé, tu n'as pas encore retrouvé toutes tes forces. Tant que tu ne seras pas pleinement rétabli, tu ne peux pas te battre. C'est une évidence. En plus, tu n'as jamais été de nature belliqueuse. Tu es un pacifique.

Comme Tristan tentait de répondre, elle leva la main pour l'en empêcher.

— Je sais très bien que tu es capable de te défendre s'il le faut. Je n'en ai jamais douté. Mais tu n'es pas du genre à chercher la bagarre.

Il secoua la tête.

— Et je n'en ai pas l'intention. Il s'agit de te protéger et de protéger le bébé. Ainsi que la maison. Mais je parie que tu vas encore m'en juger incapable. Bon, ça ne sert à rien d'en discuter. Je m'en vais. A plus tard.

Tandis qu'il fermait la porte derrière lui, elle lança.

— Tristan !

— Oui ? fit-il en se retournant.

— Ne pars pas.

— Je croyais que tu étais en colère contre moi… au point d'avoir envie de m'étrangler.

— Je le suis, je l'étais.

— Alors pourquoi voudrais-tu que je reste ? demanda-t-il d'un ton plus léger.

Il esquissa un sourire malicieux et la rejoignit.

— Serait-ce pour ça ? ajouta-t-il en l'embrassant.

Ce baiser désarçonna Sandy. Elle ne s'y attendait pas du tout, mais elle y répondit avec fougue. Sur ce point, rien n'avait changé. Elle était toujours amoureuse de son mari, elle tombait toujours en pâmoison lorsqu'il posait ses lèvres sur les siennes et elle avait toujours le souffle coupé quand il lui caressait les seins.

Avec un gémissement, elle ouvrit les lèvres, et leurs langues entamèrent une danse sensuelle. Elle en défaillit de désir, pour sa plus grande de joie. Depuis deux mois, elle avait dû faire le deuil de toutes ses sensations, de leur plaisir partagé. C'était fini, tout ça, se répétait-elle à longueur de journées avec un douloureux dépit. A tel point qu'elle aurait préféré mourir si elle n'avait porté leur enfant. A quoi bon continuer, sinon ?

Tristan lui avait plu au premier regard. Depuis le début, il l'attirait comme un aimant. Même lorsqu'ils étaient très jeunes et qu'ils n'avaient encore rien fait d'autre que s'embrasser sur la joue ou se tenir par la main, elle avait toujours eu envie qu'il la touche, qu'il se plaque contre elle, tout le temps, encore et encore.

Et une fois qu'ils eurent fait l'amour, il n'y eut plus de retour en arrière possible. Ils s'aimaient depuis leur première rencontre, ils s'aimeraient leur vie durant. Et pour eux, l'amour avait toujours eu de multiples facettes. Il était à la fois sensuel, sexuel, platonique, innocent, complice. Tous deux n'avaient rien de parfaits, loin de là. Mais lorsqu'ils étaient ensemble, tout était parfait entre eux.

Comme le désir pour l'homme qu'elle aimait, pour l'homme qu'elle avait toujours aimé et aimerait toujours, s'emparait d'elle, Sandy craignit de s'embraser. Les baisers de Tristan comme ses caresses la rendaient folle.

— Ce n'est sans doute pas une bonne idée, murmura-t-il contre sa bouche.

— C'est toi qui as commencé, répliqua-t-elle d'un ton moqueur.

Alors il se rétracta, tenta de s'écarter.

Sandy ne comprit pas pourquoi. Quel était le problème ? En tout cas, elle n'allait pas le laisser partir.

Elle avait toujours eu envie de lui mais, à cet instant précis, le désir dont elle brûlait était si fort qu'elle en tremblait. Jamais il n'avait été si intense. Tristan était mort et il était revenu à la vie, elle retrouvait sa peau chaude, son corps palpitant.

Elle noua les bras autour de sa taille sans cesser de l'embrasser.

Pendant un moment, il se laissa faire. Il approfondit leur baiser et elle se pressa contre lui, tandis qu'au creux de son ventre montait une faim sensuelle.

Mais soudain il la repoussa.

— Non !

— Pourquoi non ? Ne t'arrête pas ! Pas maintenant, je t'en supplie !

— Sandy, dit-il, détournant la tête. Je ne suis pas sûr de… pouvoir.

Elle le dévisagea avec un petit sourire en coin.

— Moi, j'en suis sûre, répliqua-t-elle en glissant la main dans son pantalon.

Mais il lui tourna le dos.

— Ce n'était pas ce dont je parlais.

— Alors de quoi ? lança-t-elle, complètement perdue.

Il répondit quelque chose qu'elle ne comprit pas. Elle se rapprocha de lui et tenta de l'enlacer, mais il s'écarta et lui fit face, le visage rouge de colère.

— Bon sang, Sandy ! Ouvre les yeux ! Comment

veux-tu ? Je peux à peine marcher. Ma jambe ne résistera pas.

Sandy eut un petit rire.

— Tu n'as pas besoin d'elle. Il suffira que je me mette au-dessus de toi et…

— J'ai dit non ! lâcha-t-il sèchement.

Sandy leva les mains dans un geste de reddition.

— D'accord, très bien. Désolée.

Tout son corps lui faisait mal tant elle était frustrée et elle souffrait également d'être ainsi rejetée.

Il lui lança un regard contrit.

— Je vais me coucher sur le canapé du salon.

Elle ferma les paupières puis les rouvrit.

— Je me sentirais beaucoup mieux si tu restais dans ma… dans notre chambre. Si tu préfères, tu peux prendre le lit de camp.

— Non, il n'est pas question de dormir dans un lit d'enfant dans ma propre chambre dans ma propre maison. Oublie. Si tu veux que je dorme dans cette chambre, dans *notre* chambre, ce sera dans *mon* lit avec *ma* femme.

A ces mots, le feu intérieur qu'il avait glacé un instant plus tôt, se raviva. C'était un feu que Sandy avait tenu sous le boisseau depuis longtemps, trop longtemps. Voilà trop longtemps qu'elle n'avait pas partagé son lit avec son mari. Avant de tomber ou d'être poussé de la plate-forme pétrolière, Tristan y avait travaillé un mois entier. La dernière fois qu'il était rentré à la maison, elle était malade. Au début de sa grossesse, elle avait beaucoup souffert de nausées matinales. En définitive, ils n'avaient pas fait l'amour depuis quatre mois.

— Bonne nuit, dit-il en se dirigeant vers la porte. Dors bien.

— Attends !

Il s'arrêta sur le seuil de la chambre, se frottant les tempes.

Elle le contempla. A plus d'un titre, Tristan était un miracle incarné. Il avait été déclaré mort, il avait été enterré et voilà qu'il était de retour. Elle avait envie, besoin, de se blottir contre lui.

— Très bien, dit-elle. C'est d'accord.

— D'accord pour quoi ? Juste pour que les choses soient claires.

— Dors avec moi dans le lit. Je t'en prie. J'ai besoin d'être avec toi.

Il hocha lentement la tête, les yeux brillants comme des pierres précieuses.

Il fallut un long moment à Tristan pour gagner le lit. A quelle heure exactement il se glissa sous les couvertures, Sandy ne le sut pas. Mais quand elle se réveilla à 2 heures du matin, le cœur battant et le souffle court, il était là.

Il se pencha pour murmurer à son oreille.

— Rendors-toi, chérie. Je suis là, maintenant.

— Tristan ? susurra-t-elle en se pelotonnant contre lui. J'ai entendu quelque chose.

Il se raidit légèrement.

— C'est sans doute le vent.

— Sans doute ? Tu es sûr qu'il n'y a pas lieu de s'inquiéter ? ajouta-t-elle en se tournant brusquement vers lui.

Il poussa un petit cri.

— Aïe ! Fais attention, Sandy ! Tu m'as donné un coup dans le tibia.

— Oh ! Tristan, excuse-moi ! Je t'ai fait mal ? Je suis désolée.

— Non, mais nous n'allons pas pouvoir dormir si tu n'arrêtes pas de parler.

Elle pressa son visage dans son cou, s'enivrant de son odeur, une odeur chaude, virile, une odeur de loup, qui la rendait folle depuis toujours. Un mélange de savon, de mousse à raser avec peut-être une pointe de pâte dentifrice, l'ensemble mêlé à des fragrances qui n'appartenaient qu'à lui. L'odeur de l'homme avec qui elle avait juré de passer le reste de sa vie.

— Ai-je fait attention assez longtemps ? ajouta-t-elle d'un ton coquin.

Elle avait tort de jouer les polissonnes, elle le savait. D'abord parce qu'elle était toujours furieuse contre lui de ne pas lui avoir dit plus tôt qu'il était vivant. Certes, il avait passé l'essentiel de ces deux mois dans le coma ou à récupérer physiquement. Mais Boudreau aurait pu venir la trouver et lui épargner des jours et des semaines de chagrin et de souffrances. Il aurait dû lui dire que Tristan était toujours en vie.

Mais plus encore que la colère, un profond et délicieux désir pour son mari l'envahissait. Ils n'avaient pas fait l'amour depuis des mois.

— Que fais-tu ? demanda-t-il d'une voix rauque.

— Ce que tu voulais que je fasse, non ?

S'il décidait de le prendre mal, de se fâcher contre elle pour avoir mis le sujet sur le tapis, ils ne feraient pas l'amour…

Tristan se redressa, prenant appui sur son avant-bras, et il la regarda dans l'ombre.

— Et de quoi s'agissait-il ? chuchota-t-il.

Au ton de sa voix et à la douceur de son regard, il avait pris sa décision. Il était prêt à redevenir pleinement son mari, à se montrer vivant, chaud et viril.

Elle lui sourit.

— Bienvenu chez toi, murmura-t-elle en lui ouvrant les bras.

Il l'embrassa avec le désir et l'amour qu'il lui avait toujours témoignés.

Sandy lui rendit ses baisers avec fièvre. Lorsqu'il la touchait, lorsqu'il l'embrassait, elle flottait sur un petit nuage dans un monde magnifique construit pour eux deux — pour eux trois puisqu'il y avait désormais le bébé.

Tristan caressa son ventre rebondi.

— Salut, bébé, chuchota-t-il. Comment va mon petit garçon ? ajouta-t-il en l'embrassant.

Il promena les mains sur son ventre, puis descendit entre ses cuisses pour la caresser intimement.

Quand ses doigts s'introduisirent en elle, un spasme douloureux la traversa et elle poussa un cri.

Il retira aussitôt sa main mais elle le retint.

— Ne t'arrête pas, je t'en prie. Cela fait si longtemps.

— Je sais. Je regrette de t'avoir laissée seule pendant des semaines, des mois.

Il se pencha pour exciter la pointe de ses seins de la langue. Son érection devenait plus évidente.

Sandy se cambra. Avoir sa bouche chaude sur ses seins, ses doigts sur son bouton de rose la rendait folle et un deuxième orgasme, plus fort que le premier, la souleva.

Comme il continuait à la téter, elle murmura.

— Tristan, juste pour que tu le saches et que tu ne sois pas surpris, je…

Mais avant qu'elle n'ait pu ajouter quoi que ce soit, il sauta en arrière, si vite qu'elle en fut étonnée.

— Que se passe-t-il ? Tu as entendu quelque chose ? demanda-t-elle, même si Tristan ne s'intéressait certainement pas à ce qui se passait à l'extérieur.

— Non, mais que…

— Mes seins fabriquent déjà un peu de lait, expliqua-t-elle en souriant. Je l'ai remarqué à plusieurs reprises ces derniers temps.

— Je ne suis pas sûr de vouloir le savoir, grommela-t-il.

— Tout va bien, Tristan. C'est tout à fait naturel. En fait, certains couples le font pour stimuler la fabrication de lait et faciliter le…

— D'accord, d'accord, j'ai compris, la coupa-t-il. Tu peux parler d'autre chose ?

Il s'écarta d'elle et se leva.

— Je vais aller dormir sur le canapé comme j'avais prévu au départ, reprit-il plus calmement. J'ai besoin de repos et toi aussi, j'en suis sûr.

Il s'appuya contre le mur pour prendre son jean sur la chaise, puis quitta la pièce.

Une fois seule, Sandy se laissa tomber sur le dos, fixant le plafond. Elle avait besoin de quelques instants pour se remettre du plaisir qu'il lui avait donné.

Que Tristan l'ait touchée, caressée, fait jouir, la remuait profondément et elle avait envie de retenir les moments qu'ils venaient de partager.

Elle rêvait de se lever et de suivre Tristan dans la pièce voisine, de l'embrasser, de le caresser pour le forcer à terminer ce qu'il avait commencé. Cela dit, il était tard et il avait été choqué, un peu dégoûté, de voir que ses seins fabriquaient du lait.

Un doute profond et un immense désarroi s'emparèrent d'elle. Peut-être Tristan ne serait-il plus jamais prêt à lui faire l'amour, ou elle. Après les épreuves qu'ils avaient traversées, peut-être ne pourraient-ils plus jamais se retrouver comme des amants.

Elle imagina la douleur et la peur qu'il avait endurées, certain qu'il allait mourir. Sans doute s'était-il dit que, s'il survivait, il resterait profondément marqué et handicapé par ce qui lui était arrivé.

Finalement, la situation était peut-être plus facile pour elle que pour lui. Il avait été horrible pour elle de croire que l'amour de sa vie était mort mais n'était-ce pas bien pire d'avoir vu la mort en face comme Tristan ? Et surtout une mort violente ? N'était-ce pas pire que tout ?

En songeant à tout ce que Tristan avait traversé, des larmes roulèrent sur ses joues, inondant son visage et son oreiller. Mon Dieu, comme elle l'aimait ! Et pourtant, elle l'avait laissé tomber.

Quand Sandy se réveilla, peu après 8 heures, Tristan était au lit avec elle. Elle était couchée sur le côté et il était emboîté dans son dos derrière elle, en petites cuillères. Son érection était puissante, mais ce qui l'émut aux larmes fut sa main sur son ventre, dans un geste protecteur. Elle eut envie de mêler ses doigts aux siens pour lui faire partager l'émotion de sentir le bébé bouger, donner de petits coups de pied.

Elle avait hâte de lui raconter la séance chez le radiologue où elle avait passé une échographie. Il lui avait montré ce qui le rendait certain qu'elle attendait un garçon.

Le souffle chaud de Tristan dans son cou comme la douceur de son bras sur elle la réconfortaient. Son mari dormait profondément. Les cernes qui mangeaient son visage prouvaient qu'il ne dormait pas assez depuis longtemps et elle n'avait surtout pas envie de le réveiller.

Elle somnola un long moment mais une envie pressante la força à sortir du lit. Elle s'efforça de ne pas faire de bruit, de ne pas le réveiller.

Après avoir soulagé sa vessie, elle se rendit dans la cuisine pour confectionner un pot de café hobo sur la gazinière. En songeant à tout ce qui s'était passé en quatre jours, elle avait le tournis. Elle était passée du statut de veuve à celui d'épouse abandonnée.

Toute sa vie, dans les mauvais comme dans les bons moments, elle avait toujours cru pouvoir compter sur Tristan. Quoi qu'il advienne, l'amour qu'il avait pour elle lui permettrait de surmonter tous les obstacles, toutes les difficultés de la vie, elle n'en avait jamais douté. L'amour de Tristan pour elle avait été une constante, une certitude, le pilier de leurs relations.

Mais Tristan avait fait quelque chose qui ébranlait les fondations de leur union, quelque chose qui pouvait provoquer le naufrage de leur mariage.

Si, depuis leurs neuf ans, il avait toujours été à ses côtés, toujours là pour elle, là, il l'avait abandonnée. Il était parti, la laissant seule alors qu'elle attendait leur enfant.

Elle plia le torchon et le posa près de l'évier, puis se caressa le ventre.

— Je ne sais pas si j'y survivrai, bébé.

Elle battit des paupières pour chasser ses larmes et prit une profonde inspiration, s'interdisant de pleurer.

— Mais je vais essayer, il le faut. Pour toi, bébé. Et surtout, quoi qu'il arrive, je te protègerai. Parce que si ton père a pu me faire croire qu'il était mort, il est susceptible de te jouer un jour le même tour et il n'est pas question de prendre un tel risque.

L'idée de son petit garçon cherchant son père et pensant à tort qu'il avait été dévoré par un requin serra le cœur de Sandy. Elle ne pouvait pas laisser une telle éventualité se produire. Elle protégerait son enfant envers et contre tout, y compris contre les mensonges de son père.

A cet instant, quelque chose se fracassa contre les portes-fenêtres et, avec un cri, Sandy bondit en arrière.

Les vitres ne se brisèrent pas comme elle l'avait craint au départ mais un visage curieusement aplati y apparut et des mains encadraient cette figure monstrueuse.

Sandy faillit hurler.

Terrifiée, elle recula de plusieurs pas, jusqu'au moment où son dos heurta le réfrigérateur.

— Tristan !

Mais aucun son ne s'échappa de sa gorge. Elle ne parvenait pas à crier, à l'appeler. Elle avait du mal à respirer, ses jambes ne la portaient plus. Elle était au bord de l'évanouissement.

Paniquée, elle réussit à ouvrir un tiroir, à s'emparer

d'un couteau. Elle voulut le serrer dans son poing mais elle était sans force. Cela valait sans doute mieux. Etait-elle capable de frapper quelqu'un ? Au risque de le tuer ? Elle en doutait.

Elle tenta de prendre une goulée d'air.

— Tristan !

Elle continuait à fixer le visage déformé derrière la vitre et elle le reconnut soudain. Murray Cho.

— Non ! hurla-t-elle. Tristan !

A sa grande surprise, Murray ne bougeait pas. Il n'essayait pas de forcer les portes-fenêtres ni de s'enfuir. En fait, il semblait pétrifié ou peut-être était-il lui-même paralysé par la peur. Ses grands yeux noirs la fixaient d'un air suppliant.

Elle ne comprenait pas ce qu'il attendait mais il semblait aussi terrifié qu'elle, peut-être davantage. Puis, en un clin d'œil, il bondit en arrière comme tiré par un élastique et son expression changea, passant de la stupeur à la terreur.

Murray donnait l'impression de bouger en fonction des caprices d'un marionnettiste.

— Tristan ! cria-t-elle.

Cette fois, sa voix porta. Et alors qu'elle s'apprêtait à fuir, à se sauver dans la chambre, se dessina derrière le Viêtnamien un visage familier. Celui de Boudreau.

— Tristan ! hurla-t-elle.

Son mari surgit enfin dans la cuisine, au moment où Boudreau parvenait à la porte.

— Sandy ? Ça va ?

Il se pétrifia en voyant Boudreau.

— Attendez ! lui dit-il.

Tristan éteignit à la hâte le système d'alarme, puis déverrouilla les portes-fenêtres. Il tendit alors la main au vieux Cajun.

— Bonjour, Boudreau. Entrez.

— Bonjour, Tristan.

— Que m'apportez-vous ? demanda Tristan en regardant le Viêtnamien.

— Je crois que j'ai attrapé un braconnier, répondit Boudreau. Je l'ai trouvé en train de rôder près de ta maison. Mais comme il ne voulait pas me parler, je lui ai ligoté les poignets et je te l'ai amené.

Sandy considéra Murray. Elle l'avait toujours pris pour un brave homme, pour quelqu'un de gentil, même après l'incident derrière la fenêtre de sa chambre le jour des obsèques.

Mais Boudreau l'avait vu quitter la maison avec son ordinateur portable et Tristan l'avait surpris en train de les espionner à l'aide de jumelles.

Dans l'immédiat, il paraissait terrifié.

Elle fronça les sourcils, tentant de réconcilier l'image du charmant pêcheur qu'elle avait de lui depuis qu'il s'était installé à Bonne-Chance avec celle de l'homme qui semblait l'espionner, la harceler.

Boudreau décrivit la façon dont il avait coincé Murray.

— Etait-il armé ? demanda Tristan.

— Oui, enfin, façon de parler, ironisa Boudreau.

Il sortit de ses poches un smartphone et des jumelles.

— Ses armes ne sont pas dangereuses, sauf si elles tombent entre de mauvaises mains.

— Que se passe-t-il, Murray ? lança Tristan en se tournant vers le Viêtnamien. Je vous ai vu l'autre soir, traînant près de chez moi avec ces jumelles. Et je sais que vous avez volé l'ordinateur de ma femme.

— Monsieur DuChaud, je vous en prie, balbutia Murray. Puis-je vous parler en tête à tête ? J'ai essayé de m'expliquer avec M. Boudreau mais il a refusé de m'écouter.

L'anglais de Murray se détériorait, remarqua Sandy. Sous l'effet de la peur ? Il était visiblement terrorisé. Il suait à grosses gouttes et il les regardait tous comme s'ils étaient des bourreaux.

— Je vous en prie, monsieur DuChaud.

— Tristan ? dit Sandy, qui ne voulait pas qu'il soit trop dur avec le pauvre homme.

Mais Tristan la fit taire d'un geste en la fusillant du regard.

Cela la mit en colère. Furieuse, elle se rapprocha des portes, les bras croisés, décidée à rester et à suivre la conversation.

Tristan la toisa de nouveau mais elle l'ignora.

— Où était-il ? demanda-t-il à Boudreau.

— Devant le garage. Il donnait l'impression d'attendre pour rentrer dans la maison et prendre des photos.

— Murray ? intervint Sandy. Que se passe-t-il ? Pourquoi vous nous espionnez ?

Murray se tourna vers elle. Un léger espoir luisait dans ses yeux.

— Sandy ! lança Tristan sur un ton d'avertissement. Ne te mêle pas de cette histoire.

— Il est terrifié, répliqua-t-elle. Tu ne le vois pas ?

— Normal qu'il ait peur. J'étais à deux doigts de lui tirer dessus avec mon fusil, intervint Boudreau.

— Vous ne croyez pas qu'il y a autre chose ?

Elle se rapprocha du Viêtnamien.

— Murray ? Je sais que le jour des obsèques, vous tentiez seulement d'empêcher Patrick de regarder par la fenêtre. Je comprends bien. Votre fils a quoi, dix-huit ans ? Mais à présent, il s'agit d'autre chose, non ? Que se passe-t-il, Murray ? De quoi avez-vous si peur ? Dites-le-nous.

— Bon sang, Sandy ! grogna Tristan en tentant de la tirer en arrière. Ne reste pas près de lui. Tu ne sais pas de quoi il est capable.

Murray commença à secouer la tête.

— Non, non, je ne vous ferai pas de mal, madame DuChaud. Pas à vous, jamais. Je suis vraiment désolé, tellement désolé.

— Murray, calmez-vous, poursuivit Sandy. Pourquoi ne pas m'expliquer ce qui ne va pas ?

— Arrête, Sandy ! tonna Tristan. Tu lui parles comme s'il s'agissait d'un chien blessé ou d'un chaton abandonné. Retourne dans ta chambre et laisse-nous nous occuper de cette histoire entre hommes.

A ces mots, la colère de Sandy grandit un peu plus. De quel droit lui parlait-il sur ce ton ? Qui était ce type qui était revenu vers elle en se prétendant son mari ? Ce n'était pas son Tristan. Tristan la prenait pour son égale.

Les poings sur les hanches, elle rétorqua avec hargne.

— N'espère pas me renvoyer dans la chambre comme si j'étais une enfant, Tristan ! Et tu pourrais au moins le détacher. Il n'est ni un chien ni un chaton, mais Boudreau l'a ligoté comme s'il s'agissait d'un sanglier qu'il s'apprêtait à embrocher.

Boudreau prit la parole.

— Je l'ai attrapé comme tu m'avais demandé de le faire, Tristan. Mais je ne suis pas un chasseur de prime et d'ailleurs il n'a aucune prime au-dessus de sa tête. Que veux-tu que je fasse de lui ?

Tristan soupira et se tourna vers le Viêtnamien.

— Murray ? Etes-vous décidé à me raconter ce que vous êtes venu faire ? Vous me promettez que vous ne tenterez pas de vous échapper ?

— Oui, oui, monsieur. Je vais tout vous expliquer.

Tristan fit signe à Boudreau qui posa son fusil contre le mur pour couper la corde qui emprisonnait les poignets de Murray.

Reniant alors sa parole, Murray repoussa brutalement Boudreau pour s'enfuir à toutes jambes.

Tristan s'élança à sa poursuite, mais sa tentative était vouée à l'échec, il le savait. Son mollet blessé l'empêchait de rattraper le pêcheur.

Cependant, si Murray était plus rapide, ses jambes

courtes n'étaient pas habituées aux irrégularités du terrain. Il trébucha sur un nid de taupe et s'étala de tout son long sur le sol. Tristan s'arrêta, plié en deux, un point sur le côté. Boudreau le dépassa et attrapa Murray par le col.

— Si vous essayez encore de vous enfuir, je vous abats, compris ?

Murray se débattit.

Tristan se redressa mais il ne parvenait pas à recouvrer son souffle.

— Reconduisez-le dans la maison et attachez-lui de nouveau les mains, Boudreau…

— Tu as eu tort de courir, maugréa son vieil ami. Tu es encore en convalescence. Il faut te ménager.

Tristan ne répondit pas. Mais, d'un mouvement de tête, il fit comprendre à Boudreau de ne rien dire devant Murray Cho. Le Viêtnamien travaillait pour leurs ennemis.

— Allons-y, lança Boudreau. Marche, ordonna-t-il à Murray Cho.

Tristan suivit à distance. Il ne s'était jamais senti aussi chétif de toute sa vie. Sa faiblesse le mettait en colère et lui faisait peur. Il craignait de ne jamais retrouver ses forces.

Non, il ne devait pas laisser ses pensées emprunter cette direction. Il se rétablirait, il recouvrerait son énergie et son agilité, il ferait tout pour redevenir l'homme qu'il avait été.

Mais en attendant, il fallait regarder la vérité en face. Il n'était pas capable de protéger Sandy ni leur enfant, sauf avec ses neurones. Et il n'avait aucun moyen d'abattre des ennemis surarmés.

8

Quand Tristan entra en boitant dans la cuisine, Murray était assis devant la table et Boudreau se tenait près des portes-fenêtres, son fusil pointé sur le pêcheur. Sandy avait apporté un verre d'eau froide à Murray et elle discutait avec Boudreau.

— Pourriez-vous poser votre fusil ? demanda-t-elle.

Le vieux Cajun secoua la tête.

— Non, madame Sandy. Il m'a eu une fois. Il ne m'aura pas deux. Et non, merci, je ne veux pas d'eau. Cessez de m'en proposer toutes les cinq minutes.

Sandy le fusilla du regard, puis se tourna vers Tristan. Il s'adossa au mur, le souffle court.

— Moi, j'en prendrais bien un verre.

— Cela ne m'étonne pas, répliqua-t-elle durement. Qu'est-ce qui t'a pris ? Pourquoi tu as été courir comme un dératé ? Tu as perdu la tête ? Que cherchais-tu ? A te tuer ?

Une sourde rage s'empara de Tristan, alimentée par la douleur, la fatigue et l'humiliation. Il serra les dents, s'efforçant de ne pas lui lancer la réplique mordante qui lui montait aux lèvres. Sandy s'inquiétait pour lui, pour sa santé, mais elle semblait prête à multiplier ce genre de réflexions. Il devrait se battre — même si le combat semblait perdu d'avance — pour regagner le respect de sa propre femme, pour lui prouver qu'il était toujours un homme malgré ses blessures. En tout cas, il refusait d'être considéré comme un handicapé, comme un invalide.

Mais peut-être était-il resté trop longtemps avec Boudreau, plus longtemps que nécessaire. Pourrait-il vraiment redevenir celui qu'il était auparavant ?

Le ton de Sandy s'adoucit.

— Excuse-moi, Tristan. Je n'aurais pas dû dire cela.

Il s'enflamma intérieurement.

Epargne-moi ta pitié. Tu ne fais qu'aggraver la situation.

— Cela n'a pas d'importance, reprit-il à voix haute. Peux-tu aller me chercher un verre d'eau ? répéta-t-il.

Puis il prit place face au Viêtnamien et désigna une chaise à Boudreau.

— Asseyez-vous si vous voulez.

Le vieux Cajun secoua la tête.

— J'aimerais surtout retourner chez moi pour surveiller la cuisson du sanglier que j'ai mis à rôtir ce matin. Mais je n'irai pas tant que tu n'auras pas décidé ce que tu vas faire avec ce type, ajouta-t-il en désignant le pêcheur d'un mouvement de menton.

— Murray, vous me connaissez, n'est-ce pas ?

— Oui, monsieur DuChaud.

L'anglais de Murray Cho redevenait compréhensible. L'homme semblait plus calme.

— Et je suis content que vous ne soyez pas mort, monsieur DuChaud, ajouta-t-il.

— A l'occasion, je vous ai laissé utiliser le débarcadère de ma propriété, non ?

— Pas « à l'occasion ». Vous m'avez proposé de l'utiliser chaque fois que j'en aurais besoin et je vous en suis très reconnaissant.

— Alors, expliquez-moi pourquoi vous êtes venu rôder sur ma propriété pour espionner ma femme ?

Le visage du Viêtnamien devint livide.

— Je ne peux pas le dire, monsieur DuChaud. Je ne peux pas, je ne peux pas.

— Vous n'avez aucune raison d'avoir peur de moi ou de Boudreau. Dites-nous simplement pourquoi vous venez fureter par ici et qui vous a envoyé chez moi. Ensuite, vous pourrez partir, nous vous laisserons tranquille.

— Non, non, non. Impossible. Je ne peux pas vous le dire. Les conséquences seraient terribles. Non, je vous en prie. Ne me demandez pas une chose pareille et laissez-moi partir. Je vous en supplie.

Sandy avait raison, songea Tristan. Le Viêtnamien était terrifié. Quelqu'un le menaçait.

— Et vous laisser ainsi approcher ma femme, lui faire du mal, peut-être même la tuer ? Non, il n'est pas question de vous laisser partir.

Murray secoua énergiquement la tête, manifestement déçu.

— Mme DuChaud devrait repartir, ne pas rester ici. Emmenez-la loin, très loin pour longtemps. Elle y sera plus en sécurité.

Tristan se redressa et frappa les mains sur la table.

— Ça suffit ! Maintenant, je veux des réponses et si vous ne me les donnez pas, je n'ai pas l'intention de vous arracher les vers du nez, Murray. Je vous conduirai chez le shérif. Il vous enfermera jusqu'à ce que vous vous décidiez à dire ce que vous savez.

Murray ne réagit pas. De toute évidence, il craignait moins la prison que son mystérieux commanditaire.

— Vous êtes terrifié à mort, n'est-ce pas, Murray ?

Le malheureux pêcheur secoua la tête.

— Non, non, non.

— Vous mentez, Murray. Je le vois sur votre visage. Vous avez très peur de quelqu'un.

Tristan se mit à arpenter la pièce mais sa jambe blessée le faisait horriblement souffrir et il finit par se rasseoir.

— Vous êtes catholique, n'est-ce pas ?

Il n'attendit pas la réponse, il la connaissait : Murray Cho se rendait à la messe plusieurs fois par semaine et ne manquait jamais l'office du dimanche.

— Croyez-vous en Dieu ?

Murray fronça les sourcils mais hocha la tête.

— Oui, je suis catholique, répondit-il en sortant un chapelet de sa poche et en embrassant le petit crucifix qui y était accroché. Bien sûr, je crois en Dieu.

Tristan l'observa. Le Viêtnamien avait la foi et ce n'était pas la crainte de la mort qui l'empêchait de parler. Il ne restait donc qu'une explication.

— Il s'agit de votre fils.

Les yeux de Murray s'écarquillèrent et il devint livide.

— Quoi ? Non, non, non ! Où avez-vous été chercher ça ? Non.

Mais il rangea son chapelet dans sa poche d'une main fiévreuse.

Tristan esquissa un sourire triomphant. Murray ne voulait pas mentir en tenant un crucifix.

— Oui, c'est bien cela. Ils menacent de s'en prendre à votre fils. Où se trouve Patrick, actuellement ?

Brusquement, Murray ne fut plus une menace pour Sandy ou Boudreau mais un père ravagé d'angoisse. Le malheureux s'effondra et les larmes ruisselèrent sur son visage.

— Ils le tiennent. Je ne sais pas où. Ils l'ont kidnappé. Ils le tueront si je ne fais pas ce qu'ils m'ont ordonné de faire. Je ne peux pas… Je ne peux pas.

Tristan soupira. Les ravisseurs retenaient le fils de Murray prisonnier et ils se servaient de lui pour le forcer à espionner Sandy. Mais dans quel but ?

— Pourquoi, Murray ? Pourquoi vous ont-ils demandé d'épier ma femme ?

Comme Murray ne répondait pas, Tristan commença

à perdre son sang-froid. Le temps pressait, il lui fallait avancer. Incapable de garder la maîtrise de lui-même, il se leva et frappa la table avec force.

— Pourquoi ?

Murray sursauta et plaqua les mains contre son visage pour se protéger.

— Je ne sais pas. Ils m'ont juste dit de le faire. De regarder où elle allait, ce qu'elle faisait, qui elle voyait.

L'anglais de Murray redevenait presque incompréhensible.

— Ils m'ont dit d'entrer dans la maison et de prendre tout ce qui était informatique, les ordinateurs, les clés USB, les choses comme ça.

Tristan avait envie de le gifler et de le secouer comme un prunier. Il avait besoin que Murray se calme, qu'il réfléchisse de manière rationnelle. S'il voulait découvrir quoi que ce soit sur les gens qui tenaient tant à le tuer, il le fallait.

Il se redressa, prit une autre inspiration et avala une gorgée d'eau que Sandy lui avait finalement apportée.

Quand la colère qui bouillait dans ses veines se dissipa un peu, il se tourna de nouveau vers Murray.

— Que vous ont-ils dit à propos de Sandy ou de moi ?

— Rien. Ils m'ont juste dit de faire ce qu'ils m'ordonnaient de faire ou ils tueraient Patrick.

— Donnez-moi votre téléphone.

— Non, je ne peux pas, je ne peux pas. Ils me tueront si je ne rapporte pas de photo…

Murray se figea et changea de couleur, comprenant qu'il venait de se trahir. Il paraissait au bord de l'évanouissement.

— Des photos ? Quelles photos ? demanda Tristan.

Le malheureux pêcheur se mit à secouer la tête en tremblant.

— Je ne voulais pas le dire, gémit-il. Je suis vraiment désolé, monsieur DuChaud. J'ai honte de moi.

Baissant la tête, il ajouta d'une voix brisée.

— Je leur ai dit, pour vous. J'étais obligé. Ils retiennent mon fils, comprenez-vous ?

— Dites-moi ce que vous leur avez dit, insista Tristan de sa voix la plus posée possible.

— Je leur ai dit que je vous avais vu. Que j'avais vu un homme chez vous, avec Mme DuChaud, un homme qui pourrait être son mari. Ou peut-être pas. Alors ils m'ont donné un appareil photo. Ils m'ont demandé de vous prendre en photo, de leur apporter la preuve que vous étiez vivant. Ils ne voulaient plus que j'épie Mme DuChaud mais que je prenne une photo de vous. Si je ne le fais pas, ils tueront Patrick.

« Leur apporter la preuve que vous étiez vivant. »

Les mots tournaient dans la tête de Tristan. Quels que soient ceux qui avaient commandité sa mort, ils avaient appris qu'il était toujours en vie et ils avaient demandé à Murray Cho de le prouver.

Tristan sourit intérieurement. Il serait heureux, plus qu'heureux, de leur apporter cette preuve.

— Tout va bien, Murray. Vous avez bien fait. Je vais leur donner ce qu'ils demandent. Et avec joie.

Boudreau lui lança un regard sévère.

— Qu'as-tu en tête, fiston ?

Sans répondre, Tristan envoya une bourrade à Murray et lui serra l'épaule.

— Murray, acceptez-vous de faire ce que je vous dis ? En échange, je ferai tout pour sauver votre fils. Je ne peux pas vous promettre que je réussirai, que je parviendrai à mes fins, mais je vous jure que je mettrai tout en œuvre pour réussir. Ma femme est enceinte, j'aurai bientôt un fils… Alors je comprends très bien ce que vous endurez, Murray, ajouta-t-il d'une voix plus émue qu'il ne l'aurait voulu.

Murray l'observa un long moment. Puis il se redressa. Le petit homme terrifié qui était, un instant plus tôt, incapable de le regarder en face, qui avait tenté de se sauver, dont l'anglais se détériorait sous l'impact de la peur au point de devenir incompréhensible, se métamorphosait de nouveau.

Cet homme était désormais un père, un père angoissé et inquiet, mais un père prêt à se battre, prêt à tout pour sauver son fils.

— Je ferai tout pour Patrick.

Tristan le scruta. Rien de ce qu'avait dit Murray jusque-là ne l'avait touché autant que sa détermination à protéger son enfant. Mais le courage de cet homme comme sa volonté d'agir ne suffisaient pas à effacer le désespoir de ses yeux, la peur d'avoir fait le mauvais choix, d'avoir commis une erreur que l'adolescent paierait de sa vie.

Et Tristan savait très bien ce qu'il éprouvait. Lorsqu'il avait basculé par-dessus la rambarde de la plate-forme pétrolière, il avait été persuadé qu'il allait mourir. Il avait pensé à Sandy et à leur bébé à venir. A ce moment, il avait cru qu'il ne reverrait jamais sa femme et ne connaîtrait jamais son enfant.

Cela faisait-il partie de l'enfer ? s'était-il demandé. Le fait d'être séparé de Sandy et de leur fils. Puis il avait songé à sa vie s'il arrivait quelque chose à Sandy. Ce serait pire que tout.

Une profonde compréhension germa en lui ainsi qu'une réelle empathie. Sandy avait vécu cet enfer en apprenant qu'il était mort. Voilà pourquoi elle était furieuse contre lui. Elle ne lui en voulait pas d'être resté loin d'elle mais de ne pas lui avoir fait savoir qu'il était en vie.

Il se remémora l'expression du visage de sa femme lorsqu'elle l'avait vu dans la maison. Elle était en train de parler au bébé. Quand elle l'avait reconnu, lui, Tristan, elle avait eu le réflexe de poser les mains sur son ventre pour protéger l'enfant. Elle protégeait le bébé envers et contre tout, même de lui, son mari.

Il n'avait pas vu la moindre lueur de plaisir, de joie, dans les yeux de Sandy au moment de leurs retrouvailles. Elle n'avait pas été heureuse de le voir.

Avait-elle cessé de l'aimer ? Cette éventualité lui broya le cœur et provoqua en lui un regain de colère. Contre lui mais aussi contre elle. Elle avait commencé à tourner la page, à avancer, à imaginer une vie de famille sans lui. La douleur devenait insupportable.

— Tristan ? demanda Boudreau. Vas-tu te décider à prendre ce téléphone, oui ou non ?

Tristan battit des paupières. Boudreau haussait le ton, s'efforçant de le tirer de ses pensées. Avec difficulté, il s'obligea à se concentrer sur le problème du moment. Il lui fallait découvrir qui menaçait Murray.

Il releva la tête. Son vieil ami cajun lui tendait un téléphone portable.

— De quoi s'agit-il ? demanda Tristan.

Boudreau leva un sourcil étonné.

— Où étais-tu depuis cinq minutes ?

Tristan considéra Boudreau d'un œil noir, puis reporta son attention sur Murray.

— Les ravisseurs vous ont donné ce téléphone ?

— Pour vous prendre en photo, oui. Ils m'ont dit que les photos seraient plus nettes qu'avec mon téléphone à moi.

— Que pouvez-vous me dire à leur sujet ?

Murray semblait de nouveau au bord de la panique.

— Ils sont grands, forts, blonds. Peut-être Américains, peut-être pas. Je ne sais pas. Et j'ai enregistré la conversation la dernière fois qu'ils ont appelé.

— Vous les avez enregistrés ? s'exclama Tristan. C'est formidable ! Bien joué ! Très intelligent de votre part.

Peut-être un détail dans ces échanges lui permettrait d'identifier le type qui avait commandité sa mort, le type qui était le cerveau des trafics d'armes.

— Faites-nous écouter cette conversation, dit-il en rendant l'appareil à Murray.

— Non, je ne l'ai pas enregistrée avec cet appareil. Leur smartphone ne servait qu'à vous prendre en photo. Je les ai enregistrés avec mon téléphone, celui qu'ils utilisent pour m'appeler.

— Très bien. Allez-y.

— Euh… J'ignore comment faire. Patrick, mon fils, s'y connaît en informatique et en technologie. Il m'avait montré un jour sur quel bouton appuyer pour enregistrer, alors je l'ai fait. Mais je ne sais pas comment écouter, je n'ai jamais essayé.

Murray se calmait et son anglais s'améliorait.

Tristan s'empara de l'appareil, l'examina un moment, puis pressa quelques touches pour accéder aux paramètres.

Après plusieurs manipulations, la voix de Murray s'éleva. Il suppliait quelqu'un.

— … mais l'orage était trop fort.

— L'orage était fort au point de vous empêcher de faire quelque chose qui sauverait la vie de votre fils ? Je vois. Bon, il est sans doute temps pour vous de dire adieu à votre enfant. Amenez le gamin, son père va lui dire adieu. A vous, monsieur Cho !

— Non, attendez !

La voix de Murray Cho était brisée, le pauvre homme semblait à l'agonie.

Tristan l'observa à la dérobée. Il revivait atrocement la scène.

— Que dois-je attendre, Murray ? Que les poules aient des dents ? Parce que vous ne paraissez pas pressé de faire ce qui vous a été demandé. Mais nous n'avons pas le temps d'attendre. Farrell ? Où est le gosse ? Asseyez-vous, Murray, et écoutez. Vous allez avoir un aperçu de ce qui se passe quand on n'obéit pas, quand on ne fait pas ce qu'on vous demande.

En arrière-plan, un adolescent cria de douleur une fois, deux fois, trois fois. Ces hurlements étaient horribles, insoutenables.

Murray poussa un gémissement tandis qu'il suppliait sur l'enregistrement.

— Non, arrêtez ! Je vous en prie, laissez-moi lui parler. Je vous jure, je ferai tout ce que vous voulez, tout ce que vous me demandez.

— Nous n'avons pas de temps à perdre, monsieur Cho. Si vous êtes prêt à le faire, pourquoi ne pas l'avoir déjà fait ?

— Papa, papa ! Viens me chercher, j'ai peur.

— Patrick !

Tristan serra les mâchoires. L'amour et la peur perçaient leurs voix. Il se tourna vers Sandy qui baissait la tête et caressait son ventre. Elle ressemblait à une madone. Une fois de plus, sa beauté le frappa. Et il comprit ce qu'il devait faire.

Il avait envie de voir grandir leur enfant, de l'entourer de tout l'amour du monde et de tout faire pour qu'il ne connaisse pas la peur. Il se jura de ne pas permettre que le fils de Murray ou le sien soient victimes de ce gâchis.

L'enregistrement continuait.

— Patrick, sois courageux ! Ne faites pas de mal à mon fils. J'ai quelque chose, un renseignement qui vous intéressera, mais vous devez d'abord libérer Patrick.

L'homme au bout du fil éclata de rire.

— Vous essayez de me donner des ordres ? Ce n'est pas ainsi que cela fonctionne. Vous semblez un peu perdu, alors je vais vous préciser les choses. C'est nous qui donnons des ordres et vous qui obéissez. Voici le marché. Vous me dites ce que vous avez et, si cela a de la valeur, je laisserai peut-être la vie sauve à votre fils. Vous avez intérêt à accepter, je ne suis pas certain de réitérer mon offre plus tard.

Murray plongea le visage dans ses mains, étouffant un sanglot.

— Je suis désolé, balbutia-t-il en regardant Tristan. J'étais obligé. Ils tiennent mon fils.

L'enregistrement défilait.

— Il faisait nuit, mis à part les éclairs.

Dans sa peur, Murray perdait son anglais.

— Je me suis approché le plus possible et, grâce à un éclair, j'ai aperçu Mme DuChaud avec un homme.

— Un visiteur ?

— Non, je n'en suis pas sûr mais je crois bien qu'il s'agissait de Tristan DuChaud.

— Quoi ? Etes-vous sérieux ? Parce que si vous croyez nous faire avaler n'importe quoi dans l'espoir de voir votre fils libéré, je…

— Non, je vous dis ce que j'ai vu. C'était peut-être lui mais peut-être pas. Mais je connaissais bien M. DuChaud et la personne que j'ai aperçue lui ressemblait. Beaucoup.

— Il s'agissait peut-être d'un membre de sa famille. Arrêtez de nous faire perdre notre temps.

— Un membre de sa famille ? Vous voulez dire un frère ou un cousin ? Non, non, sûrement pas. Mme DuChaud et lui paraissaient très proches. Ils s'embrassaient, et pas comme des cousins.

— Ils s'embrassaient ? Bon sang ! …

Puis l'homme ajouta quelque chose que Tristan ne comprit pas bien. Il revint en arrière et repassa le passage.

— … pas comme des cousins.

— Ils s'embrassaient ? Bon sang ! … voulait des preuves.

Tristan retint son souffle mais il n'arrivait toujours pas à distinguer clairement les mots étouffés du ravisseur.

— Savez-vous ce qu'il a dit là ?

Murray haussa les épaules.

— Il voulait des preuves. « Lee voulait des preuves. »

— *Lee*. Etes-vous sûr qu'il a dit « Lee » ?

Un frisson d'excitation traversa Tristan. Vernon Lee était le principal actionnaire et le P-DG de Lee Drilling, l'entreprise qui possédait plusieurs milliers de plates-formes pétrolières dans le monde et de nombreux chantiers de forages.

Comme Murray haussait de nouveau les épaules, Tristan lui attrapa le bras.

— Il a vraiment dit « Lee » ? Vous en êtes sûr ? Car c'est très important !

Murray se libéra de son emprise.

— Il parlait anglais et je n'en suis pas sûr. Mais je crois, oui.

« Lee voulait des preuves. »

Tristan ne put retenir un soupir. Ses soupçons étaient fondés. Il avait deviné depuis le début que l'homme qui donnait des ordres au capitaine via le téléphone satellite était l'un des dirigeants de Lee Drilling, la compagnie propriétaire de Pleiades Seagull, vu qu'il s'attendait à ce que le capitaine obéisse sans discuter.

Ce dirigeant était sans doute Lee lui-même, conclut Tristan. L'homme qui avait demandé que Sandy soit surveillée et le fils de Murray enlevé était le même que celui qui avait ordonné sa mort sur la Pleiades Seagull.

Les médias montraient Lee comme un solitaire qui protégeait farouchement sa vie privée.

Exposer le multimilliardaire aurait des conséquences incalculables. Une simple rumeur suggérant qu'il était le cerveau de trafics d'armes automatiques aux Etats-Unis, qu'il avait l'intention d'armer des criminels patentés ou des gosses dans les rues, pourrait le détruire et coûter cher à l'entreprise qu'il dirigeait.

Tristan poursuivit l'écoute.

— ... ce que je veux que vous fassiez maintenant. Vous allez retourner là-bas. Obtenez-moi la preuve que l'homme que vous avez vu est bien Tristan DuChaud. Une photo ou une vidéo. Et je vous conseille d'être réglo. Mon patron est intelligent et plein aux as. Si vous essayez de le rouler, il le comprendra immédiatement. Et croyez-moi, Cho, s'il nourrit le moindre soupçon, votre fils mourra. Envoyez-moi cette photo, vite fait, bien fait.

— Je ferai cette photo. Mais alors, que se passera-t-il ensuite ? Pour mon fils ? Que ferez-vous de mon fils ?

— Monsieur Cho, apparemment, vous avez quelque chose qui pourrait nous être utile. Si vous suivez mes ordres et que vous m'apportez la preuve que l'homme que vous avez vu est bien Tristan DuChaud, il se peut que vous sauviez la vie de votre gamin.

Et il raccrocha.

Tristan considéra l'appareil un moment, se résumant mentalement les renseignements qu'il avait obtenus. Si Murray avait raison, si l'homme avait bien dit « Lee » et si tout allait bien, le cauchemar qui durait depuis deux mois allait prochainement se terminer.

Sandy se sentait complètement désœuvrée pendant que Boudreau et Tristan discutaient entre eux pour savoir quoi faire avec Murray. Aussi décida-t-elle de cuisiner. Elle s'assura d'abord que la bonbonne de gaz était assez remplie.

Elle trouva ensuite dans le placard des crustacés en conserve et des cubes de bouillon. Elle sortit du réfrigérateur des tomates et elle versa le tout dans une grande marmite en fonte, les fit revenir dans un roux avec des oignons, des échalotes, du céleri et du poivre de Cayenne — les ingrédients indispensables dans la cuisine de Louisiane.

Dès que les légumes furent cuits, elle y ajouta une andouille en tranches trouvée dans le réfrigérateur et quelques herbes cueillies dans le jardin.

Comme sa préparation commençait à frémir, Tristan passa dans la cuisine.

— Ça sent bon ! Tu nous as préparé du gombo ! Formidable ! Quand est-ce que ce sera cuit ? demanda-t-il en souriant.

— Il doit mijoter plusieurs heures et il n'y en aura pas assez pour tout le monde.

— Boudreau et Murray sont partis chez Boudreau. Je vais d'ailleurs bientôt aller les rejoindre.

— Tu retournes chez Boudreau ? Encore ? Pourquoi ? Il est capable de surveiller Murray sans ton aide.

Fronçant les sourcils, elle ajouta.

— Je n'ai pas apprécié la façon dont tu t'es comporté avec moi tout à l'heure.

— Quoi ? Qu'est-ce que j'ai fait ?

— Ce que tu as fait ? dit-elle en jetant sa cuillère de bois dans l'évier. Tu m'as congédiée d'un geste de la main, tu m'as dit de me taire comme si j'étais une enfant irresponsable et ensuite, tu m'as ignorée. Sans parler du fait que tu as failli te tuer en coursant Murray. Boudreau l'aurait rattrapé bien plus facilement que toi. Qu'est-ce qui t'a pris ? Et j'ai vu la tête de Boudreau. Il était aussi inquiet que moi. Et toi…

Elle s'interrompit pour reprendre son souffle.

— Tu n'es plus le même, Tristan. Je ne te reconnais plus et je ne suis pas certaine que j'aime l'homme que tu es devenu, ajouta-t-elle en lançant un torchon sur son épaule.

Tristan encaissa le choc. Il n'était plus l'homme qu'il avait été. Au fond, il le savait. Il aurait dû récupérer toutes ses forces avant de revenir voir Sandy. Peut-être n'aurait-elle pas vu la différence.

Mais non. Tôt ou tard, elle aurait forcément remarqué la cicatrice sur son crâne. Une balle avait manqué de peu de lui faire exploser la cervelle. Quant à son mollet qui n'avait presque plus de muscle, il ne passait pas non plus inaperçu.

Surtout, ce qui le rendait différent était plus profond, plus grave que ses blessures physiques.

Il avait vu la mort en face. Il savait ce que signifiait être séparé des siens. Il avait connu l'horrible expérience de reprendre connaissance dans un corps mutilé, d'être en vie mais tellement diminué que l'existence semblait n'avoir plus de sens.

Il ne parvenait alors pas à marcher ni même à se lever, il se sentait trop faible, trop maladroit.

Toute sa vie, il s'était défini lui-même en fonction de ce qu'il était capable de faire. Il avait toujours été le meilleur. Le meilleur nageur, le meilleur marcheur, le meilleur coureur, le meilleur élève. Il récoltait les meilleures notes sans avoir besoin de travailler, sans avoir besoin de produire le moindre effort.

Mais quand son père avait été tué sur une plate-forme pétrolière, il avait dû renoncer aux études vétérinaires dont il rêvait pour s'embaucher sur une plate-forme et faire vivre sa mère, sa sœur et Sandy. Pour la première fois de sa vie, il avait dû faire quelque chose dont il n'avait pas envie. Ce fut comme recevoir un coup sur la tête. Il avait compris qu'il était condamné à mener une existence sans intérêt, une existence qui lui faisait horreur.

— Tristan ?

Sandy touchait son bras.

— Quoi ?

Il observa sa femme, son ventre rebondi sous son T-shirt, ses cheveux ébouriffés. Elle lui avait toujours paru ravissante et, à cet instant, elle était effectivement charmante, pleine de vie, de beauté. Son ventre rond le mettait en transe. Il s'approcha d'elle, la caressa, et à travers elle leur bébé.

— Tu es belle.

Elle leva le nez vers lui et l'embrassa.

— Et toi, tu as une mine affreuse. Tu as besoin de déjeuner et de te reposer.

— Plus tard. Je dois aller chez Boudreau. Ils vont prendre une photo de moi prouvant que je suis en vie. Où est le journal d'aujourd'hui ?

A son expression, elle était contrariée.

— Dans le salon. Tristan, je peux te prendre en photo, moi !

Il secoua la tête.

— Ne m'attends pas pour déjeuner. Je serai occupé toute la journée à prendre cette photo et à la faire parvenir aux ravisseurs. Je grignoterai un morceau chez Boudreau. Il a fait rôtir un sanglier.

— Pourquoi tu n'emporterais pas mon gombo chez Boudreau afin de…

— Non, reste à l'intérieur, Sandy. En sécurité. Je reviendrai avant la nuit.

Il sortit en claquant les portes-fenêtres. Il regretta ce bruit. Il n'avait pas voulu lui claquer la porte au nez mais il ne s'excusa pas pour autant. Il était malade et fatigué d'être malade et fatigué. Il ne pouvait discuter avec Sandy dans l'immédiat parce qu'il était incapable d'expliquer son comportement vis-à-vis d'elle.

En outre, s'il voulait avoir une chance d'attraper Vernon Lee et de sauver le fils de Murray, il devait prendre cette photo et envoyer Murray l'apporter aux ravisseurs.

9

— C'est une idée stupide, grommela Tristan en déplaçant son poids sur sa jambe valide.

Il brandit le journal de façon à ce que la date soit visible et poursuivit.

— L'appareil photo donne la date et l'heure auxquelles le cliché a été pris. Cela ne suffit pas ?

— Cet homme a besoin de savoir que tu sais ce qu'il fait, oui, dit Boudreau. Maintenant, cesse de bouger.

Les sourcils froncés, le vieux Cajun loucha sur le smartphone qu'il tenait dans sa grande main calleuse.

— Appuyez sur l'icône qui représente une caméra, précisa Tristan, incapable de réprimer un fou rire tandis que son ami tentait de presser les dessins minuscules avec ses gros doigts.

Un petit bruit signala que la photo avait été prise.

— Oh non ! lâcha-t-il, toute envie de s'esclaffer envolée.

Jetant le journal, il s'empara du téléphone.

— Donnez-moi ça. Il n'est pas question d'envoyer à nos ennemis une photo de moi en train de rire.

Mais Boudreau refusa de lui laisser l'appareil et tapota l'écran.

— J'en prends une autre, les réglages sont au point maintenant. Mais tu ne me facilites pas les choses. Tu bouges tout le temps.

— Ce serait plus facile si vous n'essayiez pas d'appuyer sur le bouton avec vos énormes mains.

Boudreau sourit.

— Ces énormes mains t'ont sauvé de la noyade. Tu étais coincé dans des branches si grosses que j'ai eu du mal à les briser.

— J'ai eu de la chance que vous ayez décidé de pêcher aux aurores, ce jour-là, reconnut Tristan. Et de jeter vos filets dans cette crique.

En se remémorant tout ce qu'il devait au vieil homme, un poids lui tomba sur la poitrine. Depuis toujours, Boudreau avait été un père pour lui. Et il s'était trouvé au bon endroit au bon moment pour lui sauver la vie.

Tristan le détailla, fronçant les sourcils.

— Quoi ? grommela Boudreau avant de se tourner vers l'évier. Je vais préparer du café.

— Boudreau, que faisiez-vous ce matin-là à vous balader le long de cette crique ? Vous n'y pêchez jamais d'habitude. Vous m'avez toujours répété qu'elle est trop proche de la plate-forme pétrolière, que les produits chimiques que déverse celle-ci empoisonnent l'eau et tuent les poissons. Vous prétendez que même les requins n'en veulent pas.

Boudreau remplit la bouilloire et alluma son réchaud à gaz, un appareil antique.

— C'est sans doute ce qui t'a sauvé la vie.

— Vous saviez que j'avais de grandes chances d'être là, non ? Quelqu'un vous avait prévenu que j'étais tombé par-dessus bord et vous vous êtes dit que si le pétrole recraché par la plate-forme finissait là, un corps devait également finir par s'y échouer.

— Ta petite femme était venue m'apprendre ce qui s'était passé. Elle tenait à me mettre au courant du drame parce que pour elle, j'étais *de la famille*.

— Alors vous n'étiez pas venu sur les bords de cette crique par hasard. Vous me cherchiez.

La voix de Tristan se brisa. Que Sandy et Boudreau

— les deux personnes qu'il aimait le plus au monde — soient à l'origine du miracle qui lui avait sauvé la vie le touchait au-delà de tout.

La gratitude et l'amour qui emplirent sa poitrine étaient si forts qu'il craignit que son cœur n'explose.

En proie à un indicible chagrin et à une douleur infinie, Sandy avait pourtant pensé à Boudreau. Parce qu'elle connaissait les liens qui unissaient son mari au vieux Cajun, elle avait compris qu'elle devait lui apprendre ce qui s'était passé, l'informer de la tragédie. Et sans s'en douter, elle avait ainsi sauvé la vie de Tristan. Il secoua la tête, essayant de refouler les larmes qui brûlaient ses paupières.

— Alors vous êtes parti à ma recherche.

Boudreau passa un bon moment à régler la flamme sous la bouilloire. Elle semblait pourtant parfaite.

— Je ne voulais pas que ton corps soit déchiqueté par les requins ni que tu sois emporté vers le large.

Un étau serrait la gorge de Tristan si fort qu'il respirait avec peine. Jamais il ne pourrait rendre à son vieil ami ou à sa femme tout ce qu'ils avaient fait pour lui.

Il prit l'appareil sur la table où Boudreau l'avait laissé et transféra la photo du téléphone sur une carte SIM, puis glissa cette dernière dans une enveloppe qu'il cacheta.

— Un café ? proposa Boudreau.

— Seulement s'il peut venir de lui-même jusqu'à moi.

Boudreau se mit à rire.

— Il est si fort que je ne serais pas surpris qu'il y parvienne. Tu veux en apporter une tasse à Murray ?

— Bien sûr.

Tristan se leva. Sa jambe le faisait terriblement souffrir. Il payait au prix fort d'avoir couru après Murray un peu plus tôt dans la journée. Son corps était raide et douloureux comme s'il n'avait pas dormi depuis une semaine.

— Ça va ? s'enquit Boudreau en lui tendant deux tasses fumantes.

Tristan hocha la tête mais, en basculant son poids sur sa bonne jambe, il ne put retenir un gémissement.

— Juste un petit rappel de ce que je n'aurais pas dû faire ce matin.

— Dis à Murray qu'il ferait mieux de boire rapidement parce que dès que j'aurai fini la vaisselle, nous partirons.

Tristan s'immobilisa à la porte.

— Boudreau, je…

— Non. Nous avons déjà eu cette discussion, Tristan, et il est inutile de revenir indéfiniment sur le sujet. Avec ta patte folle, tu ne ferais que nous ralentir. D'ailleurs, tu ne devrais pas retourner chez toi retrouver ta petite femme ? Je croyais que tu t'inquiétais pour elle. Ce n'est plus le cas ?

— Vous m'aviez dit qu'elle était en sécurité, non ? grommela Tristan.

Boudreau ne répondit pas, se contentant de le regarder d'un air sombre.

Tristan reprit.

— En tout cas, Murray m'a rapporté que le ravisseur lui avait dit de la laisser tranquille. J'envoie à Lee la preuve que je suis en vie. Il n'a plus aucune raison d'ennuyer Sandy, maintenant.

Boudreau dodelinait lentement de la tête. Etait-ce un acquiescement ou le signe qu'il réfléchissait ? se demanda Tristan.

Sans insister, il sortit de la cabane sur pilotis. Murray était là où ils l'avaient laissé plus tôt, les mains attachées de part et d'autre d'un arbre de façon à lui donner une certaine liberté de mouvement tout en l'empêchant de s'enfuir. Visiblement, le Viêtnamien avait tenté de défaire les nœuds qui le retenaient prisonnier mais, devant la difficulté de la tâche, il y avait renoncé et s'était endormi.

Il ne bougea pas avant que Tristan ne le pousse un peu du bout du pied.

Il se réveilla en sursaut.

— Quoi ? Patrick ?

Le malheureux promena les yeux autour de lui avant de se rappeler où il était. Il regarda Tristan d'un air perplexe.

— Je ne comprends pas pourquoi vous m'avez attaché. Vous allez m'aider à retrouver mon fils. Je ne vais pas me sauver !

— Vous l'avez déjà fait. Voilà du café.

Il n'avait pas confiance en Murray. A la première occasion, le pêcheur prendrait certainement la poudre d'escampette et Tristan ne se voyait pas de nouveau lui courir après.

— Boudreau m'a dit que vous deviez le boire vite parce que vous n'alliez pas tarder à partir.

Murray prit le bol, souffla dessus pour le refroidir, puis en avala une petite gorgée.

— Où est mon téléphone ? Les ravisseurs auraient dû appeler.

— Il n'y a pas de réseau dans les marais, expliqua Tristan. Vous écouterez leur message une fois sorti du bayou, lorsque vous serez sur la route de Gulfport.

— Ils vont tuer Patrick si je ne réponds pas quand ils m'appellent !

— Ne vous inquiétez pas. Vous serez revenu très vite à votre camping-car. Boudreau vous expliquera ce que vous devez dire et faire.

Sur ce, Tristan s'appuya contre le vieux banc de bois et se mit à siroter son café. Du coin de l'œil, il surveillait Murray.

Finalement, Boudreau sortit de sa cabane, une cuvette sous le bras. Il jeta l'eau dans un coin de la cour. Il venait de se raser et il avait sa carabine avec lui.

D'un simple claquement de doigts, il libéra Murray

de ses liens. Le Viêtnamien en eut l'air stupéfait, lui qui avait vainement tenté de les dénouer.

— Vous voyez ce fusil ? lui lança Boudreau. Il n'aura aucun scrupule à faire feu sur quelqu'un qui n'est pas intelligent. Et il ne sait pas si vous êtes ou pas intelligent…

— Je ferai ce que vous me direz de faire monsieur Boudreau, assura Murray. Je veux que mon fils me soit rendu. Je suis un homme intelligent.

Il semblait désespéré, nota Tristan. Mais, puisqu'il n'avait pas vu son fils depuis plusieurs jours, comment le lui reprocher ?

— Alors ? fit Boudreau à l'intention de Tristan. Tu ne m'as toujours pas dit ce que tu avais l'intention de faire.

— J'aimerais vous accompagner, maugréa Tristan.

Avec un soupir, Boudreau secoua la tête.

— Je t'ai déjà dit *non*. Tu nous ralentirais. Retourne chez toi. Va rejoindre ta petite femme.

Puis Boudreau se tourna vers Murray.

— En route ! Nous allons descendre jusqu'au débarcadère puis direction le parking de l'entrepôt de fruits de mer. On y récupérera votre pick-up.

Ils partirent et Tristan retourna dans la cabane de Boudreau. Au fond de la cuisine, il déplaça une planche posée contre un mur, qui dissimulait une cachette. Boudreau la lui avait montrée des années et des années auparavant.

« Si un jour, tu as des ennuis, lui avait dit le vieux Cajun, tu trouveras tout ce qu'il te faut derrière cette planche. »

Boudreau n'avait pas exagéré. Il y avait des armes, un véritable arsenal, des cartouches à foison mais aussi des allumettes, un briquet, une lampe-tempête, une batterie de rechange et cinq cents dollars en coupures de vingt et cinq dollars.

Tristan se souvint de la réflexion de Boudreau lorsqu'il lui avait parlé de cette cachette.

« Si ce qu'il y a dedans ne suffit pas à régler tes problèmes, alors fais appel à Dieu, parce que je ne pourrai rien de plus pour toi. »

— Merci Boudreau, murmura Tristan en empochant ce dont il avait besoin.

Le pistolet, bien sûr, les munitions, le briquet et l'argent.

— Ça ira, ajouta-t-il en se levant.

Il passa devant la canne posée près de la porte mais ne la prit pas. Il ne pouvait pas rester éternellement dépendant de ce bout de bois. En plus, il aurait sans doute besoin de ses deux mains.

Il trouva derrière la porte une veste de chasse de Boudreau et en bourra les poches de l'arme et des munitions.

Une fois prêt, il descendit jusqu'aux marais, longea le vieil embarcadère pour se rendre au garage où était garée sa jeep. Il n'avait pas conduit depuis son accident.

Heureusement, le véhicule démarra sans problème.

Comme il regagnait la route, il jeta un coup d'œil vers sa maison : Sandy se tenait devant les portes-fenêtres. Mais il ne s'arrêta pas. Il devait aller à Gulfport où Murray et Boudreau comptaient retrouver les ravisseurs pour leur remettre la photo.

Il avait longuement discuté avec Boudreau pour tenter d'imaginer ce qu'il risquait de se passer quand les bandits auraient dans leurs mains cette photo, la preuve qu'il était en vie. Tous deux craignaient qu'alors ils ne tuent Murray et son fils.

Voilà pourquoi Boudreau accompagnait Murray et voilà pourquoi Tristan était déterminé à se rendre également là-bas malgré les objections de Boudreau. Ni Murray ni son fils ne devaient mourir à cause de lui. Il était décidé à tout faire pour empêcher d'autres tragédies.

A deux kilomètres de Gulfport, il rattrapa le camion de Murray mais veilla à rester à distance pour ne pas se faire repérer.

Finalement, Murray s'arrêta devant un terrain de camping

près de la jetée. Tristan se gara derrière une caravane. De loin, il les observa : Murray sortit de son pick-up, déverrouilla la porte d'un petit camping-car et y entra.

— Allez-y aussi, Boudreau ! murmura Tristan. Ils l'attendent peut-être à l'intérieur…

Mais il avait tort de s'inquiéter. A son tour, Boudreau sautait de l'habitacle, son fusil dans un sac à dos. A la suite de Murray, il grimpa dans le véhicule.

En ce milieu d'après-midi, le terrain de camping était désert. Murray leur avait dit que la plupart des bateaux prenaient la mer au lever du soleil et que les pêcheurs ne revenaient qu'à la tombée de la nuit. Il n'y avait donc pratiquement personne non plus sur les quais.

Les ravisseurs avaient choisi le moment idéal pour retrouver Murray, songea Tristan.

Il descendit de sa jeep et s'approcha discrètement du camping-car de Murray, s'appuyant à la carrosserie brûlante d'une caravane toute proche.

Le temps semblait suspendu. Comment les ravisseurs allaient-ils prendre contact avec Murray ?

Tristan n'était sûr que d'une chose. Une simple photo de lui, un journal à la main, ne suffirait pas pour convaincre l'homme qui avait commandité son meurtre. Aussi avait-il décidé d'envoyer également une vidéo au cerveau des trafics d'armes, une vidéo qui prouverait sans l'ombre d'un doute qu'il était bien vivant. Restait à trouver le moyen de faire parvenir ces images au truand.

Murray étant parvenu à enregistrer les ravisseurs de son fils, Tristan n'était plus très loin de démasquer le type qui avait voulu le tuer. Si le correspondant du Viêtnamien avait bien prononcé le nom *Lee*, un pas de géant avait été franchi.

Cependant, il lui fallait encore récupérer la clé USB qu'il avait cachée dans la nurserie sur le petit mobile que

Sandy avait accroché au-dessus du berceau. Elle l'avait choisi bleu parce qu'il était sûr qu'elle attendait un garçon.

Si la voix enregistrée sur le téléphone satellite du capitaine Poirier, ordonnant à ce dernier de livrer des armes sur le sol américain, se révélait être celle de Vernon Lee, le multimilliardaire n'allait plus tarder à se retrouver derrière les barreaux.

Tristan n'avait pas pu écouter les conversations qu'il avait captées. Avec un peu de chance, le capitaine avait appelé Lee par son nom au moins une fois.

A l'intérieur du camping-car, la sonnerie du téléphone portable de Murray retentit, le tirant de ses réflexions. Les cloisons du véhicule étaient si minces qu'il n'aurait aucun mal à suivre la conversation.

— Allô ? demanda Murray d'un ton angoissé.

Le pêcheur écouta son interlocuteur, puis reprit la parole.

— Attendez. Quelle rampe d'accès ?

Tristan se raidit, retenant son souffle pour ne pas manquer un mot.

— L'emplacement quarante-deux ? Vous avez bien dit quarante-deux ? Quarante-trois ? D'accord. Oui, bien sûr, j'y serai. J'y vais tout de suite. Mon fils est là-bas ? Allô ? Allô ?

Ils avaient raccroché mais Tristan avait le numéro. Encore fallait-il qu'il s'agisse bien de l'emplacement quarante-trois sur *cette* jetée.

Il se hâta vers sa voiture pour s'éloigner avant que Boudreau et Murray ne sortent du camping-car. Si Boudreau le voyait et que sa présence le mettait très en colère, le vieux Cajun était capable de lui tirer dessus.

Parvenu à sa jeep, Tristan se retourna : Murray et Boudreau se précipitaient vers le pick-up du Viêtnamien.

Boudreau dit quelque chose à Murray qui lui montra du doigt une direction.

Tristan démarra. Il passa devant le quai que Murray

avait indiqué à Boudreau et s'arrêta un peu plus loin, sur une zone de déchargement.

Lorsqu'il sortit de l'habitacle, sa jambe faillit le lâcher. Marcher devenait très douloureux et le peu de muscle qu'il lui restait tremblait de fatigue. Il n'aurait sans doute que quelques instants d'avance sur Murray et Boudreau. Aussi promena-t-il rapidement les yeux autour de lui pour repérer la rampe d'accès numéro quarante-trois.

Il tira de sous son siège une vieille casquette de base-ball et un chiffon dont il se servait habituellement pour essuyer son pare-brise.

Tout en longeant les quais pour rejoindre l'emplacement, l'anneau qui retenait une péniche, il enfonça la casquette sur son crâne de façon à dissimuler son visage puis il noua le morceau de tissu autour de son cou et y enfouit le menton. Il arrivait devant la rampe quarante-trois. Si les ravisseurs attendaient à proximité, ils étaient bien cachés. Cela dit, la casquette sur son crâne limitait son champ de vision.

Les rampes quarante-quatre et quarante-cinq étaient vides. Aussi Tristan s'arrêta devant la quarante-six où était amarré un petit bateau de pêche.

Après avoir retiré la veste de chasse et l'avoir dissimulée derrière des cordages, il se cacha sur le pont de l'embarcation pour attendre et suivre ce qui se passerait à l'emplacement quarante-trois.

Murray et Boudreau n'y étaient pas encore arrivés. Boudreau vérifiait sans doute la zone avant de laisser Murray s'exposer.

L'embarcation tangua un peu et Tristan dut rétablir son équilibre. Le canon d'une arme se colla alors dans son dos.

— Qu'est-ce que tu fabriques sur ce bateau ? grommela un homme.

— Quoi ?

Tristan prit une voix aiguë pour faire croire qu'il était

terrifié. Il essaya de se retourner mais la pression dans son dos s'accentua.

— Ne bouge pas. Conseil d'ami…, poursuivit l'inconnu.

— Non, je ne bougerai pas. Mais je… je…

— Ferme-la. Qui t'a envoyé ?

— Per… Personne ne m'a envoyé, balbutia-t-il, s'efforçant de paraître effrayé.

Il l'était un peu, d'ailleurs. Après tout, le type pouvait faire feu et le descendre à tout moment.

Pourvu que Murray et Boudreau ne surgissent pas maintenant.

Il jeta un coup d'œil sur la jetée. Par chance, elle était déserte… pour le moment.

— Je me cachais juste… en attendant de…

Il s'interrompit, l'esprit brusquement vide. Que devait-il raconter ? Quel prétexte trouver pour justifier sa présence ? Il fallait une excuse valable et en même temps un peu ridicule …

Ainsi, son agresseur le prendrait pour un pauvre type inoffensif. Une idée le traversa soudain. Il avait une histoire ou en tout cas un début d'histoire qui pourrait fonctionner.

— Ecoutez, je soupçonne ma femme de fricoter avec le type à qui appartient le bateau là-bas, dit-il en désignant l'emplacement quarante-trois.

De nouveau, il tenta de se retourner.

— Ne bouge pas ! hurla le type.

— D'accord, désolé. En tout cas, elle m'a raconté qu'elle allait faire des courses mais je suis sûr que c'est faux et qu'en vérité, elle va venir ici retrouver le propriétaire du bateau. J'ai vu un papier dans son sac. Il était écrit « emplacement quarante-trois ».

L'homme poussa une ribambelle de jurons.

— Dégage tout de suite ! ordonna-t-il à Tristan. Et file en vitesse.

— Mais ils sont sûrement en route. Ils risquent de me

croiser sur la jetée. Je ne veux pas qu'elle me voie. Ni lui. Pas avant d'être prêt à leur tomber dessus.

La pression de l'arme dans son dos s'affaiblissait, sentit Tristan. Avait-il réussi à convaincre son agresseur ?

— Dégage, tout de suite ! répéta l'homme.

— Non, j'ai besoin de…

L'homme lui envoya son poing dans la figure. Tristan s'effondra avec un goût de sang dans la bouche. Mais son agresseur n'en avait pas fini avec lui. Il l'attrapa par le col de sa chemise et le jeta hors du bateau. Tristan heurta violemment le quai, il roula sur plusieurs mètres avant de s'immobiliser contre les cordages dans lesquels il avait caché son arme.

Alors qu'il restait étendu là, sonné, essayant de recouvrer ses esprits, la voix de Murray résonna à quelques pas de lui. Le Viêtnamien était sur la péniche et parlait aux ravisseurs de son fils.

— J'ai avec moi une carte SIM contenant une photo de Tristan DuChaud.

Tristan battit des paupières et détourna le regard. Mince alors ! Boudreau avait trouvé un petit canot de sauvetage et pagayait sans bruit pour rejoindre la péniche. Il y accrocha son embarcation, puis grimpa sur le pont, aussi souplement qu'un chat, son fusil à l'épaule.

Il aperçut Tristan et fronça les sourcils en le reconnaissant. Il lui fit passer un message avec des signes de la main, désignant Murray et lui-même du doigt.

Tristan décrypta les gestes du Cajun aussi clairement que si son ami lui parlait :

« Je vais monter à bord le premier, je leur tomberai dessus par surprise. Toi, tu me suivras, tu ordonneras à Murray de s'enfuir. Ensuite, toi et moi, nous coincerons ces deux gars. »

Tristan fronça les sourcils, désigna sa jambe.

« Vous, peut-être. Moi, c'est moins sûr. »

Boudreau haussa les épaules et arma son fusil. Les deux types s'immobilisèrent un instant, puis défouraillèrent à leur tour.

— Lâchez vos armes ou je vous transforme en passoires, déclara Boudreau avec calme.

Les bandits échangèrent un regard inquiet.

— Quoi ?

— Balancez vos armes à la flotte, poursuivit le vieux Cajun en les mettant en joue.

— Quoi ?

— Je n'aime pas tuer, expliqua-t-il. Mais quand j'y suis obligé, je ne rate jamais ma cible. Je commencerai par vos jambes, précisa-t-il en les visant.

— D'accord, d'accord, répondit l'un d'eux en obtempérant. Nous ne voulons pas d'ennuis. Nous sommes en affaires avec M. Cho.

Tristan bondit sur ses pieds et sortit de sa veste son automatique. Au même moment, une voix étouffée parvint du ventre de la péniche. Mais Tristan n'avait pas le temps de s'y arrêter, de l'identifier. Il devait aider Boudreau.

— En affaires à propos d'une photo ? lança-t-il.

L'un des blonds le dévisagea.

— Je savais bien que vous étiez moins bête que vous en aviez l'air.

— Et moi, j'étais certain que vous étiez moins intelligent que vous ne le pensez, répliqua Tristan. Murray, prenez votre téléphone et enregistrez la scène. Faites attention à ne pas faire d'erreur de manipulation.

Murray fronça les sourcils mais il fit ce qui lui était demandé. Il tendit l'appareil et se mit à filmer.

Tristan avait hâte de s'adresser à Lee. Il avait suivi Boudreau et Murray jusque-là dans ce seul but. Boudreau le lui reprocherait certainement par la suite, mais il n'allait pas renoncer à son idée.

Il s'approcha pour être capté du mieux possible par l'écran du smartphone avec les deux ravisseurs près de lui.

— Bonjour, M. Lee, je suis Tristan DuChaud. Je vous envoie une vidéo, beaucoup d'images, pour être sûr que vous pourrez contempler mon visage à loisir. Désolé pour ma lèvre explosée mais cela ne vous empêchera pas de me reconnaître, je pense. Sachez que je suis vivant, et bien vivant. Et j'ai hâte de vous rencontrer, de serrer la main de l'homme qui a essayé de me tuer.

Il sourit.

— Mais, bien sûr, je ne le ferai pas. Par contre, j'espère me retrouver un jour face à vous dans une salle de tribunal. Vous êtes le personnage le plus ignoble que je connaisse et j'adorerais vous planter une balle entre les deux yeux mais je ne le ferai pas non plus. Je vous remettrai à une cour internationale et je la laisserai décider de votre sort.

Il essuya une goutte de sang qui coulait sur son visage puis il sourit encore.

— Mais si vous avez encore l'idée d'envoyer un de vos sbires près de ma femme, je pourrais changer d'avis et m'occuper personnellement de vous. Je vous souhaite une belle journée, monsieur Lee !

Il mima une coupure de gorge à Murray. Celui-ci chercha le moyen de stopper l'enregistrement.

— Donnez-moi ce smartphone, dit Tristan. Tenez, messieurs, il est pour vous. Allez porter cet appareil à votre patron et dites-lui que Tristan DuChaud espère que cette vidéo lui fera plaisir.

Il se tourna vers Boudreau.

— Que voulez vous faire d'eux ? Les tuer ?

— Non ! cria Murray. Ils savent où est mon fils ! Je vous en prie.

Boudreau secoua la tête.

— Les balles coûtent cher et, de toute façon, je n'ai

pas l'intention de les tuer. J'ai juste envie de leur remettre les idées en place.

Sur ce, il les jeta à l'eau.

Tous deux se débattirent, tentant de rejoindre la berge.

Tristan agita le smartphone.

— Les gars, je pose l'appareil ici. M. Lee attend ce film avec impatience, alors ne tardez pas à le lui apporter. Dès qu'il aura compris que je suis en vie et en grande forme, dites-lui de venir me voir. Ma femme et moi attendons son appel.

Comme Tristan s'éloignait, il se souvint du bruit dans la péniche et s'adressa à Murray.

— Je pense que votre fils est enfermé au fond de cette embarcation. Boudreau, pourriez-vous garder un œil sur ces hommes pendant que Murray et moi allons voir à l'intérieur ?

— Bien sûr.

— Venez, Murray, dit Tristan. Allons sortir Patrick de là.

Ils descendirent dans la péniche. L'adolescent y était ligoté sur une chaise, le visage meurtri, mais il semblait en bonne santé. En voyant son père, il explosa en sanglots.

Murray le délivra et le prit dans ses bras pour l'embrasser longuement.

— Patrick, comment vas-tu ?

Son fils hocha la tête.

— Ils m'ont frappé et attaché, expliqua-t-il, en larmes. Mais ça va. Papa, je suis désolé, j'avais oublié de verrouiller la porte du camping-car.

— Ne t'inquiète pas. Ils auraient forcé la porte si tu l'avais verrouillée. Je suis tellement heureux qu'ils ne t'aient pas tué.

— Tu es capable de marcher ? intervint Tristan.

L'adolescent opina.

— Alors, allons-y. J'aimerais partir avant que ces deux gars ne sortent de l'eau.

Quand ils revinrent sur les quais, Tristan jeta aux deux gorilles.

— Mon numéro de téléphone est dans l'annuaire. Bonne journée, ajouta-t-il en faisant semblant de retirer un chapeau de sa tête.

— Ne sois pas trop arrogant, conseilla Boudreau. Ils ont sans doute des amis.

Tristan sourit.

— Leurs amis ne sont certainement pas aussi valables que le mien.

10

Vernon Lee visionna sur un écran plasma la vidéo que son expert informatique venait de recevoir. Pendant tout le temps de la projection, il serra les poings. Quand, à la fin, Tristan lui lança : « Je vous souhaite une belle journée, monsieur Lee ! » celui-ci grommela.

— Repassez-moi ces images !

Sur l'écran, la voix amplifiée par les haut-parleurs, Tristan DuChaud répéta.

— Je vous souhaite une belle journée, monsieur Lee !

Un frisson de dégoût traversa Lee. Il n'aimait pas les petits minables qui jouaient aux plus malins. Et DuChaud en était manifestement un, et de la pire espèce.

Lee demanda à voir le film une troisième fois.

Voilà donc la tête de l'homme qui avait surpris ses échanges avec ce crétin de Poirier, voilà donc l'homme qui selon toute vraisemblance détenait quelque part des enregistrements de ces conversations.

— Retournez au moment où il me souhaite une bonne journée et faites un arrêt sur image.

Il observa Tristan DuChaud. Oui, un petit minable arrogant mais qui pourrait se révéler dangereux si on le laissait faire.

— Je suis sûr que vous avez caché ces enregistrements chez vous, poursuivit Lee à l'attention de Tristan qui ne pouvait l'entendre. Vous êtes du genre à les avoir laissés en évidence, j'en mettrais ma main au feu.

Sans lâcher des yeux le portrait figé de l'homme qui pourrait le faire tomber, Lee s'empara de son téléphone et composa un numéro.

— Je vais me débarrasser de ces enregistrements et de vous, par la même occasion, DuChaud. Je demanderai à quelqu'un qui vous ressemble beaucoup de se charger de cette mission. Vous ferez la paire, ajouta-t-il avec un petit rire.

Après avoir donné des ordres au téléphone, Lee raccrocha et suivit un moment les visages projetés sur l'écran. Ils défilaient trop vite pour qu'il puisse les distinguer, encore moins les identifier.

Il se leva.

— Gartner, dit-il à son expert en informatique. Je reviens dans une heure. Je dîne avec ma fille. Imprimez les correspondances faciales et préparez-les pour que je les consulte à mon retour.

Charles Gartner se tourna vers lui.

— Monsieur Lee, il me faudrait toute la nuit pour déterminer une correspondance faciale. Votre base de données contient plus d'un milliard de personnes à présent.

— Vous ai-je demandé combien de temps cela vous prendrait ?

— Non, monsieur, répondit Gartner, le visage vide de toute expression.

Lee leva le menton.

— Que vous ai-je demandé ?

— D'imprimer les correspondances faciales.

— Savez-vous pourquoi j'en ai besoin alors même que M. DuChaud s'est présenté, m'a dit qui il était ?

Gartner déglutit avec difficulté.

— Oui, monsieur. Vous n'aimez pas laisser quoi que ce soit au hasard et risquer la moindre erreur.

— Très bien, Gartner. Qu'est-ce que je n'aime pas encore ?

— Les petits malins, monsieur.

Une expression d'ennui, voire de colère, passa furtivement sur le visage de Gartner, nota Lee.

— Parfait, Charles. Imprimez-les en couleurs, si cela ne vous ennuie pas.

— Aucun problème.

Gartner retourna devant son écran. Il s'empara d'un crayon et écrivit une note.

Lee ouvrit la porte de l'appartement, pressé de retrouver sa fille.

Sandy était fatiguée de lire, fatiguée de faire la sieste, fatiguée de grignoter… et surtout fatiguée d'attendre. Elle s'était réchauffé un reste de soupe et confectionné un sandwich au fromage. Elle hésitait à se préparer une tasse de thé mais elle n'en avait pas vraiment envie.

Elle ouvrit les portes-fenêtres. Où donc était parti Tristan ? Il avait paru très pressé. Elle avait entendu le moteur de la jeep mais lorsqu'elle avait ouvert les portes-fenêtres, il était déjà loin sur la route. Dans le passé, elle savait toujours où il était, où il allait et ce qu'il faisait. Il traînait rarement avec ses copains et il se rendait plus rarement encore au café pour boire des bières.

Mais là, il était parti au volant de la jeep depuis des heures. Il lui avait promis de revenir avant la tombée de la nuit. Mais apparemment, sa parole ne valait plus grand-chose ces temps-ci.

Le soleil disparaissait à l'horizon et le ciel déclinait toutes les nuances de mauve et de rose.

De nouveau, Sandy se sentait nerveuse, agitée. Elle avait envie d'aller se promener pour se détendre, peut-être de marcher jusqu'au débarcadère, là où elle avait passé tant de soirées avec Tristan à contempler les derniers rayons du soleil se perdant dans les marécages. Mais sans son mari, le spectacle n'avait plus beaucoup d'intérêt. Sans lui, rien n'en avait.

De plus, Tristan lui avait ordonné de ne pas bouger.

Abattue, elle resta dans l'encadrement de la porte-fenêtre tandis que le ciel passait du rose à un magenta clair, puis virait au mauve.

Elle n'avait jamais aimé le crépuscule, les dernières lueurs que le soleil jetait sur les marais avant de disparaître totalement.

Mais alors que la nuit tombait, deux phares crevèrent l'obscurité. Son ventre se serra mais elle reconnut très vite la jeep, et son cœur s'accéléra dans sa poitrine comme celui d'une adolescente à son premier flirt.

Elle se précipita dehors, dévorée d'envie de le retrouver, de se jeter dans ses bras.

Mais soudain, sans trop savoir pourquoi, elle s'immobilisa.

Sans doute parce que s'il ne lui ouvrait pas les bras, elle n'était pas certaine de pouvoir le supporter.

Alors elle attendit, le cœur battant à tout rompre. Elle essaya de se calmer mais elle n'y parvint pas. Elle était tellement stressée qu'elle se sentait au bord du malaise. Comme Tristan traversait le jardin, la lumière de la cuisine joua sur ses traits, soulignant les plis autour de sa bouche.

Il semblait épuisé et mal en point. Ses traits étaient tirés, son visage pâle, et il nageait dans ses vêtements. Mais il était là.

— Tristan, dit-elle doucement, la voix rauque de désir.

Il avait les lèvres tuméfiées.

— Qu'est-ce qu'il s'est passé ?

Il prit une profonde inspiration.

— Rien.

Il évitait son regard.

Soudain, elle eut si fort envie de lui qu'elle se mit à trembler. Un désir la traversa, un désir si profond, si primitif, qu'elle eut besoin de toute sa volonté pour ne pas lui sauter dessus en se moquant du reste.

Il partageait sans doute cette faim parce qu'il posa des yeux brûlants sur elle et l'attira à lui si vite qu'elle en perdit l'équilibre. Il la rattrapa, l'enlaçant avant de plonger son visage dans ses cheveux, la respiration haletante. Il ne prononça pas un mot mais l'étreignit avec force. Nouant ses bras autour de sa taille, elle se plaqua étroitement contre lui.

Après un long moment, il leva la tête et l'embrassa. D'un baiser léger. Il ne fit que caresser ses lèvres des siennes mais cela suffit à allumer un tel feu en elle que le bébé bougea.

— Oh ! fit-elle.

— Qu'y a-t-il ?

— Il m'a donné un coup de pied. Il bouge de plus en plus, ces temps-ci.

— Vraiment ?

— Viens, dit-elle en prenant sa main.

— Sandy, je suis fatigué. La journée a été dure. J'ai vraiment besoin de me reposer. De me coucher.

— Parfait, je voulais justement t'emmener au lit.

Renonçant manifestement à discuter, il la suivit.

Dans la chambre, elle tira les couvertures.

— Enlève ta chemise et assieds-toi. Je vais défaire tes chaussures, dit-elle en s'accroupissant devant lui.

— Je dois prendre une douche.

Elle leva les yeux vers lui.

— Pourquoi ? Tu me sembles très bien.

— Je me suis lavé chez Boudreau mais je…

Elle se redressa et Tristan la prit dans ses bras, l'aidant à se lever.

— Je ne suis pas encore complètement impotente, tu sais. Je peux encore me mettre debout toute seule.

Il n'émit aucun commentaire, se contentant de défaire sa ceinture et de laisser son pantalon tomber par terre.

Sandy se déshabilla rapidement.

— J'ai quelque chose à te montrer, annonça-t-elle en se glissant sous les couvertures près de lui.

Elle s'étendit sur le dos.

— Regarde, dit-elle.

Tristan en eut le souffle coupé.

— Waouh !

— Oui, mes seins ont triplé de volume et mon ventre devient si gros que cela en devient gênant au quotidien.

Tristan tendit la main vers elle, puis replia le bras, l'air gêné.

— Vas-y, l'enjoignit-elle. Tu as le droit de toucher. Et n'hésite pas à me caresser le ventre. Le bébé adore ça.

Les doigts de Tristan se promenèrent sur sa taille rebondie, et elle ferma les paupières.

Le désir était toujours là, lancinant. Son cœur n'aspirait à rien d'autre qu'à se retrouver totalement avec Tristan, qu'ils soient ensemble avec leur enfant. Une famille unie par tant d'amour que rien ni personne ne pourrait les séparer.

Elle prit la main de son mari et la posa sur son ventre. Presque aussitôt, l'enfant donna un coup de pied.

— Tu as senti ? s'enquit-elle.

— C'était le bébé qui donnait un coup de pied ?

— Oui. Un petit coup. Il n'est pas encore très grand.

— Notre petit bébé, murmura Tristan. As-tu déjà pensé à un prénom ?

Elle secoua la tête.

— Je préférais que nous en choisissions un ensemble et puis tu… Alors je m'étais dit que je l'appellerais sans doute Tristan, comme toi.

Son mari la regarda un long moment, puis se pencha vers son ventre pour l'embrasser.

— Hello, petit bébé, dit-il doucement.

Emue, Sandy retint son souffle, tandis que Tristan communiquait avec leur enfant.

— Le médecin m'a dit qu'il entendait tout et qu'il fallait lui parler le plus possible.

— Et tu le fais tout le temps, non ?

— Oui, c'est vrai, répondit-elle en riant.

Tristan se redressa sans cesser de la regarder.

— Sandy, je ne sais pas ce qui se passerait si je te faisais l'amour mais j'aimerais essayer.

Elle lui caressa le visage.

— Je ferai tout pour t'y aider.

— Alors peut-être vaut-il mieux que tu te mettes au-dessus. Autrement, ma jambe ne tiendra pas.

— Pas de problème.

Tristan captura ses lèvres et l'embrassa avec l'ardeur évidente d'un homme qui n'a pas fait l'amour à sa femme depuis quatre mois.

Son érection se pressait contre elle. S'ils ne parvenaient pas à faire l'amour, songea Sandy, ce ne serait pas à cause de sa virilité. Elle avait tellement envie de lui que son corps lui faisait mal.

Comme elle se penchait vers lui, il grimaça.

— Doucement !

— Tu es sur ton côté droit, ton mauvais côté. Allonge-toi plutôt sur le dos. Je ferai tout le travail.

Il rougit.

— Je n'ai pas envie que cela se passe comme ça entre nous, Sandy.

— Comme quoi ? Tu es blessé. Ce ne sera que provisoire parce que j'adore quand tu es au-dessus de moi.

Tristan voulut continuer à protester mais Sandy l'embrassa pour le faire taire. A califourchon sur lui, elle fut satisfaite que son érection s'amplifie encore. Elle se souleva à moitié et le laissa la guider pour s'empaler sur lui.

Qu'il plonge au creux de son ventre la remplit de plaisir et attisa son désir.

— C'est merveilleux, dit-elle d'une voix rauque. Continue.

Et elle se mit à aller et à venir sur lui. Mais les mains sur sa taille, il reprit le contrôle, imposant le rythme. Elle essaya de lui échapper mais il la tenait fermement, l'obligeant à ralentir.

— Tristan, lâche-moi.

— Pas trop vite, Sandy. Vas-y doucement. Savoure. C'est tellement meilleur ainsi.

— Mais cela faisait si longtemps. J'ai besoin …

Tristan prit ses seins dans sa bouche.

— N'oublie pas le lait, lui rappela-t-elle.

— Je n'oublie pas.

Il poursuivit ses caresses et elle haletait de plaisir.

Il la faisait aller et venir de plus en plus vite, de plus en plus fort. Elle explosa avant de s'écrouler sur lui.

Des milliers d'étoiles dansèrent autour d'elle et, à son cri rauque, il partageait clairement sa jouissance.

Beaucoup plus tard, il enfouit son visage dans ses cheveux et les embrassa.

— Mon bras me fait mal. Excuse-moi, je suis vraiment une mauviette.

— Tu n'as rien d'une mauviette, le rassura Sandy en s'allongeant près de lui. Tu es blessé et pas encore remis de ta mésaventure mais tu es un homme très courageux.

Elle s'étira et gémit de plaisir, alanguie.

Tristan lui sourit.

Sandy le contempla, admirant son torse mince, sa peau dorée. Elle voulut le caresser mais il s'immobilisa soudain avec un cri.

Inquiète, elle se redressa.

— Tristan ? Qu'est-ce qu'il y a ?

Il se massait le mollet, le visage crispé de douleur.

Sandy voulut l'aider mais il l'écarta. Il respirait mal et un autre gémissement s'échappa de ses lèvres.

Elle observa sa jambe. C'était la première fois qu'elle pouvait mesurer les dégâts causés par les requins. L'extérieur de son mollet était horriblement mutilé. Il n'y avait plus que les os et la peau et des grandes cicatrices aux points irréguliers.

Elle déglutit avec peine. Il avait dû souffrir mille morts. Et encore, il avait eu de la chance que les requins ne l'aient pas dévoré en entier.

— Oh ! Tristan, comment as-tu pu supporter ça ?

Il ne répondit pas, mais semblait plus calme. Il se rallongea sur les oreillers.

— Tu as moins mal ?

Il poussa un gros soupir.

— La crampe est passée, oui.

Son visage était livide mais il allait visiblement mieux. Il se remit à respirer avec calme. Et très vite, il s'endormit.

Sandy sourit et lui caressa légèrement le visage avant de se pencher pour déposer un petit baiser sur ses lèvres. Veillant à ne pas le réveiller.

Elle se rallongea, elle aussi. Puisqu'il ne souffrait plus, elle pouvait songer à son tour à dormir.

Tristan était là. Elle était en sécurité.

Mais au moment où elle s'assoupissait, l'enfer se déchaîna.

11

Tristan fut réveillé au milieu des hurlements d'une sirène infernale.

— Que se passe-t-il ?

— C'est le détecteur de fumée, répondit Sandy en repoussant les couvertures. Ne bouge pas, je vais l'éteindre.

— Non ! dit-il en sortant du lit.

Il posa la jambe avec précaution pour ne pas risquer de nouvelles crampes.

— Sandy ! Sandy, habille-toi vite. La maison est en feu.

Elle se releva.

— Quoi ?

— Regarde, répondit-il en lui désignant le couloir.

Des flammes s'y devinaient.

Elle bondit de la couche, s'empara de son jean.

— Je ne comprends pas. J'avais pourtant bien éteint le réchaud après avoir fait cuire mon gombo.

— Vite, vite, dépêche-toi.

Il était déjà en jean et en tennis. Il enfilait sa chemise à la hâte.

— Lee est derrière cet incendie. C'est évident.

— Lee ? répéta-t-elle en boutonnant son pantalon.

— L'homme qui a essayé de me tuer. Reste ici, je vais mesurer la gravité de la situation. Et surtout, ne t'approche pas des fenêtres.

— Tu crois que des tueurs attendent dehors, prêts à nous canarder si nous sortons ?

A peine avait-elle fini sa phrase que des déflagrations retentirent, couvrant le hurlement de la sirène. Elle cria de peur.

— Couche-toi ! ordonna Tristan.

Sandy se glissa aussitôt sur le sol.

— Ils ont mis le feu à la maison et maintenant, ils nous tirent dessus, c'est ça ? demanda-t-elle d'un ton incrédule.

— Tout ira bien, lui assura Tristan avec un sourire. Le déclenchement de l'alarme-incendie prévient automatiquement les pompiers de la ville, non ?

— Non.

— Bon sang, je t'avais dit de les appeler et de…

— Je sais, je les ai appelés. Mais ils ne pouvaient pas se relier à une alarme placée si loin. Ils m'ont expliqué que dans le bayou, il était impossible de se connecter à un réseau de surveillance.

Tristan poussa un juron.

— D'accord. De toute façon, ces gars ignorent que le détecteur n'est pas relié aux pompiers. Ils ne vont pas rester longtemps au milieu de ces hurlements et je parie que Boudreau a entendu cette sirène et qu'il va débarquer d'un instant à l'autre. D'ailleurs, il est déjà là, ajouta-t-il en s'approchant de la fenêtre.

— Tristan ? Que fais-tu ? cria son ami. Ecarte-toi ! Ils vont te prendre pour cible.

Obtempérant, Tristan s'accroupit devant les baies vitrées et sortit un pistolet automatique de son jean. Il comptait bien prouver à ses agresseurs qu'il était armé et dangereux.

Comme il ne parvenait pas à repérer et encore moins à identifier ses adversaires, il tira vers le bas, espérant ne tuer personne. La seule personne qui était morte à cause de lui avait été le malheureux Viêtnamien, employé de la plate-forme pétrolière, tombé avec lui dans les eaux du golfe du Mexique. Et sa mort avait été accidentelle.

Une balle fit exploser la baie vitrée et se planta dans le mur, à la hauteur de leurs têtes.

— Sandy, couche-toi par terre. Rampe pour te déplacer, c'est trop dangereux.

Sa réponse disparut dans le bruit d'une nouvelle déflagration. C'était le fusil de Boudreau. Le Cajun vida son chargeur. Tristan trouvait son fusil antique, lourd et peu maniable, mais il faisait de gros dégâts.

Derrière lui, Sandy grommela quelque chose.

— Quoi ? cria-t-il tandis qu'un autre projectile frôlait sa tête.

Il riposta, toujours incapable de distinguer autre chose que des flammes et une épaisse fumée dans la nuit.

— Sandy ? Ne bouge pas. Boudreau est dehors. Il sera là dans un instant.

Elle ne répondit pas.

— Sandy ? répéta-t-il comme des balles sifflaient à ses oreilles. Bon sang ! Ils nous tirent dessus pour nous tuer, pas pour nous faire sortir. Sandy ? Où es-tu ?

— Ici.

Il se retourna : Sandy rampait vers le placard.

— Qu'est-ce que tu fabriques ? Retourne à l'abri derrière le lit !

— Je veux récupérer la boîte où je range nos photos. Et tous nos papiers.

— Non, tu vas te faire descendre !

— Mais nos papiers risquent de brûler ! Il y a notre acte de mariage.

Une autre balle fusa dans l'air.

— Couche-toi !

Le fusil de Boudreau riposta, couvrant un instant la sirène.

Tristan se baissa sous la fenêtre et chercha Sandy des yeux. Elle était allongée par terre, glissant vers le lit.

A cet instant, une myriade de déflagrations retentit. Les vitres explosèrent, envoyant des éclats de verre partout.

— Protège-toi ! cria-t-il en fermant les yeux.

Dès que les tirs cessèrent, il releva la tête vers l'extérieur. Une grande flamme rouge montait dans le ciel, brillant dans le noir. Une fusée de détresse.

Que Boudreau soit béni, pensa-t-il.

De nouveaux coups de feu se firent entendre mais ils ne visaient plus la maison. Boudreau était devenu la cible de leurs assaillants, comprit Tristan.

Une autre fusée éclaira brièvement les alentours d'une vive lueur rouge. Deux ombres se glissaient dans le jardin. Tristan tira dans leur direction.

Un cri retentit alors dans la nuit. Une balle avait manifestement touché l'un des assaillants.

— Envoyez-en une autre, Boudreau ! cria Tristan. J'ai besoin de voir.

Dans la foulée, Boudreau lança une troisième fusée qui nimba le jardin d'un halo rougeâtre. Un des deux hommes se penchait sur celui à terre. Tristan fit feu et l'individu s'écroula à son tour.

Tristan, qui retenait son souffle depuis le début de la fusillade, s'autorisa enfin à respirer mais l'air était chargé d'une épaisse fumée et il fut pris d'une quinte de toux.

Près des fenêtres, il y avait des bruits de pas. Tristan se raidit et pointa son arme dans cette direction.

La sirène s'était tue, un désagréable silence flottait soudain autour de la maison.

— Tristan !

Boudreau se tenait sur le seuil des portes-fenêtres.

— Boudreau ! cria-t-il avant d'être pris d'une nouvelle quinte de toux. Nos assaillants sont hors d'état de nuire ?

Boudreau hocha la tête.

— Un mort, un blessé. Un troisième a réussi à s'enfuir

au volant du camion avec lequel ils étaient venus. Mais il faut partir. Cette baraque devient dangereuse.

— Quoi ?

— Il y a trop de fumée, l'air est irrespirable et l'incendie fait des ravages. Le toit risque de s'effondrer à tout moment. Où est ta femme ?

— Derrière le lit. Sandy ?

— Va la chercher. La maison va s'écrouler. Le feu a déjà détruit la charpente.

Tristan se tourna vers le lit.

— Sandy, il faut sortir. Filons par la fenêtre. Boudreau va nous aider.

Tout en le disant, il se dirigea vers le couloir.

— Où vas-tu ? demanda Sandy.

— Quitte la maison, je te rejoins tout de suite.

Comme il se hâtait hors de la chambre, il comprit les inquiétudes de Boudreau. Le bâtiment était la proie du feu et de la fumée. Les flammes lapaient la façade.

Il avait dit à Sandy qu'ils n'avaient pas le temps de sauver leurs biens, pas même leurs photos ou leurs papiers. Mais il y avait quelque chose qu'il devait absolument récupérer. La clé USB qui contenait les enregistrements des conversations du capitaine Poirier sur son téléphone satellite. Lee avait ordonné l'incendie de la maison pour détruire toutes les preuves de sa participation au trafic d'armes. Il n'était pas question de le laisser parvenir à ses fins.

Ouvrant la porte de la nurserie, Tristan s'approcha du berceau et arracha le mobile accroché au-dessus. Tout en repartant en courant vers la chambre principale, il s'empara de la clé USB qu'il avait plantée sur l'un des petits bateaux de bois du mobile, trois mois plus tôt. Il la glissa dans sa poche.

Quand il retourna dans leur chambre, Sandy n'avait pratiquement pas bougé. Elle essayait de se relever, s'appuyant sur le lit pour recouvrer l'équilibre.

Il lui tendit la main.

— Allons, il faut partir, et vite. Boudreau s'est chargé de neutraliser les bandits.

Elle ne répondit pas. La fumée l'étouffait, elle semblait au bord de l'évanouissement. Il l'aida à se mettre debout.

— Ça va aller, assura-t-il en mêlant ses doigts aux siens. N'aie pas peur. Je suis là.

Mais elle était livide et fut prise d'une quinte de toux. Elle n'arrivait plus à reprendre son souffle.

Boudreau réapparut.

— Allons-y, Tristan ! Il faut la sortir au plus vite. Elle respire trop de fumée. Ce n'est pas bon pour le bébé.

Comme Tristan se mit lui aussi à tousser, Boudreau eut un geste d'impatience.

— Vous êtes tous les deux en train de vous asphyxier. Allez, allez ! Dehors !

Sandy était à bout de force. Ses quintes de toux incessantes l'épuisaient, elle manquait d'oxygène. Tristan l'enlaça par la taille pour la soutenir.

— Essaie d'escalader la fenêtre pour sortir, Sandy. Boudreau, aidez-moi. Ma jambe va me lâcher.

— Asseyez-vous sur le rebord, madame Sandy, ordonna le vieil homme.

Tristan parvint à la soulever à moitié.

— Laisse-moi, je vais sortir toute seule, haleta-t-elle entre deux quintes.

Les grandes mains calleuses de Boudreau prirent Sandy par la taille et la hissèrent hors de la maison.

— Je l'ai ! cria-t-il.

Tristan réussit à son tour à grimper sur le bord de la fenêtre mais quand il sauta par terre, il s'étala de tout son long. Une crampe cisaillait son mollet. Il roula sur le sol.

— Lève-toi, ordonna le Cajun. Le gars qui s'était enfui à bord du camion est revenu avec un complice.

— Prenez Sandy avec vous et courez jusqu'à la jeep, dit Tristan en se massant la jambe.

— Impossible. Ils ont tiré sur nos roues pour nous empêcher de fuir. Les pneus sont à plat.

— Il reste la voiture de Sandy, rappela Tristan.

— Ils sont entre nous et le garage, répliqua Boudreau qui continuait à regarder autour de lui pour évaluer la situation. Pour l'atteindre, nous serions à découvert, ils pourraient nous tirer comme des lapins. En plus, Sandy n'est pas en état de courir. Maintenant, lève-toi ! répéta-t-il.

— Pour quoi faire ? rétorqua Tristan. Apparemment, nous sommes coincés ici.

— Nous devons trouver un abri. Quelqu'un dans le coin va peut-être finir par voir les flammes et prévenir les pompiers. En attendant, il nous faut nous cacher. Allons chez moi.

Tristan se releva en grognant.

— Ils n'auront qu'à bloquer le chemin pour nous coincer. Nous sommes faits comme des rats.

— Non. Nous connaissons les marais. Pas eux.

Une série de coups de feu retentit. Boudreau regarda Tristan et lui désigna d'un geste le sentier qui menait au débarcadère.

— Moi, je vais à l'angle du bâtiment pour attirer leur attention. Pendant ce temps-là, filez !

Tristan rechignait à laisser Boudreau seul en première ligne. Mais son devoir était de protéger Sandy et leur bébé. Aussi l'entraîna-t-il vers le chemin aussi vite que possible, l'obligeant à ramper quand des coups de feu retentissaient dans leurs dos.

Sandy avait enfin cessé de tousser mais ses quintes l'avaient épuisée. Visiblement, elle avait plus de mal que lui à se traîner dans le bayou. Tristan essaya de s'écarter d'elle mais ils étaient plus stables en cheminant ensemble que séparément.

Comme ils se dirigeaient vers la cabane sur pilotis, une rafale de mitraillette résonna dans la nuit. Tristan s'immobilisa si brutalement que Sandy en fut déstabilisée. Il ne pouvait supporter de laisser Boudreau se battre seul contre ces types qui étaient certainement des soldats aguerris et qui bénéficiaient d'un arsenal impressionnant.

Mais mettre Sandy à l'abri était sa priorité. Il l'entraîna vers la maison de Boudreau.

— Encore un effort, Sandy.

Elle hocha la tête. De toute évidence, elle se concentrait pour réussir à mettre un pied devant l'autre.

Le visage de Sandy l'inquiétait. Ses lèvres étaient bleues. Avait-elle manqué d'oxygène ? Elle avait, en tout cas, du mal à respirer. Elle avait besoin d'inspirer des goulées d'air pur, de passer de l'eau fraîche sur ses joues, de boire pour éliminer ses toxines. Sinon, le bébé et elle risquaient d'en pâtir.

Il maudit sa jambe. Sans sa blessure, ils seraient arrivés à la cabane de Boudreau depuis longtemps.

Serrant les mâchoires, il s'efforça de faire abstraction de la douleur et d'accélérer.

Pourvu que Sandy tienne le coup, songea-t-il.

Comme des bruits de pas froissaient les broussailles derrière eux, il se laissa tomber sur le sol, entraînant Sandy avec lui. Puis il tira son arme de sa ceinture et attendit.

A côté de lui, Sandy poussa un cri de détresse.

— Tristan, je n'en peux plus, je suis épuisée…

Une quinte de toux étranglée la plia en deux. Elle couvrit sa bouche de ses mains mais ne réussit pas à s'empêcher de tousser.

— Tiens bon, chérie, murmura Tristan, inquiet du bruit qu'elle faisait.

L'avait-on entendue dans le sous-bois ?

— Nous arriverons chez Boudreau dans un instant, ajouta-t-il.

Les bruits de pas se rapprochaient. Tristan se raidit et serra plus fort son arme.

Mais il ne s'agissait que de Boudreau, constata-t-il avec soulagement.

Le vieux Cajun parut surpris de les trouver là.

— Que vous arrive-t-il ?

— Je suis désolé. Nous avons été aussi vite que possible mais…

— Continuez d'avancer. Je reste ici pour les retarder.

— Viens, Sandy.

Il l'aida à se relever et lui enlaça la taille pour la soutenir.

Un craquement suivit d'un sifflement fendit alors l'air.

— Couchez-vous ! cria Boudreau.

Il resta debout, son fusil sous le bras, et il tira.

D'autres déflagrations se firent entendre.

Boudreau jura, tandis que Tristan poussait Sandy derrière un fourré. Il s'accroupit près d'elle, tendant l'oreille. A en juger aux coups de feu, les hommes étaient sur le chemin.

Leurs poursuivants s'approchaient dangereusement.

— Boudreau ? appela Tristan. Ça va ?

Son ami leva le pouce pour lui répondre. Le geste signifiait qu'il allait bien mais les intimait également au silence, comprit Tristan. Leurs ennemis étaient tout proches.

D'autres déflagrations retentirent et Tristan se coucha.

— Sandy ?

Il l'observa avec une inquiétude croissante. Elle avait fermé les yeux, elle était livide et ses lèvres d'une couleur mauve anormale.

A cet instant, Boudreau se redressa, tira plusieurs fois. D'un geste, il ordonna à Tristan de se hâter vers la cabane.

Tristan se leva avec précaution. Sa jambe ne le portait plus du tout.

— Sandy, tu peux y arriver ? Essaie de te lever.

Elle hocha la tête.

Comme tous deux se redressaient tant bien que mal, d'autres coups de feu résonnèrent et Boudreau riposta.

Tristan tendit la main à Sandy. Elle s'en saisit avec un gémissement tout en se relevant.

— Je suis désolé, chérie. C'est bientôt fini, je te le jure. Fais un effort, pour moi, d'accord ?

Une soudaine détermination lui donnait un sursaut d'énergie.

S'il avait été seul, il aurait perdu connaissance depuis longtemps, il en était certain, ou il se serait arrangé pour prendre une balle en plein cœur et en finir. Mais là, il ne pouvait abandonner. Vis-à-vis de Boudreau qui lui avait déjà deux fois sauvé la vie, de Sandy, de leur bébé. Il devait tenir, se battre, les défendre.

— D'accord, dit-elle, le souffle court.

Ils repartirent vers la cabane, faisant confiance à Boudreau pour repousser leurs agresseurs.

12

Au moment où la cabane sur pilotis de Boudreau apparut enfin, Tristan finissait par douter de parvenir à destination. Chaque pas était un enfer.

S'il ne s'était pas encore affalé de tout son long sur le sol, s'il n'avait pas encore tourné de l'œil, c'était uniquement parce qu'il devait soutenir Sandy. Visiblement, elle avait beaucoup de mal à respirer. Pour une raison qu'il ne comprenait pas, elle n'arrivait pas à recouvrer son souffle. Alors que lui-même avait cessé de tousser et respirait normalement, elle était encore pliée en deux par des quintes.

A bout de force, il grimpa jusqu'à la porte de la cabane et entra, traînant Sandy derrière lui. Elle se laissa choir sur le lit de camp que Boudreau avait installé dans un coin pour lui.

— Respire à fond, Sandy, dit-il.

Elle avait fermé les paupières mais elle obtempéra, s'efforçant de prendre une profonde inspiration. Malheureusement, elle ne réussit qu'à déclencher une nouvelle quinte de toux.

Boudreau les rejoignit à cet instant précis et s'approcha d'elle.

— Madame Sandy, vous devez commencer par expirer pour sortir la fumée de vos poumons. Il faut aussi que vous buviez le plus d'eau possible. Pour vous débarrasser des toxines que l'air vicié a mises dans votre corps.

Il se tourna vers Tristan.

— Presse sa poitrine pour l'aider à évacuer la fumée. Spontanément, si ses poumons sont vides, elle inspirera.

— Compris, dit Tristan.

Sur ce, Boudreau attrapa une veste de chasse accrochée à un clou derrière la porte.

— Vous ressortez ? s'étonna Tristan. Vous ne devriez pas vous reposer un peu ?

Son ami secoua la tête tout en remplissant ses poches de cartouches.

— J'ai intérêt à garder un œil sur nos poursuivants. Je ne veux pas les laisser se rapprocher. Tant qu'ils restent à distance, tout ira bien pour nous. Ils ont bloqué le chemin qui mène au débarcadère. Nous ne pouvons plus y descendre et si quelqu'un essaie de venir par ici, il tombera forcément sur eux.

— Et si nous partions par le nord, en passant par la source ? Nous empruntions souvent ce chemin, Zach et moi, quand nous étions gosses.

— Tu te souviens des pluies diluviennes qui sont tombées il y a quelques mois ? Elles ont provoqué d'énormes coulées de boue. Ce chemin était déjà difficilement praticable, autrefois. A présent, il est devenu dangereux.

— Si je comprends bien, nos agresseurs n'ont pas la possibilité d'arriver jusqu'à nous mais nous ne pouvons pas partir. Nous sommes piégés ici.

Son ami poussa un soupir.

— Laisse-moi un peu de temps. J'ai besoin de réfléchir à ce que nous devrions faire.

Il se dirigea vers la porte.

— Soyez prudent, Boudreau, lui lança Tristan.

Après quoi, Sandy se remit à tousser et Tristan l'aida en pressant sa cage thoracique comme le vieux Cajun le lui avait indiqué.

— Je ... J'ai du mal à respirer, dit-elle d'une voix faible. Cesse d'appuyer sur ma poitrine.

— Il le faut. Tu as inhalé beaucoup de fumée, il faut l'évacuer. Je vais te chercher de l'eau.

Elle l'inquiétait. Elle était livide, elle claquait des dents et ses mains tremblaient. Avec son aide, elle se mit sur son séant mais elle semblait molle comme une poupée de chiffon.

Il plongea un bol de bois dans un seau d'eau froide.

— Bois, dit-il en le lui tendant.

Il se leva ensuite pour aller se laver les mains.

Quand il revint près d'elle, elle n'en avait pris que quelques gorgées.

— Chérie, il faut tout boire.

— Ça va, je me sens mieux, assura-t-elle.

Mais parler déclencha une nouvelle quinte de toux. Elle avala un peu d'eau supplémentaire.

Il mouilla un torchon et commença à lui tapoter le visage.

— Bien. Maintenant, essaie de respirer à fond.

Mais très vite, elle se remit à tousser. Il la scruta avec angoisse.

— Ta gorge te fait mal ? Elle est irritée ?

Sandy secoua la tête.

— Je n'ai pas mal à la gorge. Mais au ventre.

Tristan vida le bol et essora le torchon.

— Au ventre ? Que veux-tu dire ? Comme des crampes d'estomac ?

De nouveau, elle secoua la tête et le regarda sans ciller.

— Non, pas à l'estomac. Quelque chose ne va pas.

Tristan cessa de s'activer et la dévisagea en fronçant les sourcils.

— Comment cela ? Avec le bébé ?

— Je ne sais pas. Peut-être, oui.

Elle souleva son corsage et posa les mains sur son

ventre rebondi. Sous ses doigts, son pantalon était sombre et humide. Trop sombre et trop humide.

Du sang ? Le cœur de Tristan s'accéléra dans sa poitrine tandis qu'une peur horrible le submergeait. Seigneur, était-elle en train de perdre le bébé ?

Elle passa la main sur le tissu, sur la tache humide. Quand elle vit ses doigts rouges, elle blêmit.

— Tristan ! C'est du sang !

— Oui, en effet, il y a un peu de sang, répondit-il d'un ton calme, s'efforçant de masquer son angoisse. Tu es tombée sur quelque chose ?

— Je ne sais plus. Tristan, qu'est-ce qui m'arrive ?

— Ne t'inquiète pas, Sandy, tout va bien !

Mais qu'est-ce qui pouvait expliquer ces saignements, mis à part …

— Allonge-toi. Je vais y jeter un coup d'œil.

Avec son aide, Sandy s'étendit sur le lit. Il souleva sa chemise et comprit immédiatement pourquoi elle saignait.

— Mon Dieu, murmura-t-il.

Il examina la plaie : il s'agissait de l'impact d'une balle. Elle avait été touchée sur le côté, dans le dos.

— Tristan ? demanda Sandy d'une voix angoissée. Qu'est-ce qui ne va pas ?

Il essaya de lui répondre mais il avait la gorge dans un tel étau qu'il ne parvint pas à émettre un son. Il déglutit et réessaya.

— Ton jean est sans doute trop serré.

— Le bébé grossit, murmura Sandy.

Lorsque Tristan parvint à lui retirer son pantalon, le sang coula plus fort. Manifestement, l'étroitesse du vêtement avait compressé la plaie, jugulant l'hémorragie.

Puisqu'il n'y avait plus ce point de compression, elle saignait abondamment, trop abondamment. Il se servit d'un torchon propre pour éponger le sang. La plaie n'était pas grosse mais cela n'avait rien de rassurant. Sandy avait été blessée par une balle, alors qu'elle portait un enfant.

Tristan avait envie de hurler mais il ne le pouvait pas. Elle le regardait de ses grands yeux effrayés, attendant évidemment qu'il la rassure, qu'il lui dise que tout allait bien, que tout irait bien. Il devait tenir pour elle. Pour une raison qu'il ignorait, elle croyait encore qu'il était fort.

— D'accord, dit-il en s'obligeant à garder son calme. Apparemment, l'une des balles qui pleuvaient tout à l'heure t'a atteinte mais cela ne me semble pas trop grave.

— Une balle ? répéta-t-elle. J'ai été touchée par une balle ? Tristan ? balbutia-t-elle en fondant en larmes. Et le bébé ?

— Chut, ne t'inquiète pas… Est-ce que tu sais quand ça s'est passé ?

— Non, répondit-elle les yeux clos. Quand nous marchions dans les marais, j'ai eu l'impression qu'un insecte m'avait piquée dans le dos, à la hauteur des reins. Peut-être que c'était un projectile, en fait.

En effet, se rappela Tristan, lorsque Boudreau leur avait ordonné de s'enfuir, leurs ennemis les canardaient.

— Tristan ! cria-t-elle en prenant son bras. Et le bébé ? répéta-t-elle.

— Je suis là, je te promets que tout ira bien.

In petto, il demanda pardon à Dieu de mentir, mais Sandy était blessée et terrifiée. Il n'avait pas le choix.

— Qu'est-ce que tu en sais ? Tu n'es pas médecin. Mon bébé ! hurla-t-elle en serrant son ventre avec angoisse.

— Qu'y a-t-il avec le bébé ? murmura une grosse voix dans son dos.

Boudreau se tenait à la porte. A la vue du sang, il poussa un juron en français.

Puis il posa son fusil contre un mur et s'approcha. Il semblait très inquiet, nota Tristan.

— La balle est ressortie ?

— Je n'en sais rien, reconnut Tristan. Je ne crois pas.

Boudreau fronça un peu plus les sourcils.

— Pousse-toi.

Tristan lui laissa la place et Boudreau s'assit près de Sandy.

— Madame Sandy, je dois regarder la plaie. D'accord ? Je veillerai à ne pas vous faire du mal.

Sandy se tourna vers Tristan qui hocha la tête.

— D'accord.

Boudreau la souleva entre ses grandes mains et la tourna vers lui, sur le côté. Elle poussa un petit cri au moment où il la reposa puis elle se tut.

Le vieux Cajun l'examina avec soin, puis lança à Tristan un regard grimaçant.

Un mélange de soulagement et de consternation gagna Tristan. Soulagement puisque la balle n'avait pas quitté son corps, n'avait donc pas causé plus de dégâts en sortant qu'en entrant. Consternation que Sandy ait été touchée par une balle qui avait peut-être causé des blessures irréversibles.

Sur elle ou le bébé.

La panique s'empara de Tristan.

Sa femme souffrait peut-être d'une hémorragie interne. Et si le projectile avait atteint l'utérus, le bébé avait peut-être été tué.

— Tristan ? Que se passe-t-il ? Est-ce grave ? demanda Sandy, terrifiée.

Tristan avait besoin de dire quelque chose pour la réconforter. Il essaya. Mais sa voix refusa de sortir.

Comme il se tournait vers Boudreau, il reçut le message dans le regard du vieil homme cinq sur cinq.

« Ne la bouleverse pas. Calme le jeu. »

Il se pencha vers Sandy.

— Non, je ne crois pas. Par chance, la balle n'est pas ressortie et c'est une bonne chose, dit-il avec un petit sourire.

Boudreau se leva.

— Je dois y aller. Nos assaillants ne sont pas loin. Il ne faut pas les laisser avancer davantage.

Boudreau semblait épuisé : il avait les yeux las, les épaules voûtées. Il n'avait pas dormi depuis des heures, calcula Tristan.

Il reporta son attention sur Sandy qui lui rendit son regard, un regard effrayé, glacé de peur.

— Tu as toujours mal ? s'enquit-il.

Elle hocha la tête sans détourner les yeux.

Boudreau leur désigna une boîte en fer sur le bord de la fenêtre.

— Il y a un baume et une potion là-dedans. La même potion que je t'avais donnée. Et jette un œil dans le coffre au pied de mon lit. Tu y trouveras une chemise pour elle. Prends du linge propre pour lui panser la plaie. Madame Sandy, serrez le plus fort possible le linge sur la plaie pour faire cesser l'hémorragie. D'accord ?

— D'accord.

Boudreau ressortit de la maison.

Lorsque Tristan apporta la potion à Sandy avec un verre d'eau, elle demanda d'une voix tendue.

— N'est-ce pas dangereux pour le bébé ?

— Non, ne t'inquiète pas. Boudreau ne t'en donnerait pas s'il y avait le moindre risque. Mais ça te fera peut-être dormir, la prévint-il en lui caressant les cheveux. Cette potion avait un effet soporifique sur moi, en tout cas. Profites-en pour t'octroyer une petite sieste. Je te trouverai une chemise de nuit bientôt, d'accord ?

— Tristan, le bébé ne donne plus de coups de pied, reprit-elle, les yeux pleins de larmes. Et je sais que c'est mauvais signe.

Il lui sourit.

— Ne t'inquiète pas, d'accord ? Le bébé va bien. Il est fatigué comme nous tous.

Il se pencha pour l'embrasser rapidement mais elle ne lui rendit pas son sourire. Elle ferma les paupières et une larme coula sur sa joue.

— Je vais aller voir ce qui se passe à l'extérieur, annonça-t-il en se levant. Je ne serai pas loin.

Il quitta la cabane de rondins.

Au loin, les flammes s'élançaient dans le ciel noir. Sa maison, qui avait été celle de son père avant d'être la sienne, que son grand-père avait construite de ses mains, était la proie d'un terrible incendie qui la détruirait et réduirait en cendres tout ce qu'elle contenait.

— L'œuvre de nos amis ? demanda-t-il à Boudreau.

— Oui, ils ont visiblement utilisé de l'essence.

— Tout va brûler.

— Intégralement.

Tristan considéra le triste spectacle. Puis des gyrophares apparurent au milieu de la fumée.

— Les pompiers sont là ! Ils ont finalement vu les flammes depuis la ville.

Boudreau hocha la tête.

— Je crois reconnaître aussi la voiture du shérif. Les pompiers ont dû lui passer un coup de fil.

— Sans doute doit-il nous chercher. Enfin, *vous* chercher, Sandy et vous.

— Et il va voir les pneus crevés par nos assaillants et les douilles vides qui jonchent le sol.

— Il va essayer de vous trouver ?

— Cela ne m'étonnerait pas, répondit Boudreau. Mais il ne pourra rien faire s'il vient par ici tout seul. J'espère qu'il appellera les gardes-côtes à la rescousse ou demandera de l'aide à Houma.

Tristan comprit ce que Boudreau voulait dire.

Si le shérif essayait d'emprunter le chemin qui menait à la cabane, les tueurs allaient l'abattre.

— Maintenant, fiston, écoute-moi, reprit Boudreau

avec calme. Il y a une caisse planquée derrière la maison, sous le tas de bois. Déplace les trois plus grosses bûches vers la gauche et tu la verras. A l'intérieur, tu trouveras un autre lance-fusée, un stock d'armes, des munitions en pagaille et quelques petites mines.

— Quelques petites mines ? Vous voulez dire des mines antipersonnel ? Je croyais qu'elles étaient désormais interdites. Où vous êtes-vous procuré ce genre de choses ?

— Il s'agit de surplus de l'armée. Nous allons avoir besoin de nous défendre, il faut empêcher ces types d'arriver chez moi. L'heure du combat a sonné, Tristan. Tu vas me préparer trois de ces mines, un seau de projectiles et le lance-fusée. Je reviendrai les chercher. Il faudra que tout soit prêt parce que je n'aurai sans doute pas beaucoup de temps.

Après un moment de silence, Tristan lança.

— Boudreau… Elle ne sent plus le bébé bouger.

— Il faut attendre, fiston, il n'y a rien d'autre à faire, répondit le vieil homme. Le corps d'une femme a beaucoup de ressources lorsqu'il s'agit de protéger un bébé. Garde la foi.

Mais son ami était inquiet, sentit Tristan. Il ne cessait de se tourner vers le bois.

— Quel est le problème ? demanda-t-il.

— Il y a deux hommes dans le coin, peut-être trois. Je ne sais pas où ils se cachent. Comme je le disais, je les ai entendus mais ils ne se sont pas montrés et ils ne tirent pas.

— Vous voulez dire deux ou trois hommes en plus des deux que vous avez touchés près de la maison ? Parce que pour ma part, je n'en ai vu que trois en tout.

— Non, rappelle-toi, un autre était dans le camion. Et il y en avait peut-être un quatrième caché dans le coin. Je crois avoir aperçu une ombre mais je voulais viser des individus, pas de vagues silhouettes.

— Vous êtes sûr qu'ils sont toujours à nos trousses ? Peut-être qu'ils sont repartis ou…

Qu'ils ont emprunté un autre itinéraire, faillit-il dire. Mais Boudreau le lui avait souvent répété : il n'y avait qu'un chemin pour quitter les marais. Ils étaient entourés de marécages et s'aventurer dans le gumbo, cette boue proche de sables mouvants, aurait été suicidaire.

— Ils ne sont pas retournés sur leurs pas, dit Boudreau. Ils ne peuvent pas. Les pompiers et le shérif sont devant la maison. Et si le shérif essaie de les poursuivre jusqu'ici, il risque de s'embourber.

— Ils sont donc cachés près du sentier, à attendre que nous descendions au débarcadère ou que le shérif monte chez vous ?

— Je le crains. Ils ne se doutent probablement pas des dangers du bayou, du gumbo, mais ils savent certainement lire une carte topographique. Cela dit, ils n'y verront que l'emplacement des marécages, pas celui des ponts de bois qui mènent à la planque.

Tristan hocha la tête. Pour la première fois de sa vie, il se surprit à maudire les marécages. Ils ne lui semblaient plus magnifiques et mystérieux comme autrefois. Mais maléfiques et dangereux. Ils l'empêchaient de conduire Sandy chez un médecin.

— Boudreau, nous n'aurions pas dû venir ici. Nous sommes piégés. Nous aurions dû courir jusqu'à la voiture et nous enfuir par la route.

— Impossible. La voiture est inutilisable. Ils ont tiré sur nos pneus en arrivant, je te l'ai dit.

— Alors, nous aurions dû… Je ne sais pas. Prendre un de leurs camions ou courir sur la route… Ou téléphoner au shérif. N'importe quoi. Mais là, nous sommes coincés. Elle risque de mourir, Boudreau.

— Parle moins fort.

— Peut-être que nous devrions aller dans la planque.

Mais à peine avait-il énoncé cette hypothèse que Tristan mesura son absurdité. Il jura.

— Je serais incapable de franchir les ponts de rondins. Ils sont glissants, instables. Ils étaient déjà difficilement praticables quand j'étais gosse. Mais là, avec ma jambe folle, je tomberais si j'essayais de marcher dessus.

Boudreau lui envoya un coup d'œil de biais.

— Alors tu ramperas dessus. Mais, quoi qu'il t'en coûte, tu dois traverser les marais et sauver ta vie, celle de ta femme et de votre enfant. C'est devenu une question de vie ou de mort. Il faut savoir ce que tu veux, Tristan.

Boudreau avait raison. Il se comportait comme un enfant gâté. Il se redressa.

— Je veux les sauver tous les deux et, d'une façon ou d'une autre, j'y arriverai.

— Très bien. Alors va réveiller Sandy et partez sans tarder. L'aube se lève et nos ennemis vont en profiter pour passer à l'attaque.

— Vous non plus, vous ne pouvez pas rester ici, Boudreau. D'autant que vous êtes exténué. Je vais l'emmener puis je reviendrai vous chercher.

— Non, non, fiston. Si tu reviens ici, tu es mort. Et moi avec.

Tristan était trop fatigué et trop inquiet pour discuter.

— Et que fait-on avec le shérif ? Que va-t-il se passer quand il remontera vers votre cabane et tombera sur eux ? Il a de grandes chances de comprendre que ce sont eux qui ont mis le feu à la maison, non ?

— Peut-être, sans doute même, répondit Boudreau. Mais en tout cas, il ne s'attendra pas à se confronter à des individus hostiles. S'il vient par ici, il pensera me voir ou ta petite femme. Il ne se méfiera pas.

— Nous ne pouvons pas les laisser le tuer.

Boudreau posa la main sur le bras de Tristan.

— Fiston, si tu as une idée de ce que nous pourrions

faire, donne-la-moi et je te le promets de la mettre en œuvre. A toi de me dire. Parce que je suis à court d'inspiration, là. Pour moi, nous avons le choix entre trois possibilités : nous cacher jusqu'à ce qu'ils nous trouvent et tenter alors de les neutraliser, attendre que le shérif arrive avec des renforts ou les attaquer, même si je n'ai pas très envie de prendre de tels risques. Je ne sais pas.

Tristan le scruta. Toute sa vie, il avait considéré Boudreau comme un héros, un demi-dieu. Le vieux Cajun était l'homme le plus intelligent qu'il connaisse et il lui vouait une confiance absolue, aveugle, presque un culte. Jamais Boudreau n'avait dit « Je ne sais pas ».

Dans le silence, un oiseau lança sa plainte. Boudreau leva la tête et chargea son fusil.

— Les oiseaux ne chantent pas la nuit. Ce sont eux. Pourquoi tu ne rentrerais pas à l'intérieur pour trouver à ta petite femme quelque chose pour s'habiller pendant que je m'assure qu'ils ne s'approchent pas ?

Tristan alla d'abord chercher les mines et les fusées pour les porter à l'intérieur. Il poussa son butin sous le lit de Boudreau puis il ouvrit le vieux coffre. A l'intérieur, sous de vieilles couvertures, il fit une étrange découverte. Une chemise de nuit en coton et dentelle, une tenue assez affriolante en vérité.

Il hésita, gêné de s'en emparer, mais Boudreau lui avait dit de la prendre et de la donner à Sandy. Malgré ses efforts, il ne parvenait pas à imaginer une femme vivant avec Boudreau dans cette cabane, une femme qui aurait mis ces dessous. Il ne connaissait rien de la vie amoureuse de son ami. Et si Boudreau ne lui en parlait pas le premier, jamais lui-même n'aborderait le sujet.

Il étendit la robe sur le lit et chercha des linges propres qu'il déchira pour les transformer en bandes et pansements.

Il regrettait de devoir réveiller Sandy. Elle dormait

paisiblement. Sa respiration était presque normale et elle ne toussait plus.

Il la secoua doucement et il parvint à bander sa plaie sans trop de difficultés. Sandy se laissait faire, levant les bras pour l'aider à lui passer la robe.

Il avait envie de l'étreindre, de l'embrasser, de lui dire tout son amour mais il n'avait pas le temps. S'il ne se dépêchait pas, il pourrait ne plus jamais avoir l'occasion de le lui avouer.

— Tout va bien ? demanda-t-il en l'aidant à se redresser.

Il lui glissa des chaussettes aux pieds. Puis il lui prit les mains et l'encouragea à se lever. Elle obtempéra, s'appuyant sur lui. Retrouver la chaleur de son corps de femme contre le sien, la douceur de sa joue dans son cou, lui fit du bien. Pendant un instant, il resta immobile à savourer sa présence, à s'enivrer de son parfum, à laisser sa chaleur le réconforter.

Mais soudain, il fut pris d'un doute : n'était-elle pas trop chaude ?

Il posa la main sur son front, sans parvenir à trancher : était-elle brûlante parce qu'ensommeillée ou avait-elle de la fièvre ?

D'une voix faible, elle demanda.

— Où allons-nous ?

— Dans le repaire secret de Boudreau.

— C'est loin ? J'espère que non. Je suis si fatiguée, j'ai besoin de dormir.

— Ce n'est pas loin, promis, répondit-il en l'embrassant. D'accord ? Tu es prête, chérie ?

Il la guida vers l'extérieur tout en s'emparant de la canne de bois que Boudreau avait laissée près de la porte.

Quand ils sortirent de la cabane, son ami n'était plus en vue nulle part mais Tristan ne s'en inquiéta pas. Il n'avait pas remarqué de coups de feu et si Boudreau avait eu besoin de lui dire où il allait, il l'aurait fait.

— D'accord, Sandy, nous sommes partis, dit-il d'un ton faussement enthousiaste.

Sa jambe allait-elle tenir le coup ? Normalement, il aurait dû se ménager, s'arrêter, la reposer pendant plusieurs heures. Mais les circonstances n'étaient pas normales. Il lui fallait d'abord tenter de sauver sa femme et leur enfant. Le reste était secondaire.

Il se tourna dans la direction de la cache de Boudreau. Aucun chemin n'y menait. En fait, apparemment, il n'y avait qu'un enchevêtrement de broussailles, de plantes grimpantes et de mauvaises herbes, de cyprès et de lauriers-roses autour de la cabane de Boudreau. Mais Tristan connaissait un étroit sentier qui se dissimulait quelque part au milieu de la végétation. Pas exactement un sentier mais une piste, le seul moyen de parvenir à la planque de Boudreau.

Autrefois, il y avait de cela vingt ans, il s'était souvent rendu dans cette cachette.

Priant d'avoir assez de mémoire pour la retrouver et assez de force pour l'atteindre, il se traîna en avant, s'efforçant de soutenir de son mieux Sandy.

— Tristan, gémit-elle. Où allons-nous ?

— Nous allons faire la fête dans le repaire secret de Boudreau.

— La fête ?

— Oui. Dans une cache, une planque. C'est un endroit formidable pour jouer aux gendarmes et aux voleurs. Et très confortable aussi, tu verras. Nous y serons très bien.

— Tristan, ne prends pas ce ton supérieur avec moi, dit-elle d'une voix ensommeillée mais ferme. Cela m'exaspère.

A cet avertissement, le cœur de Tristan se serra. Elle était encore à moitié endormie. Une chance. Il échappait ainsi à leurs sempiternelles disputes.

« — Pourquoi tu me racontes des histoires ? Je vois bien que quelque chose ne va pas.

— Je ne te raconte pas d'histoires, tout va bien. J'adore travailler sur une plate-forme et j'adore l'informatique.

— Je ne suis pas aveugle, Tristan. Chaque fois que tu rentres à la maison, tu es un peu plus angoissé. Tu ne me parles plus, tu ne me touches plus.

— Là, je te parle.

— Non, ce n'est pas pareil. Tu as changé. Tu n'es plus l'homme que j'ai aimé toute ma vie.

— Je ne sais pas pour qui tu me prends mais c'est bien moi, je t'assure.

— Non, je ne te reconnais plus. »

— Désolé, reprit-il, je ne voulais pas te parler avec condescendance. Nous allons nous cacher dans la planque de Boudreau pour un jour ou deux.

— A cause des hommes qui ont mis le feu à la maison ?

Elle était assez éveillée pour se rappeler l'incendie. Même, elle se raidit.

— Ils nous cherchent mais ils ne nous trouveront pas dans cette planque.

— Combien de temps faut-il marcher avant de l'atteindre ?

— Pas longtemps. Quelques instants. Je sais que tu as sommeil.

Elle posa la main sur son ventre.

— J'ai mal au ventre. Bébé, tu me fais mal.

Elle trébucha. Tristan s'efforça de garder l'équilibre et de la retenir en même temps. La douleur cisaillait son mollet blessé, mais il tenta d'en faire abstraction.

— Je sais que c'est difficile. Mais essaie de faire attention à l'endroit où tu mets les pieds, d'accord ? Nous allons franchir un pont de rondins et il est glissant, dangereux. Sois prudente. Il faut garder les yeux ouverts et être vigilants.

Pourvu qu'elle ne saigne plus, songea-t-il.

Mais, connaissant Boudreau, il y avait certainement des pansements dans la planque, ainsi que des potions de sa composition.

— Des ponts en rondins ? reprit Sandy. Mais il n'y a pas plus glissant !

— Tout ira bien. Ils sont solides et, grâce à eux, nous éviterons de marcher sur la terre des marécages. Les marais ne sont pas profonds mais ils regorgent d'alligators et de serpents. Sans parler du gumbo qui est collant et aspire tout ce qui passe. En plus, nous n'avons pas d'autres vêtements. Il vaut mieux les garder secs. Donc, même si nous sommes très fatigués, nous devrons tout faire pour rester debout sur ces passerelles de bois.

— Tu seras à côté de moi pour me soutenir, non ?

La consternation et la peur traversèrent Tristan. Sandy comptait sur lui mais la traversée serait sans doute plus compliquée pour elle avec lui que sans lui.

— Oui, bien sûr, je serai à côté de toi. Je suis désolé que tu aies mal au ventre mais tout ira bien. C'est le bébé qui gigote, voilà tout.

— Bébé gigoteur, dit-elle d'une voix ensommeillée.

Des larmes brûlaient les paupières de Tristan et sa gorge était serrée comme dans un étau. Quels dégâts avait causés la balle ? Le projectile avait-il gravement blessé Sandy ou le bébé ? Peut-être Sandy souffrait-elle d'une hémorragie interne…

En tout cas, c'était de sa faute si elle avait été touchée. Il n'avait pas assez pris soin d'elle. Il aurait dû se placer en permanence entre elle et les tireurs.

Elle le regarda en fronçant les sourcils.

— Ne t'inquiète pas, Tristan. Tout ira bien. Je sais que je ne risque rien avec toi.

Il hocha la tête et l'enlaça étroitement pour qu'elle ne puisse pas voir son visage. Il s'écœurait. Elle pensait être en sécurité avec lui alors qu'il l'avait exposée au danger. Non seulement, il l'avait abandonnée pendant deux mois, mais, en revenant vers elle, il l'avait mise en première ligne. A cause de lui, elle avait été la cible de tueurs.

La main de Sandy se posa sur son ventre. Avait-elle senti le bébé bouger ? se demanda Tristan. Non. Si cela avait été le cas, elle le lui aurait dit.

Et si l'enfant était mort ?

— Qu'y a-t-il, Tristan ? Tu as attrapé froid ? Tu ne cesses de renifler.

— Oui, je suis un peu enrhumé.

13

La marche jusqu'au premier pont de rondins fut longue et pénible. Tristan n'en pouvait plus. A un moment, il y eut des coups de feu. Tristan identifia des carabines, le vieux fusil de Boudreau et d'autres armes, peut-être des pistolets automatiques. Difficile à dire avec la distance et les arbres qui amortissaient les sons.

Au moment où les douleurs qui traversaient sa jambe devenaient insupportables et qu'il était sur le point de renoncer, apparut un gros tas de branches enchevêtrées croulant sous des plantes grimpantes. Tristan lâcha un soupir de soulagement.

Un novice aurait pu croire que le vent avait soufflé dans les branchages d'un vieux cyprès abattu par une tempête. Mais Tristan reconnaissait la main de Boudreau derrière ce désordre apparent. Ces feuillages dissimulaient l'ouverture de la planque. Le repaire secret du vieux Cajun se trouvait là depuis des années, une éternité, et il était si bien intégré dans le paysage que les yeux les plus perçants n'auraient pu soupçonner sa présence.

Pour y entrer, il fallait se faufiler dans un petit tunnel aux murs de boue séchée.

L'intérieur de la cachette était propre et soigneusement entretenu, comme il l'avait toujours été. Pour un refuge d'appoint, il était bien équipé et contenait tout le nécessaire pour un séjour de plusieurs semaines.

La structure de la cabane était de bois. Boudreau

s'était servi de branches solides avant de tirer une toile entre elles. Au fil des ans, le bois avait pourri et avait été remplacé comme l'avait été la bâche de jute. Les murs intérieurs ressemblaient donc à un patchwork de bleu, d'argent et de brun.

Le meuble le plus important de la cabane était un grand coffre dans lequel une personne ou deux un peu serrées pouvaient s'allonger. Il était posé en hauteur sur une petite butte afin de rester en permanence à l'abri d'éventuelles inondations, fréquentes dans les marais. Le sol était recouvert de planches, de nattes en bambou et de copeaux de bois qui absorbaient l'humidité et maintenaient la cabane au sec.

Tristan entraîna Sandy à l'intérieur et la coucha sur le lit de fortune. Il y trouva deux couvertures de laine emballées et les déplia. Elles semblaient propres. Il les étendit sur Sandy. Lorsqu'il eut fini de l'installer, il tremblait de fatigue.

Elle se tourna vers lui.

— Je suis désolée, Tristan, murmura-t-elle. Tu es épuisé, toi aussi.

Il secoua la tête. Il n'avait même plus la force de parler.

— Qu'y a-t-il dans toutes ces caisses ? demanda-t-elle en promenant les yeux autour d'elle.

Sans répondre, Tristan la détailla longuement.

— Je crois que tu ferais mieux de dormir. Tu as besoin de récupérer.

Il s'assit par terre, le dos contre un pilier de la cabane, allongea les jambes devant lui et ferma les paupières.

— C'est toi qui as besoin de te reposer, lança Sandy. Tu es si pâle… J'ai l'impression que tu vas t'évanouir. Je suis restée allongée pendant deux jours. Pas toi.

— Je ne pense pas que tu aies beaucoup plus dormi que moi, répliqua-t-il sans bouger.

— Mais je n'ai pas eu le mollet arraché et je n'ai pas à marcher en tirant la jambe.

— Non. Mais toi, tu as…

Il s'interrompit.

Tu as été touchée par une balle.

Il grimaça plutôt que de finir sa phrase.

— Je vais voir comment s'en sort Boudreau.

— Attends ! Je suis épuisée mais je n'ai pas sommeil. Qu'est-ce que Boudreau garde dans cette cabane ?

— Du matériel de survie. Des boîtes de conserve, du café, de l'eau et des outils, un ouvre-boîte, un marteau, un tournevis. Tu vois le genre de choses. Tout ce dont on peut avoir besoin.

— Il s'agit donc d'un refuge.

— Oui. Ça permet de se mettre à l'abri en cas de tempête ou de danger, s'il faut se cacher. Mais aussi d'accueillir des amis de passage, à l'occasion.

Sandy se souleva sur son avant-bras.

— Des provisions et des outils ? Rien d'autre ? Il y a beaucoup de caisses, je trouve.

— Boudreau garde sans doute des vêtements ici, peut-être aussi quelques sacs de couchage. Il nous en prêtait à Zach et à moi, autrefois, quand nous venions camper dans ce refuge. Nous nous prenions pour de grands aventuriers.

— Ils sont dans ces grandes caisses, là ?

— Non, celles-ci cachent des armes. Il y en a pas mal, d'ailleurs.

— Des stocks d'armes ? J'espère qu'elles ne sont pas chargées. De quelles armes s'agit-il ?

Il se frotta le visage.

— Je me souviens d'un revolver et de quelques boîtes de munitions.

— Un revolver ? Un six-coups ?

Il hocha la tête.

— Et des cartouches pour son fusil aussi.

— Et que contient la grosse caisse là-bas ?

Il haussa les épaules.

— Je n'en sais rien. Boudreau m'a un jour surpris en train de fouiller dans ses affaires et il m'a fait passer un sale quart d'heure. A l'époque, il m'avait presque écorché vif.

— Vraiment ? C'était quand ?

— Il y a des années. Je devais avoir onze ou douze ans. Il était fou furieux, je ne l'avais jamais vu ainsi. Il m'a dit « Ne t'avise plus jamais de regarder ce que contiennent ces caisses et je t'interdis de revenir dans cette cache sans moi. Compris ? »

Sandy se mit à rire.

— Tu l'imites bien avec son accent impossible.

Puis elle resta un moment silencieuse.

— Tristan ?

— Chérie ?

— Tout va s'arranger pour nous, tu crois ?

Il se rapprocha d'elle et l'embrassa.

— Oui, tout ira bien. Le shérif a dû être alerté, à présent. Il a sans doute repéré nos agresseurs et envoyé les gardes-côtes.

C'était un mensonge, mais Tristan ne voulait pas décourager Sandy un peu plus.

— Combien de temps cela prendra-t-il ? demanda-t-elle.

— Pas très longtemps.

Elle bâilla.

— Je crois que je vais… dormir un peu maintenant.

— Très bien. Je vais me reposer, moi aussi.

Tristan étendit ses jambes avec précaution. Il n'avait pas envie de lui montrer à quel point il souffrait, à quel point il allait mal. Mais elle le connaissait si bien qu'elle s'en était certainement rendu compte.

Il s'étira, essayant de chasser les courbatures qui tordaient ses bras, ses jambes et son cou. Tout son corps le faisait souffrir et il tremblait de fatigue. Son mollet était traversé de crampes. Il remua le pied pour tenter de le soulager mais il était trop tard. Malgré ses efforts, son muscle trop sollicité le lâchait.

Les dents serrées, il se massa la jambe, retenant son souffle pour ne pas crier. Il s'efforça de rester silencieux mais de temps en temps un petit gémissement s'échappait de ses lèvres. Par chance, il ne réveilla pas Sandy qui ronflait tranquillement près de lui et, peu à peu, la douleur s'estompa.

Mais il s'inquiétait pour Boudreau. Son vieil ami s'activait sans relâche depuis des heures, tandis que lui restait assis dans cette cabane à ne rien faire. Bien sûr, c'était pour protéger Sandy, et Boudreau connaissait le bayou comme personne. Tout de même, c'était frustrant.

Comme il changeait de position, quelque chose bougea dans sa poche. Il s'agissait de la clé USB qu'il avait récupérée avant que l'incendie ne détruise la maison. Avec un sourire, il la récupéra et la fit tourner dans sa main. Il se félicita d'avoir réussi à sauver cette preuve. Elle contenait les enregistrements et donc peut-être la voix de Vernon Lee. Il rêvait de prouver la culpabilité de cet homme diabolique et de l'envoyer en prison.

Un coup de feu retentit au loin. Tristan ne reconnut pas le vieux fusil de Boudreau. Il s'agissait donc des hommes de Lee. Il attendit la riposte de Boudreau mais elle ne vint pas.

Boudreau ne voulait peut-être pas donner sa position en répliquant.

Dans le doute, Tristan s'empara d'une boîte de cartouches rangée au fond d'une caisse. Il chargea son arme, la soupesa. Il la maniait heureusement sans problème.

Il se glissa ensuite dans l'ouverture de la planque d'où il pouvait suivre ce qui se passait à l'extérieur.

— Tristan ? murmura Sandy d'une voix ensommeillée dans son dos.

— Rendors-toi.
— Que se passe-t-il ?
— Tout va bien. J'ai juste entendu quelque chose.
— Un coup de feu, dit-elle avec calme. Qu'est-ce que tu tiens dans la main ?
Il considéra la clé USB.
— C'est…
Il hésita. Devait-il lui dire ce dont il s'agissait et lui expliquer qu'il détenait probablement la preuve que Vernon Lee avait tenté de le tuer ? Ou inventer une histoire quelconque ?
Il préféra botter en touche, changer de sujet.
— Chut, attends. J'entends quelque chose.
Mais Sandy ne fut pas dupe de son stratagème. Elle se souleva sur son avant-bras.
— Non, tu n'as rien entendu. C'est quoi, dans ta main ? Dis-le-moi. Il s'agit d'une clé USB, non ? C'est la preuve dont tu avais besoin. Tu l'avais cachée dans la nurserie. C'est ça ? Sur le mobile du bébé ?
Surpris qu'elle ait tout compris, il n'essaya plus de nier.
— Je pensais faire parvenir les dossiers qu'elle contient à la Sécurité du territoire lorsque je reviendrais à la maison.
— Mais tu n'es jamais revenu, poursuivit-elle d'une voix brisée. Tu aurais dû m'en parler. J'aurais pu la confier à Maddy.
Il hocha la tête.
— Je pensais que j'aurais le temps. Je ne commettrai plus cette erreur.
— Moi non plus, renchérit-elle.
Tristan détourna les yeux. Il avait peur de croiser ceux de Sandy, qu'elle voie la peur dans son regard.
— Tristan ?
L'inquiétude qui teintait sa voix le fit sursauter.
— Ecoute, Sandy…
— Non, attends. Que va-t-il se passer maintenant ?

J'ai l'impression que nous sommes dans une impasse. Je ne vois pas comment deux blessés et un vieil homme épuisé pourraient lutter contre des tueurs professionnels. Nous ne faisons pas le poids.

Il avait une réponse rassurante toute prête mais un bruit l'interrompit. Il leva la main.

— Chut !

Quelqu'un marchait dans le sous-bois. Tristan se glissa près de la sortie de la planque pour jeter un coup d'œil à l'extérieur. Sans bruit, il s'empara de son arme.

Quand Boudreau apparut, il poussa un soupir de soulagement. Son ami était entier.

— Tu n'avais pas bien refermé l'ouverture de la planque, maugréa le vieux Cajun. L'entrée n'était pas cachée comme elle l'aurait dû l'être.

— J'avais laissé de l'espace pour pouvoir regarder à l'extérieur et éventuellement tirer. Et puis, je devais faire vite.

Tristan était d'autant plus sur la défensive qu'il ne disait pas toute la vérité. Il était si fatigué qu'il avait commis une erreur qui n'avait pas échappé à Boudreau.

— Vouloir aller trop vite peut beaucoup ralentir quelqu'un, rappela Boudreau en promenant les yeux autour de lui. Prends le temps de faire les choses bien, si tu veux avancer.

Tandis que Boudreau inspectait la zone, Tristan examina le vieil homme à la dérobée. Son visage buriné par le soleil avait pris une teinte verdâtre et ses lèvres étaient livides. Ses yeux étaient las, ses épaules affaissées.

— Vous allez tomber, Boudreau. Couchez-vous. Je vais monter la garde.

— Non, je vais manger un morceau, boire un peu d'eau, et tout ira bien.

Tristan sortit une des caisses contenant des réserves alimentaires. Boudreau l'ouvrit à l'aide du couteau qu'il portait toujours sur lui. A l'intérieur, il y avait deux jarres, des bocaux de verre contenant des fruits en jus, un autre rempli de bœuf séché, quelques sacs de noisettes, de noix et des barres de céréales faites maison.

Boudreau but à longs traits.

— C'est de l'eau ? demanda Tristan.

— Oui, répondit Boudreau en lui tendant l'une des jarres.

— Sandy, tu as soif ? reprit Tristan. Tu en veux ?

— Oui, merci.

Tristan lui apporta de quoi se désaltérer.

Boudreau prit une poignée de noisettes et d'amandes.

— Comment va-t-elle ? demanda-t-il à voix basse.

— Je n'en sais rien. Je crois qu'elle ne saigne plus mais je la trouve chaude. Je crains qu'elle n'ait de la fièvre.

— C'est possible, dit Boudreau. Bon, j'y retourne. C'est l'heure du combat.

Tristan poussa un profond soupir.

— En espérant qu'ils soient aussi fatigués que nous.

— Ils le sont sans doute. Et, même s'ils sont armés comme des soldats, ils sont lents. Ils ne connaissent pas les marais.

— C'est vrai mais vous êtes épuisé, Boudreau. Je ne suis pas sûr que vous ayez la force de vous servir de votre fusil et je ne vaux pas mieux. Je tiens à peine debout.

Boudreau souleva son arme et visa un point.

— Je ne suis pas capable de me servir de mon fusil ?

Tristan ne jugea pas utile de répondre.

— A quelle distance sont-ils ?

— Ils sont tout près. Mais s'ils avancent davantage, ils tomberont sur les mines.

— Les mines ? Vous avez semé des mines anti-personnelles sur leur chemin ?

— Non, je n'ai pas l'intention de les tuer. Je veux qu'ils fassent demi-tour et tombent directement dans les bras du shérif. Je me suis arrangé pour que les mines sautent à leur approche et leur fassent peur. Mais elles sont visibles. Ils ne risquent pas de marcher dessus accidentellement.

Tristan essaya de se représenter ce que Boudreau lui décrivait. Chaque mine était grande comme une roue de voiture.

— Pourraient-ils sauter par-dessus ces mines ou les bouger ?

— Fiston, tu me connais un peu, depuis le temps, non ? Tu m'as déjà vu faire quelque chose à moitié ? Ils peuvent essayer de bouger les mines mais ce ne serait pas une bonne idée. Ils les feraient exploser. Et s'ils cherchaient à les contourner, ils tomberaient dans le gumbo et…

— Et le gumbo les aspirerait comme des sables mouvants, enchaîna Tristan. Apparemment, vous avez tout prévu.

Boudreau haussa les épaules et avala une poignée de noisettes.

— Non, pas tout. Il y a quelque chose qu'ils pourraient faire. Ce serait risqué pour eux et pour nous. Cela pourrait marcher mais …

Il fut interrompu par une énorme explosion. Ou plutôt par deux explosions coup sur coup.

Boudreau avala une dernière poignée de noisettes d'un air dégoûté.

— Comme je le craignais, ils ont fait sauter le pont de rondins. Apporte-moi la grosse caisse qui est là-bas.

Boudreau ouvrit la caisse avec son couteau, jurant en français.

— J'espérais pouvoir me servir de ces grenades mais, malheureusement, elles sont mangées par la rouille.

— Elles ne marcheraient plus aussi bien ?

Boudreau secoua la tête.

— Non, c'est pire. Elles sont fichues. Si tu les dégoupillais, elles risqueraient de te sauter au nez avant que tu n'aies eu le temps de les lancer. Elles t'arracheraient la main.

Tristan frémit à cette idée.

— Que devons-nous en faire alors ?

— Elles sont stockées là depuis une quinzaine d'années. Elles resteront encore des années sans bouger si personne ne vient les remuer.

— Si les grenades sont inutilisables, qu'avons-nous pour nous défendre ?

Boudreau se redressa avec un grognement.

— Nos neurones. Nous allons réfléchir, nous servir de nos têtes. Maintenant, allons-y. Nous devons désarmer ces types. Espérons qu'ils seront assez stupides pour rester coincés dans la boue.

Sandy émergea d'un sommeil lourd. Un bruit d'explosion l'avait réveillée, puis des échanges de voix. Elle ouvrit un œil.

— Tristan ?

Il apparut par la porte de la planque.

— Bien dormi ? L'explosion t'a réveillée ?

Sa voix semblait déformée. Elle fronça les sourcils tout en essayant de se redresser. Dans le mouvement, une vive douleur cisailla son ventre. Elle y posa la main.

— Oh non, gémit-elle. Oh non !

— Qu'est-ce qui ne va pas ? s'enquit Tristan.

— J'ai déplacé sans m'en rendre compte le bandage qui couvrait ma blessure, répondit-elle en sanglotant. J'ai oublié, ajouta-t-elle en protégeant son ventre de ses mains.

Tristan s'assit près d'elle.

— Laisse-moi regarder.

Il inspecta le pansement.

— Apparemment, tout va bien. Je ne vois pas de sang et la compresse est toujours en place.

Elle secoua la tête.

— Tu ne comprends pas. Je n'ai pas fait attention. Je me suis endormie et j'ai oublié le bébé, dit-elle en reniflant. Comment ai-je pu l'oublier ? Et j'ai oublié aussi qu'on m'avait tiré dessus. Et qu'il… n'avait peut-être pas survécu.

Elle se mit à pleurer sans retenue.

Entre deux sanglots, elle chercha de la main l'endroit où le bébé lui envoyait des coups de pied d'habitude.

— Oh ! Tristan ! J'ai tout oublié…

Il l'étreignit contre lui, le visage dans ses cheveux.

— Ce n'est pas de ta faute. Je t'ai donné quelque chose pour dormir. Tu as dû rêver…

— Il ne bouge plus. Je ne le sens plus bouger.

— Attends, ne panique pas trop vite. Il doit dormir, voilà tout.

— Et s'il…

— Chut !

Et puis, quelque chose remua à l'intérieur et elle prit la main de son mari pour la coller à son ventre. Le bébé avait-il vraiment donné un petit coup ? Ou l'avait-elle imaginé ?

Elle se tourna vers Tristan.

— Il m'a donné un coup de pied, souffla-t-elle, la voix brisée de soulagement.

— Je sais. Et il vient de recommencer.

— Oh ! Tristan ! Il a bougé, il est vivant !

Elle pleurait de plus belle, mais de joie.

— Tristan ! appela Boudreau de l'extérieur. Nous devons y aller. Même un imbécile finit par comprendre comment avancer dans le gumbo si on lui laisse le temps.

Tristan ferma les yeux et resta immobile.

— Tristan ! rugit Boudreau.

— J'arrive !

Il se pencha vers elle pour l'embrasser.

Sandy avait envie de crier de bonheur. Son bébé était vivant ! Elle lui rendit son baiser avec fougue.

Il s'écarta, clairement à contrecœur.

— Je dois aider Boudreau à neutraliser ces types, expliqua-t-il en sortant des armes de la caisse.

Il bourra de cartouches la veste de chasse et il l'embrassa une fois de plus.

— Reste au chaud et cachée. Tout ira bien. Je reviens vite.

Il mentait, elle le savait. Boudreau et lui étaient épuisés. Ils n'auraient pas la force de neutraliser les bandits.

Elle le suivit du regard, tandis qu'il sortait de la cache en grimaçant parce que sa jambe lui faisait mal à chaque mouvement.

Malgré sa détermination, elle fondit en larmes.

— Tu me mens, murmura-t-elle. Tu as intérêt à revenir entier. Maintenant que je t'ai retrouvé, je ne veux plus te perdre.

Elle s'effondra sur la couche, envahie d'une foule de pensées.

Elle s'était sentie trahie et avait eu le cœur brisé en apprenant qu'il avait été en convalescence à quelques centaines de mètres de leur maison. Mais désormais, elle comprenait : il ne l'avait pas laissée seule. Il avait tout fait pour la protéger.

— Bébé, ton papa est fou s'il croit que je vais rester ici les bras ballants pendant qu'il affronte le danger.

Elle posa les yeux sur les caisses empilées dans la planque. Tristan lui avait dit qu'il ignorait ce qu'il y avait à l'intérieur de la plupart d'entre elles mais elle avait envie d'y jeter un coup d'œil. Elles contenaient peut-être quelque chose qui pourrait lui être utile.

— Il faut d'abord trouver le revolver dont il a parlé.

Je ne m'y connais pas beaucoup en armes mais je suis capable de tirer avec un six-coups. Ils ont dit que les bandits étaient au moins deux, bébé. Ce revolver me donnera donc la possibilité de tirer trois balles sur chacun.

14

Boudreau n'était pas loin mais avant que Tristan ne puisse le rejoindre, des coups de feu retentirent. Il tendit l'oreille mais il ne reconnut pas le bruit caractéristique du vieux fusil de Boudreau.

— Fumiers, grommela-t-il en hâtant le pas. Si vous avez blessé Boudreau, vous le paierez cher !

Au milieu de l'enchevêtrement des broussailles, des plantes grimpantes et des mauvaises herbes, il découvrit les deux cratères laissés par les mines explosées. Les cavités étaient peu profondes mais la force du souffle de l'explosion avait fait voler les ponts de rondins qui reliaient entre eux les petits îlots de terre ferme du marais.

Surtout, un homme était tombé dans le gumbo. D'une main, il tenait son fusil au-dessus de sa tête et, de l'autre, il tentait d'attraper une des racines d'un vieux cyprès pour se sortir des marais.

Tristan comprit tout de suite ce qui s'était passé. Le type avait sauté dans la boue, dupé par sa surface lisse qui donnait une fausse impression de solidité. Il s'était imaginé pouvoir marcher sans problème sur ce sol marécageux et traverser le marais.

Au lieu de quoi, il s'était retrouvé prisonnier du gumbo. Ce gumbo qui collait à tout, à la peau, aux bottes, aux pneus, les aspirant vers le fond.

Son coéquipier se tenait sur la terre ferme, sur une petite butte. Il lui criait :

— Arrête de bouger ! Tu aggraves ton cas !

En observant avec davantage d'attention celui qui prodiguait ces bons conseils, Tristan reconnut l'un des ravisseurs du jeune Patrick. Ceux qu'il avait affrontés à la jetée.

Finalement, il repéra Boudreau. Le vieux Cajun était accroupi derrière des broussailles. Du sang tachait sa chemise et une sourde terreur s'empara de Tristan. Il n'avait jamais vu Boudreau malade ou blessé. Le vieil homme paraissait toujours invincible, plus grand que la vie.

Tristan dut faire appel à toute sa volonté pour ne pas se précipiter à son secours. Boudreau se tourna vers lui et secoua la tête. Tristan comprit cinq sur cinq le message.

« Reste en arrière. Laisse-les creuser leurs propres tombes. »

Avec précaution, Tristan fit basculer son poids sur sa bonne jambe. Il attrapa son pistolet automatique et attendit la suite. Qu'allaient faire les deux types ?

— Cesse de bouger ! cria le ravisseur de Patrick à son complice. Si tu trébuches et que tu t'étales de tout ton long dans cette boue, tu ne t'en relèveras pas.

Il avait raison, songea Tristan. Plus son comparse remuait, plus le gumbo l'aspirait vers le fond. Il s'agissait de véritables sables mouvants.

— Au lieu de me critiquer, tu pourrais me donner un conseil positif, me dire ce que je devrais faire, Echols ? grogna l'homme dans la boue.

— Peut-être rester immobile et voir ce qui se passe. Et fais attention à ton fusil.

La tête de Boudreau se souleva à moitié. Tristan comprit presque en même temps que lui : l'homme était en train de trouver comment se sortir de cette boue, du gumbo.

Comme Boudreau levait son fusil, Tristan retint son souffle. Son vieil ami allait-il leur tirer dessus ? Cela ne lui ressemblait pas. Cela dit, il ne l'aurait jamais imaginé abattre le capitaine Poirier de sang-froid. Et pourtant, il l'avait fait.

— Espèces de fumier, écoutez-moi ! déclara Boudreau en tirant sur le sol, devant Echols.

Surpris par les balles qui soulevaient la poussière à ses pieds, Echols sauta en arrière.

— Que diable ? cria-t-il en levant son fusil.

— Pourquoi ne pas m'expliquer pourquoi vous nous pourchassez ? poursuivit Boudreau. Et qu'on en finisse ! Je suis fatigué. J'aimerais rentrer chez moi.

— Nous voulons Tristan DuChaud. Mon patron tient à lui parler.

Tristan s'avança, suffisamment pour être vu mais pas assez pour risquer d'être touché par les tirs des deux hommes.

— Coucou, je suis là. Vous vous souvenez de moi ?

Echols leva les mains d'un geste écœuré.

— Vous êtes plus arrogant que jamais.

— Pas arrogant, répliqua Tristan. Seulement confiant. Alors, comment allez-vous ?

— Tristan ! lança Boudreau. N'en fais pas trop.

Tristan s'en voulut aussitôt. Boudreau avait raison. L'affaire était sérieuse. Il ne devait pas se comporter comme s'il ne s'agissait que d'une bonne blague de collégiens.

— Je suis là, Echols. Que veut me dire Vernon Lee ? demanda-t-il en scrutant la moindre réaction de son interlocuteur à ce nom.

Mais ce fut l'homme embourbé dans le gumbo qui se manifesta. Il tenta de lever son fusil. Sauf que le mouvement menaça de le faire tomber dans le gumbo. Il moulina les bras, cherchant à garder l'équilibre comme un funambule sur le point de basculer dans le vide.

— Comment a-t-il pu comprendre que…

— Ferme-la, imbécile ! cria Echols.

Puis il braqua son arme vers Tristan.

— Vous voulez me tirer dessus ? le défia Tristan. En voilà une bonne idée. Et je vous conseille de demander à votre copain d'enregistrer sur son téléphone la suite pour prouver à Vernon Lee que je suis bien mort, cette fois.

Tristan fit un geste vers l'homme embourbé dans les marécages.

— Il est déjà en train de se noyer. Et s'il fait tomber son téléphone, il vous sera impossible de le récupérer et vous n'aurez plus rien. La légende prétend que le gumbo vous aspire jusqu'aux entrailles de la terre.

— Quoi ? cria l'homme dans la boue. Je suis en train de me noyer ? C'est profond, cette boue ? Echols ? Sors-moi de là !

— Tais-toi et envoie-moi plutôt ton fusil !

— Pas question !

— Fais ce que je te dis. Nous avons besoin de ce fusil et si tu ne l'as plus dans les mains, tu bougeras plus facilement. Alors que si tu le fais tomber dans la boue, il sera perdu à jamais.

Tristan se tourna vers Boudreau.

— Ça va ?

— Oui, la balle n'a fait que m'effleurer.

Au même instant, Echols leva son fusil en direction de Boudreau.

— Attention ! cria Tristan.

Le Cajun se laissa tomber sur le sol alors qu'une déflagration déchirait l'air. Par chance, le projectile passa au-dessus de sa tête et se perdit dans les fourrés.

Echols prit alors Tristan pour cible.

Les balles jaillissaient de tous les côtés. L'homme tirait tantôt sur Tristan tantôt sur Boudreau.

Tristan brandit son pistolet automatique et appuya sur la détente. Un cri retentit. Il avait blessé l'un de ses adversaires, sans doute celui qui se débattait dans la boue.

— J'ai été touché ! hurla le type.

— Jette ton arme sur la terre ferme avant de la faire tomber dans la boue ! répliqua son équipier.

Mais l'homme embourbé ignora son ordre. Il s'efforça de prendre appui sur la branche basse d'un vieux cyprès pour retrouver son équilibre. Il avait enfin cessé de se débattre. Il y avait du sang sur sa chemise mais la blessure était sans doute superficielle.

Tandis que Tristan le détaillait, l'homme releva son arme et fit feu.

La fusillade reprit de plus belle. Tristan lâcha un juron. Il ne voulait pas tuer les deux malfrats, mais il devait libérer la voie pour conduire le plus vite possible Sandy chez un médecin.

— Tristan !

Boudreau semblait à bout de souffle.

— Va-t'en d'ici. Je me charge de ces deux loustics. Et toi, tu dois t'occuper de ta femme.

Faisant mine de ne pas avoir compris, Tristan tira une nouvelle série de coups de feu et leurs adversaires ripostèrent.

— Vas-y, répéta Boudreau. Ces deux-là ne seront plus longtemps un problème. Ils vont être à court de munitions.

— Aucun de vous n'ira nulle part, rétorqua Echols.

Tristan se tourna vers lui. Echols avait été touché, lui aussi. Le sang inondait sa chemise. Mais il brandissait toujours son arme vers lui.

Des bruits de pas firent alors tressaillir Tristan. Une seule personne pouvait venir de cette direction. Il pria de se tromper. Mais c'était peu probable. La catastrophe se profilait.

— Sandy, murmura-t-il à travers ses dents. Retourne dans la planque tout de suite ou je jure que c'est moi qui vais t'étrangler !

— Tristan ! cria Sandy. J'ai trouvé des grenades.

— Quoi ? Sandy ! s'exclama-t-il, terrifié. Tu n'as pas

entendu ce que disait Boudreau ? Elles sont abîmées. Elles peuvent t'éclater dans les mains sans prévenir !

— Mais non, elles sont très bien. Regarde !

Elle tenait contre elle une boîte métallique dont elle souleva le couvercle.

— Où as-tu trouvé ça ?

— Dans un grand coffre. Il ne contenait rien d'autre.

Derrière eux, des coups de feu retentirent.

— Couche-toi ! cria-t-il.

Il la prit par le bras pour l'obliger à s'allonger. Dans le mouvement, il s'empara de la boîte. A l'intérieur, il y avait en effet des grenades en parfait état.

— Boudreau ! Une boîte en métal ? Les grenades n'ont pas l'air abîmées.

— Dans une boîte en métal ? répéta Boudreau. Je les avais rangées la veille du jour où tu es tombé de la plate-forme et elles m'étaient sorties de l'esprit. Je les avais complètement oubliées.

Tristan embrassa Sandy.

— Je t'aime. Retourne dans la planque maintenant.

Elle le regarda en secouant la tête.

— J'ai aussi découvert un revolver. Je vais vous aider.

— Il n'en est pas question.

— Tristan ! cria Boudreau. Tu sais quoi faire avec ces grenades ?

Mais Tristan ne lui répondit pas.

— Retourne à la planque, répéta-t-il à Sandy. Je parle sérieusement. Tu nous as sauvé la vie en nous apportant ces grenades. Mais va te mettre à l'abri avant de te faire tuer.

— Je refuse d'attendre, les bras ballants, de voir qui l'emportera, répondit-elle en le fusillant du regard. Il n'est pas question que je reste assise à me tourner les pouces en me contentant de tes mensonges.

Il ferma les paupières. Les larmes lui montaient aux yeux, menaçant de lui brouiller la vision.

— Sandy, je t'aime. Je ne mentirai plus. Je ne te quitterai plus. Mais je t'en prie, retourne à la planque. Pense à l'enfant que tu portes, ne le mets pas en danger.

Elle ouvrit la bouche pour riposter mais elle y renonça. Son regard s'adoucit. Elle devait reconnaître que ses arguments étaient fondés.

— D'accord. Pour le bébé.

Tristan poussa un soupir de soulagement, puis se remit en position.

— Boudreau, nous en avons quatre.

— Chut ! cria le vieil homme. Ecoute.

Tristan s'immobilisa et tendit l'oreille. Echols parlait. Il ne criait pas, il parlait.

— Ce type a un téléphone satellite. Si nous arrivions à nous en emparer, nous pourrions appeler le shérif et il saurait nous localiser.

— Nous sommes coincés dans le bayou, dans les marécages, disait Echols.

Il n'essayait pas de baisser la voix. Il savait à coup sûr que Tristan et Boudreau l'entendaient mais il s'en moquait manifestement.

— Dans une boue qui ressemble à des sables mouvants, poursuivait-il. Elle vous aspire vers le fond et ne vous lâche pas. Farrell est embourbé.

Cessant de parler, il écouta la réponse de son correspondant.

— Vous avez envoyé un hélicoptère ? Formidable ! Merci, monsieur ! Je vais guetter leur arrivée. Dites au pilote qu'il ne pourra pas atterrir ici. Le sol n'est pas assez solide. Il devra tourner dans les airs et nous envoyer une échelle de corde.

Il s'interrompit pour laisser son interlocuteur répondre. Le soulagement sur son visage fut de courte durée, chassé par une grimace de terreur.

— Mais, monsieur Lee, vous ne pouvez pas faire

ça ! Nous sommes tout près d'eux. Si vous mitraillez la zone, nous allons mourir, nous aussi. Vous ne pouvez pas nous tuer, nous avons fait notre travail, monsieur. Il faut nous sortir de là. Monsieur Lee ? Monsieur Lee ? Allô ? Monsieur ?

Farrell qui avait suivi la conversation oublia le danger et se remit à s'agiter.

— Il va ordonner de mitrailler la zone ? Le salaud ! Lee nous sacrifie sans états d'âme, nous ne sommes que des pions pour lui. Bon sang, Echols, je t'avais dit que nous ne sortirions pas vivants de cet enfer. Et je ne peux pas bouger. Je suis prisonnier de ce maudit bourbier. Aide-moi, bon sang !

Le cœur de Tristan battait à tout rompre dans sa poitrine. Les deux hommes avaient nommé Lee. Ils ne cherchaient plus à cacher que leur patron était Lee. Parce qu'ils avaient compris que ce dernier se moquait bien de leur sort. Il ne viendrait pas les sauver.

A en juger aux paroles d'Echols, Lee envoyait un hélicoptère. Il les localiserait facilement grâce au téléphone satellite et il les canarderait sans état d'âme, sans pitié pour ses sbires. Tristan en était certain.

Lee ne voulait pas laisser de traces, d'éléments ou de témoins qui pourraient le trahir. Voilà pourquoi il avait ordonné au pilote de l'hélicoptère de nettoyer toute la zone, de tuer tout le monde : ses propres hommes comme ses ennemis. Ils allaient tous y passer, conclut Tristan. Lui, Boudreau, Sandy…

— Echols ! cria-t-il. Apparemment, les choses ne tournent pas bien pour vous et votre copain. Que diriez-vous de faire équipe avec nous pour rester vivants ? Je vous aide si vous m'aidez, d'accord ? Appelez le shérif avec votre téléphone. Je vais vous donner son numéro.

— Appeler le shérif pour qu'il nous tue ou nous arrête ? Pas question !

— Il ne vous tuera pas, j'en suis sûr. Et s'il vous arrêtait, qu'est-ce qui est le mieux ? Passer devant un tribunal ou se faire descendre ?

Echols le regarda.

— Pourquoi je vous croirais ?

Tristan s'avança vers lui.

— Parce que je fais partie des gentils et que je veux sortir d'ici. Mon ami est blessé.

Ils savaient sans doute que Sandy était avec lui mais il préférait ne pas la mentionner.

— Je n'ai pas plus envie que vous de me faire descendre par les tueurs de Lee.

Echols le dévisagea un long moment.

Un bruit rompit soudain l'air. Farrell se mit à crier.

— L'hélicoptère ! Pour l'amour de Dieu, appelle ce shérif. Je ne veux pas mourir ici !

Il se tourna et tenta de rejoindre la terre ferme où se trouvait son coéquipier mais il glissa.

— Echols ! cria-t-il, paniqué. Appelle-le. Tu as des gosses, comme moi !

— Téléphonez au shérif, supplia Tristan. Lee a envoyé un hélicoptère. Dès qu'il aura compris la situation, le shérif viendra avec les gardes-côtes.

— Je me noie, Echols. Au secours ! Appelle ce type !

Echols se tourna vers Tristan. Il hésitait encore.

— Comment puis-je être certain que vous n'allez pas me tirer dessus ?

Tristan haussa les épaules.

— Vous ne pouvez pas en être certain mais là, je ne vous tire pas dessus alors que vous êtes à découvert, comme votre copain. Allez. Entre une mort certaine et une peine de prison possible, il n'y a pas à hésiter.

— Et si je décide de courir ma chance avec mon patron ?

— Vous signeriez alors votre acte de mort, vous le savez, répondit Tristan. Et attendez, j'ai oublié de vous préciser quelque chose. Quoi qu'il advienne, Lee n'aura pas le plaisir de vous abattre. Vous voyez ce que contient cette boîte ? dit-il en brandissant celle que Sandy avait apportée.

— C'est quoi ?

— Des grenades, elles viennent des surplus de l'armée américaine. Vous savez ce qu'est une grenade, non ?

— Vous n'allez pas les dégoupiller si près de vous ?

— Il y a assez d'espace, pas de problème. Je pourrais la lancer et m'écarter à temps. Mais je préférerais que vous appeliez le shérif. Tout serait plus simple. Je n'ai pas envie de vous tuer.

Echols resta silencieux, il réfléchissait. Farrell, en revanche, parlait tout le temps. Il était tantôt suppliant, tantôt menaçant, tantôt larmoyant.

Finalement, Echols posa son fusil et prit son téléphone satellite.

— Donnez-moi le numéro.

— Un dernier détail…, lança Tristan. Le shérif me croit mort. Vous aurez peut-être du mal à le convaincre que je suis en vie.

— Quoi ? Comment vais-je faire alors ?

— Parlez-lui de votre patron, de Vernon Lee.

Farrell continuait à pousser pour s'extraire du gumbo. Visiblement, il avait fini par comprendre que lever les jambes le plus haut possible et les secouer lui permettait de se libérer de l'emprise de cette boue gluante. C'était long et épuisant mais il parvenait à ses fins.

Tristan posa sur le sol la boîte de grenades et le pistolet automatique. Les mains en porte-voix, il appela Echols.

— Rapprochez-vous et branchez le haut-parleur pour que je puisse lui parler.

Echols s'avança mais Tristan secoua la tête.

— Posez d'abord vos armes comme je viens de le faire.

— Non, je garde mon automatique, répliqua Echols.

Et je n'ai rien à dire au shérif. Vous n'aurez qu'à vous expliquer vous-même avec lui. En criant au téléphone.

Tristan n'avait pas vraiment envie de se mettre à découvert. Pour pouvoir être entendu par le shérif, il lui fallait se rapprocher des bandits qui auraient alors la possibilité de le descendre. Pourtant, s'ils avaient voulu le tuer, les deux hommes auraient largement eu le temps de le faire.

La voix de Sandy résonna alors derrière lui.

— Que fais-tu, Tristan ? Tu ne vas pas t'approcher de ces deux bandits ! Ils te prendront pour cible, c'est évident.

Le cœur de Tristan bondit dans sa poitrine.

— Bon sang, Sandy, que fais-tu là ? Je t'avais dit de retourner dans la planque. J'aurais dû me douter que tu n'en ferais qu'à ta tête. Penses-tu seulement au bébé que tu portes, bon sang ? Je suis obligé de prendre ce risque. C'est notre seule chance de sortir de ces marais en vie, tu le sais. Je dois dire au shérif que je suis vivant. Et pour cela, il faut qu'il m'entende.

— Ils vont te tirer dessus. Puis ils appelleront Lee pour leur dire qu'ils t'ont tué. Il n'aura alors plus de raison de nettoyer la zone et eux, de se faire canarder.

Elle avait raison, reconnut intérieurement Tristan. C'était une éventualité qu'il ne pouvait écarter. Mais il avait entendu la voix d'Echols. Echols ne se faisait plus d'illusion sur son patron. Il savait que Lee allait les tuer.

— C'est un risque que je dois courir, répéta-t-il. D'accord, cria-t-il à Echols. Je vous fais confiance.

— Tristan ! s'exclama Sandy. Tu ne peux pas leur faire confiance. Ils vont te tuer dès qu'ils pourront. Toi, tu n'as qu'une parole, mais eux ?

— Donnez-moi le numéro, lança Echols.

Tristan le lui donna. Echols le composa et attendit, l'appareil collé à l'oreille. Très vite, un certain soulagement se peignit sur ses traits.

— Vous êtes le shérif ? demanda-t-il à son correspondant. Ecoutez, vous ne me connaissez pas mais je vous appelle à propos de Tristan DuChaud…

Il y eut un long silence.

— Vous n'avez pas besoin de connaître mon nom. Pas encore. Mais j'ai du nouveau pour vous. Tristan DuChaud n'est pas mort.

De nouveau, il écouta le shérif.

— Oui, je suis en face de lui. Où ? Je n'en ai aucune idée. Quelque part dans les marais.

Le shérif continua à parler et Echols fixait Tristan.

— Je ne sais rien sur sa femme. Se trouvait-elle dans la maison ?

Tristan secoua la tête.

— DuChaud me dit qu'elle n'était pas dans la maison.

Il écouta, soupira et reconnut.

— Oui, c'est bien nous qui avons allumé l'incendie. Oui, c'était également nous qui vous avons tiré dessus quand vous avez essayé de vous approcher du débarcadère.

Echols écouta encore puis se tourna vers Tristan.

— Il veut vous parler.

— Shérif ! cria Tristan. Tu m'entends ?

— C'est quoi ce cirque ? J'allais raccrocher. Qui vient de parler ?

— Shérif Nehigh ? Je suis Tristan DuChaud.

— Tristan est mort. Que se passe-t-il ? Je vous préviens que j'ai envoyé des hélicoptères. Vous risquez de gros ennuis si vous m'avez monté un bateau. Et il est inutile d'essayer de m'échapper. J'ai localisé le téléphone.

— Barley ! cria Tristan avec désespoir, utilisant le surnom de son camarade pour le convaincre. Je suis Tristan. Tu es sorti avec ma sœur au lycée. Je ne suis pas mort. Boudreau, confirmez-le-lui.

— Shérif, c'est Boudreau. Tristan dit la vérité. Il est bien vivant.

— Boudreau ? DuChaud ? hurla le shérif. Je viens de

recevoir un appel des gardes-côtes qui ont reçu un signal. Ils arrivent, vous allez les voir apparaître dans quelques instants. En attendant, expliquez-moi ce qui se passe. Je ne comprends rien.

15

Sandy ouvrit péniblement les yeux. Où était-elle ? Elle ne reconnaissait pas l'endroit et la pièce baignait dans la pénombre.

Elle plissa les paupières pour mieux voir. Il y avait des instruments et elle était allongée sur un lit médicalisé : elle était donc à l'hôpital.

Mon Dieu ! Avait-elle perdu le bébé ?

Sa gorge se serra atrocement, mais heureusement l'enfant lui envoya un opportun coup de pied.

Caressant son ventre, elle sourit.

— Coucou, bébé.

Une odeur d'antiseptique flottait dans la pièce.

Avec un gémissement, Sandy tenta de changer de position mais elle avait le bras attaché à une perfusion qui gênait ses mouvements.

Elle s'efforça de se rappeler comment elle était arrivée là mais elle était plongée dans un état second et son cerveau paraissait embrumé. Ses souvenirs ressemblaient davantage à des rêves qui s'envolaient comme des papillons quand elle tentait de les retenir.

Une image de Tristan criant dans les marécages lui revint. Etait-ce la dernière chose dont elle se rappelait ?

Fermant les paupières, elle tenta de sonder sa mémoire. Que s'était-il passé depuis cet épisode dans les marais ?

Elle chercha à retrouver le fil des événements, mais le sommeil la gagnait de nouveau. D'un côté, elle avait envie de rejoindre les bras de Morphée. Elle se sentait si fatiguée ! Mais elle voulait se rappeler tout ce qui était arrivé. Aussi plia-t-elle sa main droite pour enfoncer l'aiguille de sa perfusion dans la peau. La douleur l'empêcherait de s'assoupir.

Elle se souvint alors d'un anesthésiste piquant son bras. Elle avait donc subi une intervention chirurgicale. Mais laquelle ?

Et quelle heure pouvait-il être ?

Elle ne portait plus de montre à son poignet. Bien sûr, les bijoux n'étaient pas autorisés dans les hôpitaux. Mais soudain, elle voulait absolument savoir l'heure, c'était très important.

En outre, elle avait soif. Aussi chercha-t-elle à tâtons la sonnette pour appeler l'infirmière.

Comme elle l'effleurait de ses doigts, une silhouette, avachie sur une chaise près de son lit, entra dans son champ de vision. Son cœur s'accéléra dans sa poitrine. Cette ombre ravivait de désagréables souvenirs.

Soudain, tout lui revint. Les questions harcelantes avaient commencé avec les ambulanciers dans l'hélicoptère et elles s'étaient poursuivies à l'hôpital avec le personnel des urgences.

Mais ces désagréments n'étaient rien, comparés aux véritables interrogatoires que lui avaient imposés le shérif, un agent de la Sécurité territoriale, un membre du personnel du gouverneur de Louisiane et un jeune homme séduisant qui ne s'était pas présenté et dont elle ignorait encore à quel titre il était là.

Et là, un autre inconnu attendait-il qu'elle se réveille pour la bombarder de questions ?

— Non, grommela-t-elle. Ça suffit.

De nouveau, elle chercha la sonnette pour que l'infirmière fasse sortir cet homme. Mais sa main chercha en vain.

Fatiguée, elle reposa la tête sur l'oreiller.

— Alors ? fit-elle, les yeux clos, renonçant à lutter. Que voulez-vous ?

L'homme ne répondit pas. Elle lui jeta un regard de biais, puis se redressa pour l'observer avec plus d'attention. Il était assis dans une position inconfortable.

Il dormait, comprit-elle.

Elle se pencha vers lui pour essayer de distinguer ses traits malgré l'obscurité. Dès qu'elle posa les yeux sur son visage, son cœur s'accéléra dans sa poitrine.

— Tristan ?

Il redressa la tête.

— Salut Sandy, murmura-t-il en prenant sa main. Tu vas bien ? Les infirmières ne m'ont pas dit grand-chose, sauf que tu te reposais.

Il était là, il était bien là !

— Oh ! Tristan ! Mon Tristan.

Tout remonta alors à sa mémoire, elle se souvint de tout ce qui s'était passé, de l'incendie de leur maison, de leur fuite à travers les marais jusqu'à la planque de Boudreau. Elle se remémora les deux tueurs se débattant dans le gumbo, son arrivée aux urgences de l'hôpital, les examens, les radios et les conclusions des médecins : son bébé avait miraculeusement survécu.

Les images se bousculaient dans sa tête comme des flots tempétueux.

Après un moment, elle tenta de les mettre en mots.

— Je me souviens être arrivée aux urgences et d'avoir cru que ces derniers jours n'avaient été qu'un rêve. Je revivais l'époque où tu étais mort.

Il prit sa main et lui embrassa les doigts.

— Je ne suis pas mort. Tu le sens ?

Il déposa une traînée de baisers sur sa peau, le long de son bras jusqu'à sa joue.

Puis il reprit d'une voix douce.

— Qu'ont dit les médecins ? Ils ont réussi à retirer la balle ? Le bébé va bien ?

Sandy sourit.

— Très bien. Le radiologue m'a dit que nous avions eu beaucoup de chance.

Tristan se pencha vers elle et une douce chaleur la gagna. Il la couvrait de baisers. Elle se laissa faire, fermant les paupières.

Mais de nouvelles images remontaient à sa mémoire, des balles qui fusaient dans tous les sens, le sang qui jaillissait.

Elle fronça les sourcils.

— Et toi ? s'enquit-elle.

Il avait le visage griffé de ronces et les yeux cernés. Il semblait épuisé mais il était là. Il était vivant.

Il hocha la tête et serra sa main.

— Ça va.

— C'est vrai ? Et Boudreau ?

— Il est ici, à l'étage du dessus. Nous sommes à l'hôpital de Terrebone, à Houma. Ils vont laisser partir Boudreau cet après-midi. Il a été hospitalisé — pour la première fois de sa vie — parce qu'une balle a pulvérisé un os de son avant-bras.

— Oh non ! Le pauvre ! Comment va-t-il faire pour vivre dans le bayou avec un seul bras valide ?

— Les médecins lui ont posé une broche et il devrait rapidement cicatriser.

— Je l'espère.

— Il m'a demandé comment tu allais. Il viendra te rendre visite dès que possible.

— Vraiment ? Je pensais qu'il aurait surtout hâte de rentrer chez lui.

— L'un n'empêche pas l'autre.

Elle s'interrompit pour contempler Tristan.

Le soleil se levait dans le ciel et commençait à inonder la chambre.

— Tristan, dis-moi la vérité. Tu vas vraiment bien ? Tu es resté ici tout le temps ?

Il secoua la tête.

— J'ai dû subir un débriefing. On m'a envoyé à Washington. A mon avis, mes supérieurs voulaient s'assurer par eux-mêmes que j'étais bien vivant.

Elle fronça les sourcils.

— Vraiment ?

Il lui décocha un sourire en coin.

— Je plaisante. Ils ont appliqué les procédures standard.

— Tu as l'air épuisé. Comment te sens-tu ? Tu as pu te reposer ? Des médecins ont pu examiner ta jambe ?

— Tout va bien.

— Tu ne cesses de le répéter !

Il se pencha vers elle et lui caressa le visage.

— La Sécurité intérieure m'a fait subir un check-up aussi bien physique que mental. J'ai dû m'expliquer avec tous les sigles de la ville : la CIA, le FBI, la NSA… Mais ils m'ont également envoyé à Walter Reed pour un examen physique complet. Il va peut-être falloir m'opérer.

— Opérer ta jambe ? Formidable ! Tristan. Ils vont la remettre en état de fonctionner.

— Nous verrons. En tout cas, je ne suis revenu ici qu'hier soir. J'ai alors été interrogé pendant trois heures par le shérif et lorsque j'ai enfin pu te rejoindre dans ta chambre, tu dormais. Ils m'ont autorisé à passer la nuit à ton chevet mais ils ne m'ont rien dit, sauf que toi et le bébé vous vous reposiez.

Il se leva et l'embrassa tendrement.

Pendant un moment, Sandy flotta dans un bien-être pur. Tristan était bien là, en vie, et rien ne pourrait y changer quoi que ce soit.

Mais il était livide, ses traits tirés. Il semblait épuisé.

Plus que tout au monde, elle avait envie de l'embrasser, de savourer ses lèvres sur sa peau. Elle avait besoin de le toucher, le palper presque pour s'assurer de sa réalité.

Mais soudain, elle demanda.

— Ils ont été arrêtés, non ? Les bandits ?

Tristan fronça les sourcils.

— Tu te souviens certainement de Lee annonçant à Echols qu'il envoyait un hélicoptère pour nettoyer la zone. Lee voulait nous tuer mais ses hommes auraient péri dans cette histoire, eux aussi. Voilà pourquoi ils ont préféré appeler le shérif. Il a réussi à convaincre les gardes-côtes d'intervenir pour intercepter l'appareil de Lee. Puis ils t'ont héliportée ainsi que Boudreau à Houma avant de revenir me chercher pour me rapatrier avec nos deux amis.

— Tu as voyagé avec les deux bandits ? C'est de la folie ! Ils auraient pu te tuer.

Il secoua la tête.

— Ils étaient trop contents de ne pas avoir été mitraillés par Lee. Ils sont à Washington actuellement, en train de s'expliquer avec la Sécurité du territoire et le FBI à propos de Vernon Lee et de son ambition d'inonder le territoire d'armes automatiques, de les vendre pour rien au crime organisé et aux gamins des rues.

— Ils ont attrapé Lee ?

Tristan secoua la tête.

— Il est introuvable. J'ai entendu dire qu'il aurait été tué ou se serait suicidé. Mais pour le moment, les enquêteurs ont retrouvé dans son bureau de San Francisco une arme avec ses empreintes et du sang mais pas de cadavre. Pour moi, il n'est pas mort. Plutôt en fuite.

— Il pourrait donc être dans le coin ?

Tristan ne répondit pas tout de suite.

— C'est possible, oui.

— Tu ne le penses pas ? Tu crois qu'il est mort ? demanda-t-elle.

Les sourcils froncés, Tristan resta silencieux un long moment.

— Disons que j'aimerais voir son cadavre.

— Tristan, je dois te dire quelque chose. Lee Drilling m'avait envoyé une lettre de condoléances vraiment charmante et m'a fait don d'une somme énorme pour le bébé.

— Un don ? Je ne veux pas de cet argent.

Sandy frissonna.

— Je sais. Je n'en veux pas plus que toi. Maintenant, il me donne la nausée. Nous pourrions le proposer à une association caritative, qu'en penses-tu ? Je suis épuisée, ajouta-t-elle soudain, submergée par une vague de fatigue.

Tristan lui sourit.

— Tu ferais mieux de dormir pendant que tu en as l'occasion. Tout le monde, à commencer par le shérif en passant par les médias, en finissant par le gouvernement, veut te parler maintenant que tu es réveillée.

— J'ai déjà tout dit.

— Ce n'est pas assez, apparemment. Moi aussi, je vais être réinterrogé.

Il l'embrassa.

— J'ai bien peur que ces interrogatoires prennent du temps, beaucoup de temps. Je suis désolé.

Il s'assit près d'elle, pressant sa main contre ses joues, les sourcils froncés.

— Qu'est-ce qui ne va pas ?

— Rien, répondit-il laconiquement en secouant la tête.

Elle retira sa main, exaspérée.

— Oh non, tu ne vas pas recommencer, Tristan ! Je ne vais pas le supporter.

Tristan leva la tête, plantant les yeux dans ceux de sa femme mais il ne put soutenir son regard. Il y brillait trop de colère et de souffrance.

Il se leva et se rendit à la fenêtre où le soleil inondait la cour de l'hôpital.

Que pouvait-il faire pour réparer leurs cœurs brisés ? Depuis quelques années, ils s'étaient éloignés l'un de l'autre. Et puis, il avait commis l'irréparable. Il avait pris la décision d'entrer aux Renseignements, de devenir espion, sans en parler à Sandy. Il lui avait caché beaucoup trop de choses. Pourrait-elle le lui pardonner ? Il en doutait.

Il l'avait fait pour elle et pour leur bébé et aussi pour tenter d'arrêter un terroriste. Mais n'avait-il pas perdu l'essentiel en cours de route ?

— Sandy ? lança-t-il en restant face à la fenêtre. Je suis désolé.

— Quoi ?

Il se tourna vers elle.

— Je t'ai laissée tomber de plein de manières différentes. J'espère que tu pourras me pardonner.

— Te pardonner ? Tu plaisantes ?

Il ferma les yeux, ravagé de douleur.

— Je sais, cela ne suffit pas, mais je te jure de tout faire pour arranger les choses, si tu le veux bien.

— Tristan, il n'y a qu'une chose que j'attends de toi.

— Dis-moi laquelle, chérie. Je suis prêt à tout pour te rendre heureuse.

— Viens près de moi et éteins la lumière.

Perplexe, il obéit puis il la contempla. Son visage resplendissait comme lorsqu'elle avait appris qu'elle était enceinte. Il faillit crier. Depuis l'enfance, il la considérait comme la plus belle femme du monde. Il le pensait toujours.

— Il y a une enveloppe de papier kraft quelque part. Tu la vois ? demanda-t-elle. Le médecin a dû la laisser près de la fenêtre.

Il la repéra et s'en empara.

— Ça ?

— Oui. Ce sont les photos de l'échographie. Ils les ont imprimées pour que je puisse te les montrer. Ils ont fait un DVD aussi.

— Des photos de …

Quand il se retourna vers elle, elle avait les larmes aux yeux et la peur s'empara de lui.

— Sandy ? Tu m'as dit que tout allait bien. Est-ce qu'il y a un problème avec le bébé ?

— Regarde-les, dit-elle, la voix rauque d'émotion.

D'une main tremblante, il s'empara des photos brillantes et les examina, une par une, le cœur battant.

— C'est le bébé ? Des photos du bébé, Sandy ?

Elle ne parvint qu'à renifler.

— Tu pleures ? Mais pourquoi ? Qu'est-ce qui ne va pas avec le bébé ?

— Tu le vois ? Voilà son dos, ses pieds, sa tête, dit-elle en les lui montrant du doigt.

— Il a l'air parfait. Je t'en prie, dis-moi qu'il va bien, lâcha-t-il d'une voix brisée.

— Il va très bien. Le bébé et moi, nous avons été protégés par nos anges gardiens. La balle que tu aperçois ici — la petite tache grise — a atteint ma hanche, l'os du bassin, mais elle n'a pas été plus loin. Elle aurait pu poursuivre sa course, toucher un de mes reins ou pire, traverser l'utérus et tuer le bébé. Mais elle s'est arrêtée avant de faire des dégâts sérieux. Un vrai miracle. Les médecins n'en revenaient pas.

Il secoua la tête, émerveillé.

— Oui, c'est vraiment miraculeux.

Sandy sourit à travers ses larmes.

— Il y a eu deux miracles. Le premier est que tu aies survécu à ta chute dans le golfe du Mexique.

Tristan s'assit sur le bord du lit et la prit dans ses bras pour l'embrasser doucement, d'abord, puis de plus en plus passionnément.

— En fait, il y a eu trois miracles, murmura-t-il.

— Trois ? Quel est le troisième ?

Il pressa ses lèvres contre sa tempe.

— Nous sommes tous les trois réunis. Je t'aime, Sandy. De tout mon cœur.

Sandy lui rendit ses baisers. Son cœur en bondit d'allégresse.

Epilogue

Quelques semaines plus tard

— Mais tu m'avais promis d'apporter ta robe de mariée ! dit Sandy à Maddy.

Toutes deux étaient assises dans le petit salon du mobile home que Tristan avait installé à l'endroit où se trouvait auparavant la maison familiale ravagée par l'incendie. Lorsqu'ils ouvraient la fenêtre, une odeur de brûlé flottait encore dans l'air.

— J'avais envie de te voir dedans puisque je ne pourrai pas me rendre au mariage.

— Chérie, répondit Maddy, cette robe n'aurait tenu dans aucune valise.

— Bon, mais tu m'enverras toutes les photos qui seront prises en ce grand jour, d'accord ?

— Bien sûr !

Maddy regarda un bon moment Sandy.

— Tu as l'air en forme.

— Oui, en pleine forme. Naturellement, cela ne m'amuse pas de rester couchée jusqu'au terme de ma grossesse mais il y a pire comme épreuve. J'en profite pour lire.

Maddy s'empara de la pile des photos prises au moment de l'échographie et les examina de nouveau.

— C'est incroyable ! Quelle chance vous avez eue, le bébé et toi ! Mais donc, les médecins préfèrent que tu ne bouges pas trop pendant les dernières semaines de grossesse ?

— Jusqu'à la naissance, oui. Cela pourrait être dangereux. J'ai eu de la chance mais il ne faut pas en abuser.

Maddy lui sourit.

— Tristan aussi a eu beaucoup de chance.

— Il va de mieux en mieux. Il ne restait presque plus rien des muscles de son mollet droit, et la longue marche que nous avons dû faire dans les marais n'a rien arrangé, tu t'en doutes. Il a beaucoup maigri. Mais il est en vie, il va se rétablir et c'est l'essentiel. Il passe des heures à répondre à des interrogatoires mais la preuve est faite que la voix sur les enregistrements est bien celle de Vernon Lee.

— Exact, renchérit Maddy. Je reçois les comptes rendus de l'enquête puisque j'étais impliquée dans cette affaire au début.

— Cette histoire rend Tristan malade parce que rien ne prouve que Lee soit mort. Je crois que, tant qu'il n'aura pas vu le cadavre de Lee, il n'aura pas l'esprit tranquille.

Maddy secoua la tête.

— L'opinion qui prévaut à la Sécurité territoriale est qu'il est toujours en vie. Il y avait beaucoup de sang dans son bureau mais nous avons souvent vu des cas similaires où des suspects ont laissé des litres de sang pour faire croire à leur mort.

— Je sais, le mystère demeure. Où sont Zach et Tristan ? J'ai une faim de loup !

— Ils ne vont pas tarder. Combien de temps faut-il pour faire griller des steaks ?

— Et du bacon !

Maddy se mit à rire.

— Tu as changé du tout au tout avec le bacon. Le simple fait de prononcer le mot « bacon » te donnait la nausée, il y a quelques mois.

Tristan et Zach entrèrent alors dans le mobile home.

Ils riaient aux éclats. Tristan boitait moins, remarqua Sandy. Et il avait l'air heureux. Zach et lui avaient été amis toute leur vie et tous deux se comportaient comme s'ils se voyaient quotidiennement alors qu'ils vivaient à des centaines de kilomètres de distance depuis treize ans.

Zach posa un plat de steaks grillés sur la table de la cuisine tandis que Tristan s'approchait de la chaise longue pour planter un baiser sur le haut du crâne de Sandy.

— Le déjeuner est servi, chérie !

Zach et Tristan se disputèrent pour le plus grand steak et Maddy et Sandy se mirent à rire devant leurs gamineries.

— Tirez-le au sort et finissons-en ! lança Sandy.

Tristan l'emporta. Il posa le plus gros steak sur une assiette et l'apporta à Sandy.

— Voilà ce qu'il vous faut, Mme Je-Mange-Pour-Deux, dit-il avant de s'asseoir à côté d'elle.

— Je ne pourrai pas tout manger, protesta-t-elle en se coupant un morceau de viande.

Comme son mari regardait Zach et Maddy, Sandy sourit.

— Zach te manquait, non ?

Il ne répondit pas, ce qui était typique de Tristan.

— Tu le verras plus souvent si tu acceptes ce poste à Washington.

Il se raidit visiblement mais elle poursuivit.

— Je serai certainement très heureuse là-bas. Tant que tu es à mes côtés, je suis bien partout.

— Et si je n'allais pas à Washington ? répliqua-t-il en reportant son attention sur Maddy et Zach. Vous deux, vous êtes nés pour devenir espions. Alors que je ne suis pas certain que ce métier soit pour moi. Il se trouve que j'ai un jour intercepté une conversation et que j'ai failli être tué pour cette raison. Jouer les James Bond m'a paru moins palpitant, d'un seul coup. J'avoue ne pas avoir envie de risquer ma vie pour la gagner.

Sandy prit une profonde inspiration. Un intense soulagement la submergeait. Voilà des mois qu'elle s'inquiétait pour Tristan et elle se félicitait qu'il ait envie de renoncer à faire carrière dans le renseignement.

Elle demanda avec précaution.

— As-tu réfléchi à ce que tu aimerais faire ?

— J'ai discuté avec un vétérinaire de Houma. Il serait content de bénéficier des services d'un assistant à mi-temps. Je pense le rejoindre à la fin de l'été, travailler avec lui. Le reste du temps, je reconstruirai la maison.

Sandy ne put retenir un grand sourire et l'amour emplit son cœur.

— Tu vas la reconstruire là où se trouvait l'ancienne ?

Il hocha la tête.

— Ça te va ?

Sandy souriait encore tandis que le bébé lui donna un coup de pied.

Tout lui allait, tout allait pour le mieux dans le meilleur des mondes, tant que Tristan DuChaud l'aimait.

Retrouvez en janvier, dans votre collection

BLACK ROSE

La femme menacée, de B. J. Daniels - N°370

En ouvrant les yeux, McKenzie découvre avec désarroi qu'elle est allongée dans un lit d'hôpital. A son chevet, un homme au regard plein de sollicitude lui révèle qu'il vient de la sauver des griffes d'un fou furieux qui l'avait agressée sur un parking. Puis, d'un ton rassurant, il lui propose de la protéger au cas où son agresseur la retrouverait. Troublée malgré elle — mais désireuse de préserver son indépendance —, McKenzie refuse son aide. Sans se douter que, tapi dans l'ombre, le monstre qui l'a attaquée attend le moment propice pour se jeter à nouveau sur elle...

L'étau du soupçon, de Cassie Miles

Qu'est-il arrivé à Nick durant sa captivité en Amérique du Sud ? Et quels terribles secrets lui cache-t-il ? En accueillant son fiancé, disparu depuis six mois, Sidney est déchirée entre joie et suspicion. Car Nick a terriblement changé. Et, bien qu'il ne se confie à personne, elle devine à son comportement qu'il se sent menacé. Prête à tout pour le soutenir et sauver leur couple, elle ne peut cependant empêcher l'angoisse de l'étreindre quand elle comprend que les inconnus qui traquent Nick les recherchent à présent tous les deux. Cette fois, ce n'est plus seulement leur amour qui est en danger mais bien leurs vies...

Un bébé à sauver, de Mallory Kane - N°371

Toutes les nuits, le même cauchemar hante Ash. Les images, terribles, de ses parents assassinés dans leur manoir, vingt ans plus tôt, tournent en boucle dans sa tête... Et voilà que, soudain, à cause de quelques analyses d'ADN, on parle de libérer le meurtrier présumé. Fou de rage, Ash se précipite dans le bureau de Rachel, la scientifique en charge du dossier. Mais, avant même qu'il ait le temps d'ouvrir la bouche, Rachel lui fait une révélation qui le cloue sur place. Elle attend un bébé de lui, fruit de leur brève liaison passée. Abasourdi, Ash sent sa colère tomber tandis qu'une terreur nouvelle l'envahit. Et si, par crainte de voir son identité révélée, le véritable assassin s'attaquait à Rachel et à leur futur enfant ?

Prisonniers de la montagne, de Debra Webb et Regan Black

Jamais Charly n'a eu affaire à des randonneurs aussi étranges... Et, tandis qu'elle les guide à travers les Rocheuses, elle sent peu à peu l'inquiétude la gagner. Car ses clients, indifférents à la nature, la contraignent à progresser de plus en plus vite vers un lieu précis. D'abord docile, elle décide de leur fausser compagnie à la nuit tombée. Mais, dans l'obscurité, elle percute soudain une ombre et sent une main la bâillonner fermement. Paralysée par la terreur, Charly retient un cri de stupeur en reconnaissant Will Chase, le nouveau facteur de Durango. Will, dont les yeux bleus la font rêver chaque nuit. Will qui, de toute évidence, suivait leur groupe depuis le matin et semble être bien plus qu'un simple « facteur »...

BLACK ROSE

Quand le risque nous rapproche, de Marie Ferrarella - N°372

Suite au décès inexpliqué de plusieurs personnes âgées dans des maisons de retraite d'Aurora, Noelle O'Banyon, une jeune inspectrice discrète et solitaire, décide de mener l'enquête. Mais pour cela elle va devoir faire équipe avec Duncan Cavanaugh, un homme aussi séduisant qu'exaspérant qui tantôt la traite avec la plus parfaite indifférence, tantôt cherche à la pousser à bout. Pourtant, Noelle devine que derrière cette attitude ambiguë Duncan cache ses véritables sentiments à son égard. Une attirance partagée, bientôt renforcée par les multiples dangers auxquels tous deux vont se trouver confrontés...

L'empreinte de la vérité, de Cynthia Eden

Alors qu'il s'apprête à fermer son agence de détectives, Grant voit arriver une femme qu'il reconnaît aussitôt. Scarlett, son amour de jeunesse, qu'il a quittée dix ans plus tôt pour partir en mission dans l'armée. Celle-ci, d'une voix paniquée, lui fait un étrange récit : recherchée pour le meurtre de son ex-petit ami, elle est venue trouver Grant pour qu'il l'aide non seulement à prouver son innocence, mais aussi à retrouver le véritable assassin dont — elle en est sûre — elle sera la prochaine victime. Troublé, Grant hésite quelques instants avant d'accepter. Sans réellement savoir ce qui le motive : la compassion, la conscience professionnelle... ou le souvenir de leur histoire d'amour inachevée.

Mariée par convenance, de Carol Ericson - N°373

Mariée à un inconnu... Callie n'a pas eu le choix : sauf à faire une croix sur l'héritage de son grand-père, et à laisser ainsi son père se débrouiller seul avec ses dettes face aux dangereux criminels qui le menacent, il fallait qu'elle soit mariée au plus vite. Et puisque Rod McClintock, rencontré par hasard, acceptait de devenir son époux... Mais, à présent, elle se sent à la fois coupable et impuissante : car non seulement elle se rend compte que Rod est bien trop troublant pour le rôle, mais aussi parce que les criminels qui poursuivaient son père n'ont pas renoncé, la menacent aussi et qu'elle ne peut plus faire autrement que d'entraîner Rod avec elle dans le danger...

Dans le rôle d'une autre, de Carly Bishop

En acceptant de se faire passer pour la femme d'un célèbre psychiatre – une femme dont elle est le sosie, et qui, dépressive, ne peut plus assurer son rôle d'épouse lors des réunions officielles – Abby Callahan n'imagine pas qu'on va lui imposer un garde du corps, Sean Baldwin. D'abord tentée d'échapper à sa surveillance, elle change cependant d'avis en découvrant que le psychiatre qui l'emploie ne lui a pas tout dit : en fait, jouer la doublure de sa femme expose Abby à un grand danger. Piégée, elle se résout donc à coopérer avec Sean, dont l'arrogance et le pouvoir de séduction lui sont très vite insupportables...

HARLEQUIN

Amour + suspense
= Black Rose